The
Oxford Book of
Medieval Latin Verse

The
Oxford Book of
Medieval Latin Verse

Newly selected and

edited by

F. J. E. Raby, C.B.

Fellow of the British Academy
Hon. Fellow of
Jesus College, Cambridge

Oxford

At the Clarendon Press

Oxford University Press, Ely House, London W. 1

GLASGOW   NEW YORK   TORONTO   MELBOURNE   WELLINGTON
CAPE TOWN   SALISBURY   IBADAN   NAIROBI   DAR ES SALAAM   LUSAKA   ADDIS ABABA
BOMBAY   CALCUTTA   MADRAS   KARACHI   LAHORE   DACCA
KUALA LUMPUR   SINGAPORE   HONG KONG   TOKYO

FIRST PUBLISHED 1959
SET IN GREAT BRITAIN
AT THE UNIVERSITY PRESS, OXFORD
AND REPRINTED LITHOGRAPHICALLY
FROM CORRECTED SHEETS OF THE FIRST EDITION
1961, 1966, 1970

FREDERICO BRITTAIN

AMICITIAE ERGO

PREFACE

THE texts given in this volume are presented, for the most part, in the familiar spelling of classical Latin, but in some of them I have thought it desirable to preserve the spelling of the manuscripts.

I am indebted to Dr. Frederick Brittain, Fellow of Jesus College, Cambridge, for help and encouragement in the preparation of this volume. Fr. Paul Grosjean S.J., has most kindly taken great trouble in answering my questions about the difficult problems connected with the Latinity of *Hisperica Famina*, and I owe to him many valuable suggestions as to the meaning of the extract given on pp. 58 sq.

I am grateful also to Dr. D. R. Shackleton Bailey and to Professor C. O. Brink for their helpful advice.

F. J. E. R.

NOTES TO CORRECTED REPRINT

Nos. 108 and 109, pp. 151–3, are to be found, with the rest of Notker's Sequences, in W. von den Steinen, *Notker der Dichter und seine geistige Welt*, 2 vols., Bern, 1948.

No. 132, p. 184. For fl. 1050 read d. *c.* 1010.

No. 207, p. 309. For another and perhaps earlier text, see R. W. Hunt, in *Medium Aevum*, xxviii (1959), p. 192.

Nos. 277, p. 417 and 282, p. 426 should probably be assigned to Philip the Chancellor.

No. 279, p. 420 is probably by Peter of Blois (d. 1212 and not *c.* 1200 as on p. 364).

For a text of No. 281, p. 425, with a third strophe, see A. Wilmart, in *Mediaeval and Renaissance Studies*, iv (1958), p. 76.

For another and longer text of No. 283, p. 428, see Hunt, op. cit., pp. 193 sq.

INTRODUCTION

I

STUDENTS or amateurs of classical Latin verse, whose interest or curiosity has led them as far as Claudian and Ausonius, may often have wondered what kind of poetry was written in the following centuries which were the prelude to what they had been taught to regard as the 'dark ages'. And others whose acquaintance with Christian Latin poetry was confined, for the most part, to the hymns of the Roman Breviary may have wished to know more of a poetry which possesses a mysterious fascination and charm. As early as 1741 Polycarp Leyser published his *Historia poetarum et poematum medii aevi*, and his work contained some previously unpublished texts. In the nineteenth century two movements contributed to that provision of texts which was an essential preliminary to the systematic study of medieval Latin poetry. One was initiated by Daniel in his *Thesaurus Hymnologicus*, followed by the more critical collection of Mone in his *Lateinische Hymnen des Mittelalters*, and culminating in the fifty-five volumes of *Analecta Hymnica*, edited by Dreves and Blume. The other movement was part of the great historical movement, common to most western European countries, the basis of which was the study of original sources in new and critical editions. So, in collections such as the *Monumenta Germaniae Historica*, and the *Corpus Scriptorum Ecclesiasticorum Latinorum*, supplemented by our own Rolls Series and the useful, if uncritical, reprints of Migne's *Patrologia Latina*, poetical texts were included which became available for the student of literature as well as for the historian.

It was soon realized that this vast body of Latin verse, secular as well as religious, which was the product of a thousand years of assiduous composition, was important, not merely on historical and cultural grounds, but in relation to the vernacular literatures of medieval Europe. This is the reason why medievalists and, in particular, Romance scholars, have, for a considerable number of years, paid much attention to medieval Latin poetry and especially to that part of it which can be conveniently described as lyrical. The present volume is intended to provide a representative selection of medieval Latin verse up to about the year 1350. It is on a larger scale than the original *Oxford Book of Medieval Latin Verse*, edited by the late Sir Stephen Gaselee, who would willingly have given his blessing to a more extensive collection. A comparison of the present selection with his will show how much it owes to its predecessor.

2

Medieval Latin poetry may be said to begin in the middle of the third century with Commodian, an African, whose strange verses were intended for the instruction of an unlearned audience and had no future before them (1-2). Augustine's *Psalm against the Donatists* (23) had a similar intention. Early Christian Latin poetry is for the most part the work of writers who were trained in the schools of grammar and rhetoric, schools whose tradition was continued with changes and modifications throughout the Middle Ages. For the poets of classical Latin antiquity as for their medieval successors poetry was a branch of rhetoric; its rules were definite and must be mastered by long practice and the imitation of approved models. There was a whole series of poets, such as Iuvencus, Sedulius, Dracontius, Avitus, and Arator, stretching from the fourth to the sixth century, who represent an 'epic' tradition in their setting-out of scriptural subjects in classical measures for the benefit of readers or hearers who could more easily appreciate this kind of poetry than anything of a popular or semi-popular nature. To the same tradition of the schools belongs the poetry of Prudentius and of Paulinus of Nola, two accomplished versifiers, as much at home in lyrical as in other measures.

By the side of this learned poetry the Christian hymn was making its appearance in the Latin West. It was introduced from the East and was destined to have a long and significant influence on versification. Hilary of Poitiers wrote metrical hymns for the instruction of Gallic congregations (5), but Ambrose, whose verses were to form the core of Western hymnaries, was the real father of Western hymnody (9-12). He had the genius to see in the simple iambic dimeter the measure for his purpose, a measure which was soon to be adapted for rhythmical and rhymed compositions—the so-called Ambrosian hymns. So, along with the hymns of Prudentius and his *Periste-phanon* (Odes on the martyrs), a large body of hymns could be gathered, for use especially in the now developed monastic Offices (15-22). Prose hymns, like the *Gloria in excelsis* and the *Te Deum* (14), were also used, the one in the Eucharist and the other at Lauds. Two of the fine hymns of Fortunatus, the *Pange, lingua, gloriosi proelium certaminis* and the *Vexilla regis* (54-55) were composed for a special occasion, but found their way into use at Passiontide.

3

The origins of rhymed and rhythmical verse have been much disputed. Rhyme had long been a familiar ornament of rhetorical prose and from this it may well have passed into verse, though both rhyme and rhythm may also have owed something to eastern (Christian) influences. The principles of regular rhythm and of fixity in the number of syllables were only gradually established and the full perfection of regular rhyme was a slow process. In his treatise *De arte metrica* Bede deals with rhythmical verse as an established form, and in the seventh century the Irish poets showed in their Latin hymns a fondness for rhyme and even for rhymes of two syllables. It is certain that the composition of rhythmical as well as of quantitative verse was taught in the monastic and cathedral schools in western Europe. As it was from the Latin rhymed and rhythmical verse that rhyme and rhythm passed into the vernacular literatures, the importance of this remarkable invention can hardly be exaggerated. Such was the attraction of rhyme that from the ninth century onwards it began to be attached to hexameters and later to pentameters of classical form. At first leonine rhymes of one syllable were employed more or less sporadically, but by the late eleventh century leonine rhymes as well as tailed rhymes of two syllables were used.

4

The next phase in the history of medieval Latin verse is associated with the Carolingian Renaissance of the eighth and ninth centuries, which prepared the way for the literary and intellectual achievements of the full Middle Ages. This revival of learning owed much to the initiative of Charles the Great himself, who brought to his Court not only Alcuin, with the tradition of the English schools, but scholars and poets from Italy, where there had been no break in classical studies from the last days of the ancient world. The most accomplished poet of all, Theodulph, Bishop of Orleans, brought the contribution of Spanish learning (81). Most of this poetry is in classical measures, showing especially the influence of Ovid and Virgil. But Irish and perhaps English influences had created some interest in rhyme, and North Italy produced a large amount of rhythmical poetry, both religious and secular, which was read, collected, and imitated in the Frankish monasteries. These monasteries, after the eclipse of the Palace School at Aachen, had become the chief centres of learning and literature. Some of the Frankish 'rhythms' celebrate contemporary events, a victory in war or the death of a ruler. The rhythmical trochaic tetrameter was a favourite measure. The Italian (Lombardic) contribution to this rhythmical verse is important. Epic, historical, and didactic poetry was also practised, mostly in classical measures, though at times with leonine rhyme.

It was the great age of the Frankish monasteries, such as St. Gall, Fulda, Reichenau, and Echternach. These were centres of civilized life, where the arts could be practised and where the orderly celebration of the monastic Offices and the Mass demanded a high degree of musical knowledge. So in these centuries the use of the sequence spread, a composition sung at Mass after the Alleluia, between the Epistle and the Gospel. It began as prose, with a rhythm which, if it existed at all, was dictated by the music, and after a transitional stage in which rhythm and rhyme appear in rudimentary fashion, it became what has been described as the 'regular' sequence, a symmetrical structure with consistent and elaborate rhyme and rhythm.

The question of the origin of the sequence has given rise to much discussion and is still obscure. It may well be, as Dr. Wellesz has argued, that its ultimate source is to be found in the metrical homilies used in the Syrian Church, for Syrian influences were strong in Gaul, and the musical structure of the Alleluia, to which the sequences were closely attached, belongs to a type that was 'introduced from the East, from the Churches of Syria and Palestine'. Some of the earliest sequences do, indeed, look like brief homilies on the Gospel for the day (85). But we need here only emphasize the share of Notker Balbulus of St. Gall in the composition of sequences, the use of which spread widely among the Churches of the West (108-9).

5

The eleventh and twelfth centuries saw a respite from invasions and a more complex and settled urban life. Circumstances favoured an intellectual revival which, especially in France, centred in the Cathedral schools, but was evident as well in Germany, Italy, and, later, in England. Poets like Hildebert (157-9), Marbod (150-3), and Baudri (154-5) took their art seriously and wrote 'occasional' verses as well as poems on stock themes. The two-syllabled rhyme was used with assurance by Hildebert (159) and it had a splendid future before it. The secularization of studies is seen in poems on the war of Troy (137, 144, 166, 167), in satires like the *Speculum Stultorum* of Nigel Longchamp (243), Joseph of Exeter's epic *De bello Troiano* (246), Walter of Châtillon's *Alexandreis* (191), the anonymous *Ruodlieb* (131), as well as in epigrams and short occasional pieces.

But most important of all in these centuries are the development and the fruition of the Latin lyric. At the beginning we have the famous 'Cambridge Songs', collected, perhaps for a German ecclesiastic, about the middle of the eleventh century, when secular pieces of a 'Sequence type' (119-20) appear with other pieces which foreshadow the fully developed lyrics of the next century (122-4). With these latter we may place No. 100 of our collection.

The first thing to remember about the 'lyrical' poems in the various collections is that they were meant to be sung and that the music was, on the whole, more important than the words. The demand for these songs, whether religious or secular in content, was created by the new musical developments of the later twelfth and early thirteenth centuries, associated very largely with the school of Notre Dame in Paris, and composed for cultivated audiences in cathedral schools or the households of important ecclesiastics. By the side of extra-liturgical religious compositions (motets or *conducti* and the like) are found moralistic and satirical pieces and songs of love, of wine, and of spring. There are songs for the Feast of Fools and 'breaking-up' songs as well. The composers of these pieces were not wandering clerks; the songs required elaborate musical accompaniments and highly trained singers such as could be found only in cathedrals and perhaps in monasteries.

The so-called 'Goliardic' poetry, written in what has been called the Goliardic measure (verses of thirteen syllables in mono-rhymed strophes of four verses) is mainly satirical in character, and the name Goliard, derived perhaps from Goliath of Gath, is attached vaguely to versifiers who attacked the Papal curia and ecclesiastical or monastic authorities. But there was no 'order' of Goliards, and some of these satirists, such as Hugh Primas (175-7), the Arch-poet (183-7), and Walter of Châtillon (191-200), were famous poets. Perhaps the most accomplished versifier of all, whose poems range from the religious to the moralistic and satirical, was Philip the Chancellor (250-8). The end of the twelfth and the first part of the thirteenth century saw the full development of the Latin lyric, after which the vernacular literatures of western Europe came into their own, though Latin songs, often of indifferent merit, continued to be written and sung. One interesting poetical *genre* of the twelfth century is the *Comoedia* or versified tale, but it is not possible to include extracts from these lengthy compositions in the present volume.

6

The religious verse of the twelfth century centres round the names of Abelard and Adam of St. Victor. The former showed his originality and genius in the hymnary which he composed for Heloïse's nuns at the Paraclete and in his *Planctus* or Laments, on subjects taken from the Old Testament (169-73), while the other, with a wonderful facility, brought the 'regular' sequence to an unrivalled perfection (162-4).

The religious poetry of the thirteenth century is domin-ated by the movement of personal devotion, centring round the double Passion of Christ and His Mother, which Bernard of Clairvaux had stimulated and which he handed on to the Franciscans, for whom it was the very heart of their devotional life. The *Dulcis Iesu memoria* (233) is not

the work of Bernard, but it breathes his spirit and that of
the new Cistercian mysticism. The most prolific of the
religious poets whose verses belong to this movement was
John of Howden (266-72). Beside him we must place John
Pecham, the Franciscan Archbishop of Canterbury (273-4),
and, standing alone, the unknown author of *Stabat mater*
(285). A fitting climax to this literature of devotion is the
Dies irae, a *pia meditatio*, which was afterwards used as a
sequence (259).

The compositions of St. Thomas Aquinas for the feast
of Corpus Christi (a sequence and hymns), along with his
beautiful meditation *Adoro devote*, have a severe majesty
and dignity (262-5).

7

The classical scholar, whose standards are set by the
accomplished art of Catullus, Horace, or Virgil, may ask
what importance this medieval Latin poetry possesses,
apart from its interest to the historian of civilization or to
the linguist. In so far as it uses classical forms it is, from the
beginning, a poetry of the schools. This is true of all the
later Latin classical poetry, for unless the poets had learned
the rules and had been taught by means of exercises, they
could never have become poets at all. This holds good for
poets like Prudentius and Dracontius as well as for Boëthius.
But they had the advantage of using the literary Latin in
almost the same way as their classical predecessors: that is
to say, as a living tongue. They had also a sense of style,
which was not possessed in the same way by, say, the
writers of ambitious poems in the twelfth century. But
this does not mean that the Middle Ages had no aesthetic theory. They had, to begin with, the principles

summarized by Isidore of Seville in his *Etymologiae* and derived in part from Cicero. Fitness and decency were the mottoes: as Raban Maur put it: *diserte et decenter, apte et eleganter eloqui.*[1] Poetry is written to charm and please, by means of both verbal ornament and the beauty of the metre, but the content is more important than these.

8

The late twelfth century saw the composition of *Artes poeticae* which greatly influenced vernacular writers. The emphasis is not only on verbal adornment, the choice of rare or rich words, the use of epithets, elaborate descriptions, figures, and tropes, but also on structure, the unity in diversity, the coherence of the whole.

These theories were intended in the main to apply to poetry based on classical models even if the application of rhyme to quantitative verse was assumed or encouraged. The authors of these manuals, men such as Matthew of Vendôme, Geoffrey of Vinsauf, Gervaise of Melkley, and John of Garland belonged to the Anglo-French 'civilization', while Evrard the German, the author of the *Laborintus*, a similar textbook, had been a master in Paris. A section of Evrard's treatise (it is written in elegiacs) is concerned with leonine rhymes, tailed rhymes, &c. He deals also with rhythmical verses and gives a number of examples.

Rhythmical verse had, from the beginning, a much greater freedom of development. Simple measures like the iambic dimeter and the trochaic tetrameter lent themselves easily to a purely rhythmical structure. Biblical phrases

[1] See on this subject E. de Bruyne, *L'Esthétique du moyen âge*, Louvain, 1947, pp. 243 sqq.

could be used without paraphrase or rhetorical clothing, and the order of the words was nearer to that of everyday speech. It is possible to speak of a qualitative difference between the poetry of the rhetorical tradition and this religious poetry with its emotional and, at times, mystical overtones. The elaborate adornment of rhyme added immensely to its aesthetic possibilities, and it can easily be seen how the new verse forms could, with the aid of music, be adapted and varied to meet the needs of lyrical poetry, both religious and secular.

Finally, it should be emphasized that this Latin poetry, both quantitative and rhythmical, was always looked upon as existing in its own right and not as a collection of exercises in a dead language. The vernacular poets would have been the first to acknowledge this. Did not Chaucer call Geoffrey of Vinsauf his master? We can be sure too that Gower, Chaucer's contemporary, was as proud of his Latin as of his English poems.

By the fourteenth century the breath of what it is still convenient to call the Renaissance was already blowing in Italy. It is perhaps apparent in Dante's *Eclogues* and certainly in Petrarch's Latin verses as well as in Boccaccio's. The day of rhythmical and rhymed Latin verse was over, though even in the fifteenth century there were a few versifiers of distinction and much religious verse of poor quality, in rhymed Offices, rhymed 'Psalters', and similar compositions. The way was now open for a Latin Renaissance, which was to last as late as the seventeenth century and was to see an immense output, bewildering in its variety, of Latin verse based upon classical models.

COMMODIAN

fl. *c.* 250

1 *Acrostich on the Last Judgement*

De die iudicii propter incredulos addo:
Emissus iterum Dei donabitur ignis,

Dat genitum terra virum tunc in ultima fine,
In terra gentes et tunc increduli cuncti
Evitant tamen sanctorum castra suorum.   5

In una flamma convertit tota natura,
Uritur ab imis terra montesque liquescunt,
De mare nil remanet, vincitur ab igne potente,
Interit hoc caelum et astra et ista terra mutatur.
Componitur alia novitas caeli terraeque perennis. 10
Inde qui merunt mittuntur in morte secunda,
Interioribus autem habitaculis iusti locantur.

2 *The Resurrection*

SIC avis Phoenix meditatur a morte renasci,
dat nobis exemplum, post funera surgere posse;
hoc Deus omnipotens vel maxime credere suadet,
quod veniet tempus defunctorum vivere rursum,
sint licet nunc pulvis, iaceant licet ossa nudata.   5
integratur homo, fuerat qui mortuus olim,
et gratia maior huic aderit istius aevi.
non dolor aut lacrimae tunc erunt in corpore nostro,
non caro recipiet ferrum, non pustula surget,
hoc Deus instituet, ut sit illi gloria maior.   10

fl. c. 330

3 *From her Virgilian cento. The Creation*

PRINCIPIO caelum ac terras camposque liquentes
    lucentemque globum lunae solisque labores
ipse pater statuit, vos, o clarissima mundi
lumina, labentem caelo quae ducitis annum.
nam neque erant astrorum ignes nec lucidus aether,   5
sed nox atra polum bigis subvecta tenebat,
et chaos in praeceps tantum tendebat ad umbras
quantus ad aetherium caeli suspectus Olympum.
tum pater omnipotens, rerum cui summa potestas,
aëra dimovit tenebrosum et dispulit umbras   10
et medium luci atque umbris iam dividit orbem.
sidera cuncta notat tacito labentia caelo,
intentos volvens oculos, qua parte calores
austrinos tulerit, quae terga obverterit axi.
postquam cuncta videt caelo constare sereno   15
omnipotens, stellis numeros et nomina fecit
temporibusque parem diversis quattuor annum
aestusque pluviasque et agentes frigora ventos.
atque ut haec certis possimus discere signis,
vere tument terrae et genitalia semina poscunt   20
ac medio tostas aestu terit area fruges
et varios ponit fetus autumnus et atra
venit hiemps: teritur Sicyonia baca trapetis:
atque in se sua per vestigia volvitur annus.

C. VETTIUS AQUILINUS IUVENCUS

fl. 330

4   *The Resurrection*

SIDERA iam noctis venturo cedere soli
incipiunt, tumuli matres tum visere saeptum
concurrunt, motus sed terram protinus omnem
concutit et caelo lapsus descendit aperto
nuntius et saxum tumuli de limine volvit.   5
·illius et facies splendet ceu fulguris ignis,
et nivis ad speciem lucent velamina vestis.
militibus terror sensum discluserat omnem
et iacuere simul ceu fusa cadavera leto.
ille sed ad matres tali cum voce profatur: 10
'vestra pavor nullus quatiens nunc corda fatiget:
nam manifesta fides sanctum vos quaerere corpus,
quod crucis in ligno scelerata insania fixit.
surrexit Christus aeternaque lumina vitae
corpore cum sancto devicta morte recepit.   15
visere iam vobis licitum est, quod sede sepulchri
nulla istic iaceant fuerant quae condita membra.
dicite praeterea celeri properoque recursu
discipulis, Christum remeasse in luminis oras,
inque Galilaeam laetum praecedere terram.'   20
his dictis visisque animos perfuderat ardens
laetitia attonitis stupor ancipitique pavore.
denique praecipiti celebrantes gaudia cursu
talia discipulis referunt tumulumque relinquunt.
ecce iteris medio clarus se ostendit Iesus   25
et fidas matres blandus salvere iubebat.
occurrunt illae et genibus plantisque prehensis
victorem leti pavidae venerantur Iesum.

talibus ille dehinc praeceptis pectora firmat:
'mentibus absistat fidei pavor omnis et ista   30
fratribus en nostris propere mandata referte.
nostri conspectus si cura est, ite volentes
inque Galilaeam propere transcurrite terram.'

HILARY OF POITIERS

d. *c.* 367

5   *Hymn*

ADAE carnis gloriosa et caduci corporis
    in caelesti rursum Adam concinamus proelia,
per quae primum Satanas est Adam victus in novo.

Hostis fallax saeculorum et dirae mortis artifex
iam consiliis toto in orbe viperinis consitis   5
nil ad salutem praestare spem humanam existimat.

Gaudet aris, gaudet templis, gaudet sanie victimae,
gaudet falsis, gaudet stupris, gaudet belli sanguine,
gaudet caeli conditorem ignorari gentibus.

Inter tanta dum exsultat nostrae cladis funera,   10
Deo audit in excelsis nuntiari gloriam
et in terra pacem hominum voluntatis optimae.

Terret coetus angelorum laetus ista praedicans,
terret Christum terris natum nuntians pastoribus,
magnum populis hinc futurum desperatis gaudium.   15

Errat partes in diversas tantis rebus anxius,
quaerit audax et, quis hic sit tali dignus nuntio,
nihil ultra, quam commune est, terris ortum contuens.

4

Cernit tamen, quod Iohannes in desertis praedicet
aquis mersans in Iordanis cunctis paenitentiam,　　20
quam sequatur confessorum criminum remissio.

Inter turbas, quae frequenter mergebantur, accipit
vocem e caelo praedicantem: 'meus est hic filius,
hunc audite, hic dilectus, in quo mihi complacet.'

Cernit hominem, cernit corpus quod Adae perlexerat, 25
nihil ultra vox honoris afferebat desuper,
scit terrenam subiacere mortis legi originem.

Ad temptandum multas artes priscae fraudis commovet,
quaerit audax, tempus quid sit . . . .

ANONYMOUS

c. 370

6　　　　　　*The Life of Christ*

HYMNUM dicat turba fratrum, hymnum cantus
　　personet,
Christo regi concinnantes laudes demus debitas.
tu Dei de corde verbum, tu via, tu veritas,
Iesse virga tu vocaris, te leonem legimus.
dextra patris, mons et agnus, angularis tu lapis,　　5
sponsus idem, El, columba, flamma, pastor, ianua;
in prophetis inveniris, nostro natus saeculo.
ante saecla tu fuisti factor primi saeculi,
factor caeli, terrae factor, congregator tu maris,
omniumque tu creator quae pater nasci iubet,　　10
virginis receptus membris Gabrielis nuntio.
crescit alvus prole sancta; nos monemur credere
rem novam nec ante visam, virginem puerperam.

5

tunc magi stellam secuti primi adorant parvulum
offerentes tus et aurum, digna regi munera.   15
mox Herodi nuntiatum invidens potentiae;
tum iubet parvos necari, turbam facit martyrum:
fertur infans occulendus, Nili flumen quo fluit,
qui refertur post Herodem nutriendus Nazareth.
multa parvus, multa adultus signa fecit caelitus,   20
quae latent et quae leguntur, coram multis testibus.
praedicans caeleste regnum dicta factis adprobat:
debiles facit vigere, caecos luce illuminat,
verbis purgat leprae morbum, mortuos resuscitat;
vinum quod deerat hydriis mutuari aquam iubet,   25
nuptiis mero retentis propinando populo;
pane quino, pisce bino quinque pascit milia,
et refert fragmenta cenae ter quaternis corbibus,
turba ex omni discumbente iugem laudem pertulit.
duodecim viros probavit, per quos vita discitur,   30
ex quis unus invenitur Christi Iudas traditor:
instruuntur missi ab Anna proditoris osculo:
innocens captus tenetur nec repugnans ducitur,
sistitur, falsis grassatur offerendus Pontio;
discutit obiecta praeses, nullum crimen invenit;   35
sed cum turbae Iudaeorum pro salute Caesaris
dicerent Christum necandum, turbis sanctus traditur:
impiis verbis grassatur; sputa, flagra sustinet,
scandere crucem iubetur, innocens pro noxiis;
morte carnis quam gerebat mortem vicit omnium.   40
tum Deum clamore magno patrem pendens invocat:
mors secuta membra Christi laxat, stricta vincula;
vela templum scissa pandunt, nox obscurat saeculum,
excitantur de sepulcris dudum clausa corpora.
adfuit Ioseph beatus; corpus myrrha perlitum,   45

6

linteo rudi ligatum cum dolore condidit.
milites servare corpus Annas princeps praecipit,
ut videret si probaret Christus quod spoponderat;
angelum Dei trementes veste amictum candida,
qui candore claritatis vellus vicit sericum,   50
demovet saxum sepulcro surgens Christus integer:
haec videt Iudaea, mendax haec negat cum viderit.
feminae primum monentur salvatorem vivere,
quas salutat ipse maestas, complet tristes gaudio,
seque a mortuis paterna suscitatum dextera   55
tertia die redisse nuntiat apostolis.
mox videtur a beatis quos probavit fratribus;
quod redisset ambigentes intrat clausis ianuis.
dat docens praecepta legis, dat divinum spiritum,
spiritum Dei, perfectae trinitatis vinculum.   60
praecipit totum per orbem baptizare credulos,
nomen patris invocantes, confitentes filium,
(mysticam fidem revelat) unctos sancto spiritu,
fonte tinctos, innovatos, filios factos Dei.
ante lucem turba fratrum concinnemus gloriam,   65
qua docemur nos futuros sempiterno saeculo;
nos cantantes et precantes quae futura credimus,
immensamque maiestatem concinnemus uniter,
ante lucem nuntiemus Christum regem saeculo:
galli cantus, galli plausus proximum sentit diem.   70
ante lucem decantantes Christum regem Dominum,
qui in illum recte credunt regnaturi cum eo.
gloria patri ingenito, gloria unigenito,
simul cum sancto spiritu in sempiterna saecula.

POPE DAMASUS

d. 384

7 *The Epitaph he composed for himself*

QUI gradiens pelagi fluctus compressit amaros,
 vivere qui praestat morientia semina terrae,
solvere qui potuit letalia vincula mortis,
post tenebras fratrem, post tertia lumina solis
ad superos iterum Marthae donare sorori, 5
post cineres Damasum faciet quia surgere credo.

8 *Epitaph for St. Tiburtius, Martyr*

TEMPORE quo gladius secuit pia viscera matris,
 egregius martyr contempto principe mundi
aetheris alta petit Christo comitante beatus:
hic tibi sanctus honor semper laudesque manebunt.
care Deo, ut foveas Damasum precor, alme Tiburti. 5

ST. AMBROSE

d. 397

9 *Hymn at Cockcrow*

AETERNE rerum conditor,
 noctem diemque qui regis
et temporum das tempora,
ut alleves fastidium.

Praeco diei iam sonat, 5
noctis profundae pervigil,
nocturna lux viantibus,
a nocte noctem segregans.

8

Hoc excitatus lucifer
solvit polum caligine,   10
hoc omnis erronum chorus
vias nocendi deserit.

Hoc nauta vires colligit
pontique mitescunt freta,
hoc ipse petra ecclesiae   15
canente culpam diluit.

Surgamus ergo strenue,
gallus iacentes excitat,
et somnolentos increpat,
gallus negantes arguit.   20

Gallo canente spes redit,
aegris salus refunditur,
mucro latronis conditur,
lapsis fides revertitur.

Iesu, labentes respice   25
et nos videndo corrige;
si respicis, lapsus cadunt,
fletuque culpa solvitur.

Tu lux refulge sensibus
mentisque somnum discute,   30
te nostra vox primum sonet,
et ora solvamus tibi.

9

10   *Hymn at Dawn*

SPLENDOR paternae gloriae,
de luce lucem proferens,
lux lucis et fons luminis,
dies dierum illuminans,

Verusque sol, illabere   5
micans nitore perpeti
iubarque sancti spiritus
infunde nostris sensibus.

Votis vocemus et patrem,
patrem perennis gloriae,   10
patrem potentis gratiae,
culpam releget lubricam.

Informet actus strenuos,
dentem retundat invidi,
casus secundet asperos,   15
donet gerendi gratiam.

Mentem gubernet et regat
casto, fideli corpore,
fides calore ferveat,
fraudis venena nesciat.   20

Christusque noster sit cibus,
potusque noster sit fides,
laeti bibamus sobriam
ebrietatem spiritus.

Laetus dies hic transeat,   25
pudor sit ut diluculum,
fides velut meridies,
crepusculum mens nesciat.

Aurora cursus provehit,
aurora totus prodeat,   30
in patre totus filius
et totus in verbo pater.

II *Hymn at the lighting of the Lamps*

DEUS, creator omnium
polique rector, vestiens
diem decoro lumine,
noctem soporis gratia,

Artus solutos ut quies   5
reddat laboris usui
mentesque fessas allevet
luxusque solvat anxios;

Grates peracto iam die
et noctis exortu preces,   10
voti reos ut adiuves,
hymnum canentes solvimus.

Te cordis ima concinant,
te vox sonora concrepet,
te diligat castus amor,   15
te mens adoret sobria.

11

Ut, cum profunda clauserit
diem caligo noctium,
fides tenebras nesciat,
et nox fide reluceat.   20

Dormire mentem ne sinas,
dormire culpa noverit,
castos fides refrigerans
somni vaporem temperet.

Exuta sensu lubrico   25
te cordis alta somnient,
nec hostis invidi dolo
pavor quietos suscitet.

Christum rogemus et patrem,
Christi patrisque spiritum,   30
unum potens per omnia,
fove precantes, trinitas.

12   *Hymn for Christmas Eve*

INTENDE, qui regis Israel,
super Cherubim qui sedes,
appare Ephrem coram, excita
potentiam tuam et veni.

Veni, redemptor gentium,   5
ostende partum virginis;
miretur omne saeculum,
talis decet partus Deum.

12

Non ex virili semine
sed mystico spiramine   10
verbum Dei factum est caro,
fructusque ventris floruit.

Alvus tumescit virginis,
claustrum pudoris permanet,
vexilla virtutum micant,   15
versatur in templo Deus.

Procedat e thalamo suo
pudoris aula regia,
geminae gigas substantiae
alacris ut currat viam.   20

Egressus eius a patre,
regressus eius ad patrem,
excursus usque ad inferos,
recursus ad sedem Dei.

Aequalis aeterno patri,   25
carnis tropaeo cingere,
infirma nostri corporis
virtute firmans perpeti.

Praesaepe iam fulget tuum,
lumenque nox spirat suum,   30
quod nulla nox interpolet
fideque iugi luceat.

c. 400

13   *The Last Judgement*

APPAREBIT repentina dies magna Domini,
    fur obscura velut nocte improvisos occupans.

Brevis totus tum parebit prisci luxus saeculi,
totum simul cum clarebit praeterisse saeculum.

Clangor tubae per quaternas terrae plagas concinens   5
vivos una mortuosque Christo ciet obviam.

De caelesti iudex arce, maiestate fulgidus,
claris angelorum choris comitatus aderit.

Erubescet orbis lunae, sol et obscurabitur,
stellae cadent pallescentes, mundi tremet ambitus.   10

Flamma ignis anteibit iusti vultum iudicis,
caelos, terras et profundi fluctus maris devorans.

Gloriosus in sublimi rex sedebit solio;
angelorum tremebunda circumstabunt agmina.

Huius omnes ad electi colligentur dexteram,   15
pravi pavent a sinistris, hoedi velut fetidi.

'Ite' dicet rex a dextris 'regnum caeli sumite,
pater vobis quod paravit ante omne saeculum;

Karitate qui fraterna me iuvistis pauperem,
karitatis nunc mercedem reportate divites.'   20

Laeti dicent 'quando, Christe, pauperem te vidimus?
te, rex magne, vel egentem miserati fuimus?'

14

Magnus illis dicet judex 'Cum iuvistis pauperes,
panem, domum, vestem dantes, me iuvistis humilem.'

Nec tardabit a sinistris loqui iustus arbiter   25
'In gehennae maledicti flammas hinc discedite;

Obsecrantem me audire despexistis mendicum,
nudo vestem non dedistis, neglexistis languidum.'

Peccatores dicent 'Christe, quando te vel pauperem,
te, rex magne, vel infirmum contemnentes sprevimus?' 30

Quibus contra iudex altus 'Mendicanti quamdiu
opem ferre neglexistis, me sprevistis improbi.'

Retro ruent tunc iniusti ignes in perpetuos,
vermis quorum non moritur, ignis nec restinguitur,

Satan atro cum ministris quo tenetur carcere,   35
fletus ubi mugitusque, strident omnes dentibus.

Tunc fideles ad caelestem sustollentur patriam,
choros inter angelorum regni petent gaudia.

Urbis summae Ierusalem introibunt gloriam,
vera lucis atque pacis in qua fulget visio,   40

Xristum regem iam paterna claritate splendidum
ubi celsa beatorum contemplantur agmina.

Ydri fraudes ergo cave, infirmantes subleva,
aurum temne, fuge luxus, si vis astra petere.

Zona clara castitatis lumbos nunc praecingere,   45
in occursum magni regis fer ardentes lampades.

fl. 400

14   *Te Deum laudamus*

TE DEUM laudamus, te Dominum confitemur.
   te aeternum patrem omnis terra veneratur.
tibi omnes angeli, tibi caeli et universae Potestates,
tibi Cherubin et Seraphin incessabili voce proclamant
     Sanctus, Sanctus, Sanctus Dominus Deus Sabaoth. 5
     pleni sunt caeli et terra maiestate gloriae tuae.
   te gloriosus Apostolorum chorus,
te Prophetarum laudabilis numerus,
te Martyrum candidatus laudat exercitus,
te per orbem terrarum sancta confitetur ecclesia,   10
     patrem immensae maiestatis,
     venerandum tuum verum unigenitum filium,
     sanctum quoque paraclitum spiritum.
  tu rex gloriae, Christe, tu patris sempiternus es filius.
tu ad liberandum suscepturus hominem non horruisti
    virginis uterum.   15
tu devicto mortis aculeo aperuisti credentibus regna
    caelorum.
tu ad dexteram Dei sedens in gloria patris iudex crederis
    esse venturus:
  te ergo quaesumus, tuis famulis subveni;
quos pretioso sanguine redemisti,
aeterna fac cum sanctis tuis in gloria munerari.   20
   salvum fac populum tuum, Domine, et benedic here-
    ditati tuae,
et rege eos et extolle illos usque in aeternum.
    per singulos dies benedicimus te,

et laudamus nomen tuum in saeculum et in saeculum
saeculi.

dignare, Domine, die isto sine peccato nos custodire.   25
miserere nostri, Domine, miserere nostri.

fiat misericordia tua, Domine, super nos quemadmodum
speravimus in te.

AURELIUS PRUDENTIUS CLEMENS

d. *c.* 405

15   *Preface to the Cathemerinon*

PER quinquennia iam decem,
ni fallor, fuimus: septimus insuper
annum cardo rotat, dum fruimur sole volubili.

Instat terminus, et diem
vicinum senio iam Deus adplicat.   5
quid nos utile tanti spatio temporis egimus?

Aetas prima crepantibus
flevit sub ferulis: mox docuit toga
infectum vitiis falsa loqui, non sine crimine.

Tum lasciva protervitas   10
et luxus petulans (heu pudet ac piget)
foedavit iuvenem nequitiae sordibus ac luto.

Exin iurgia turbidos
armarunt animos et male pertinax
vincendi studium subiacuit casibus asperis.   15

Bis legum moderamine
frenos nobilium reximus urbium,
ius civile bonis reddidimus, terruimus reos.

Tandem militiae gradu
evectum pietas principis extulit   20
adsumptum propius stare iubens ordine proximo.

Haec dum vita volans agit,
inrepsit subito canities seni
oblitum veteris me Saliae consulis arguens,

Sub quo prima dies mihi: 25
quam multas hiemes volverit et rosas
pratis post glaciem reddiderit, nix capitis probat.

Numquid talia proderunt
carnis post obitum vel bona vel mala,
cum iam, quidquid id est, quod fueram, mors
     aboleverit?   30

Dicendum mihi: quisquis es,
mundum, quem coluit, mens tua perdidit:
non sunt illa Dei, quae studuit, cuius habeberis.

Atqui fine sub ultimo
peccatrix anima stultitiam exuat: 35
saltem voce Deum concelebret, si meritis nequit:

Hymnis continuet dies,
nec nox ulla vacet, quin Dominum canat:
pugnet contra hereses, catholicam discutiat fidem,

Conculcet sacra gentium: 40
labem, Roma, tuis inferat idolis,
carmen martyribus devoveat, laudet apostolos.

Haec dum scribo vel eloquor,
vinclis o utinam corporis emicem
liber, quo tulerit lingua sono mobilis ultimo.   45

16   *Hymn at Cock-crow*

ALES diei nuntius
  lucem propinquam praecinit:
nos excitator mentium
iam Christus ad vitam vocat.

  Auferte, clamat, lectulos,   5
aegros, soporos, desides:
castique recti ac sobrii
vigilate, iam sum proximus.

  Post solis ortum fulgidi
serum est cubile spernere,   10
ni parte noctis addita
tempus labori adieceris.

  Vox ista, qua strepunt aves
stantes sub ipso culmine
paulo ante quam lux emicet,   15
nostri figura est iudicis.

  Tectos tenebris horridis
stratisque opertos segnibus
suadet quietem linquere
iam iamque venturo die: 20

  Ut, cum coruscis flatibus
aurora caelum sparserit,
omnes labore exercitos
confirmet ad spem luminis.

19

Hic somnus ad tempus datus   25
est forma mortis perpetis,
peccata ceu nox horrida
cogunt iacere ac stertere.

Sed vox ab alto culmine
Christi docentis praemonet,   30
adesse iam lucem prope,
ne mens sopori serviat:

Ne somnus usque ad terminos
vitae socordis opprimat
pectus sepultum crimine   35
et lucis oblitum suae.

Ferunt vagantes daemonas
laetos tenebris noctium
gallo canente exterritos
sparsim timere et cedere.   40

Invisa nam vicinitas
lucis, salutis, numinis
rupto tenebrarum situ
noctis fugat satellites.

Hoc esse signum praescii   45
norunt repromissae spei,
qua nos soporis liberi
speramus adventum Dei.

Quae vis sit huius alitis,
salvator ostendit Petro,   50
ter antequam gallus canat
sese negandum praedicans.

Fit namque peccatum prius
quam praeco lucis proximae
inlustret humanum genus   55
finemque peccandi ferat.

Flevit negator denique
ex ore prolapsum nefas,
cum mens maneret innocens
animusque servaret fidem.   60

Nec tale quidquam postea
linguae locutus lubrico est,
cantuque galli cognito
peccare iustus destitit.

Inde est quod omnes credimus,   65
illo quietis tempore,
quo gallus exultans canit,
Christum redisse ex inferis.

Tunc mortis oppressus vigor,
tunc lex subacta est tartari,   70
tunc vis diei fortior
noctem coegit cedere.

Iam iam quiescant inproba,
iam culpa furva obdormiat,
iam noxa letalis suum   75
perpessa somnum marceat.

Vigil vicissim spiritus
quodcunque restat temporis,
dum meta noctis clauditur,
stans ac laborans excubet.   80

Iesum ciamus vocibus
flentes, precantes, sobrii,
intenta supplicatio
dormire cor mundum vetat.

Sat convolutis artubus   85
sensum profunda oblivio
pressit, gravavit, obruit
vanis vagantem somniis.

Sunt nempe falsa et frivola,
quae mundiali gloria   90
ceu dormientes egimus:
vigilemus, hic est veritas.

Aurum, voluptas, gaudium,
opes, honores, prospera,
quaecunque nos inflant mala: 95
fit mane, nil sunt omnia.

Tu, Christe, somnum dissice,
tu rumpe noctis vincula,
tu solve peccatum vetus
novumque lumen ingere.   100

17   *Hymn before Sleep*

ADES, pater supreme,
    quem nemo vidit unquam,
patrisque sermo Christe,
et spiritus benigne.

22

O trinitatis huius   5
vis una, lumen unum,
Deus ex Deo perennis,
Deus ex utroque missus.

Fluxit labor diei,
redit et quietis hora,   10
blandus sopor vicissim
fessos relaxat artus.

Mens aestuans procellis
curisque sauciata
totis bibit medullis   15
obliviale poclum. . . .

Cultor Dei, memento
te fontis et lavacri
rorem subisse sanctum,
te chrismate innotatum.   20

Fac, cum vocante somno
castum petis cubile,
frontem locumque cordis
crucis figura signet.

Crux pellit omne crimen,   25
fugiunt crucem tenebrae:
tali dicata signo
mens fluctuare nescit.

Procul, o procul vagantum
portenta somniorum,   30
procul esto pervicaci
praestigiator astu!

O tortuose serpens,
qui mille per meandros
fraudesque flexuosas   35
agitas quieta corda,

Discede, Christus hic est,
hic Christus est, liquesce:
signum, quod ipse nosti,
damnat tuam catervam.   40

Corpus licet fatiscens
iaceat recline paullum,
Christum tamen sub ipso
meditabimur sopore.

18   *The Innocents*

SALVETE, flores martyrum,
    quos lucis ipso in limine
Christi insecutor sustulit,
ceu turbo nascentes rosas:

Vos prima Christi victima,   5
grex immolatorum tener,
aram ante ipsam simplices
palma et coronis luditis.

19   *Hymn for the Burial of the Dead*

IAM maesta quiesce querela,
    lacrimas suspendite matres,
nullus sua pignora plangat,
mors haec reparatio vitae est.

Sic semina sicca virescunt   5
iam mortua iamque sepulta,
quae reddita caespite ab imo
veteres meditantur aristas.

Nunc suscipe, terra, fovendum
gremioque hunc concipe molli: 10
hominis tibi membra sequestro
generosa et fragmina credo.

Animae fuit haec domus olim
cui nobilis ex patre fons est,
fervens habitavit in istis   15
sapientia principe Christo.

Tu depositum tege corpus;
non inmemor ille requiret
sua munera fictor et auctor,
propriique aenigmata vultus.   20

Veniant modo tempora iusta,
cum spem Deus inpleat omnem:
reddas patefacta necesse est,
qualem tibi trado figuram.

Non, si cariosa vetustas   25
dissolverit ossa favillis,
fueritque cinisculus arens
minimi mensura pugilli:

Nec, si vaga flamina et aurae
vacuum per inane volantes   30
tulerint cum pulvere nervos,
hominem periisse licebit.

Sed dum resolubile corpus
revocas, Deus, atque reformas,
quanam regione iubebis   35
animam requiescere puram?

Gremio senis addita sancti
recubabit, ut est Eleazar,
quem floribus undique septum
dives procul aspicit ardens.   40

Sequimur tua dicta, redemptor,
quibus atra morte triumphans
tua per vestigia mandas
socium crucis ire latronem.

Patet ecce fidelibus ampli   45
via lucida iam paradisi,
licet et nemus illud adire
homini quod ademerat anguis.

Illic precor, optime ductor,
famulam tibi praecipe mentem   50
genitali in sede sacrari,
quam liquerat exul et errans.

Nos tecta fovebimus ossa
violis et fronde frequenti,
titulumque et frigida saxa   55
liquido spargemus odore.

20   *Hymn for Every Hour*

DA, puer, plectrum, choreis ut canam fidelibus
dulce carmen et melodum, gesta Christi insignia;
hunc camena nostra solum pangat, hunc laudet lyra.

Christus est, quem rex sacerdos adfuturum protinus
infulatus concinebat voce, chorda et tympano,   5
spiritum caelo influentem per medullas hauriens.

Facta nos et iam probata pangimus miracula;
testis est orbis, nec ipsa terra quod vidit negat,
comminus Deum docendis proditum mortalibus.

Corde natus ex parentis ante mundi exordium,   10
alpha et ω cognominatus, ipse fons et clausula
omnium quae sunt, fuerunt, quaeque post futura sunt.

Ipse iussit et creata, dixit ipse et facta sunt
terra, caelum, fossa ponti, trina rerum machina,
quaeque in his vigent sub alto solis et lunae globo.   15

Corporis formam caduci, membra morti obnoxia
induit, ne gens periret primoplasti ex germine,
merserat quem lex profundo noxialis tartaro.

O beatus ortus ille, virgo cum puerpera
edidit nostram salutem feta sancto spiritu,   20
et puer redemptor orbis os sacratum protulit.

Psallat altitudo caeli, psallite omnes angeli,
quidquid est virtutis usquam psallat in laudem Dei;
nulla linguarum silescat, vox et omnis consonet.

Ecce quem vates vetustis concinebant saeculis,   25
quem prophetarum fideles paginae spoponderant,
emicat promissus olim; cuncta collaudent eum. . . .

Te senes et te iuventus, parvulorum te chorus,
turba matrum virginumque, simplices puellulae,
voce concordes pudicis perstrepant concentibus.   30

Fluminum lapsus et undae, litorum crepidines,
imber, aestus, nix, pruina, silva et aura, nox, dies,
omnibus te concelebrent saeculorum saeculis.

21   *S. Eulalia's Tomb at Merida*

GERMINE nobilis Eulalia,
    mortis et indole nobilior,
Emeritam sacra virgo suam,
cuius ab ubere progenita est,
ossibus ornat, amore colit.   5

Proximus occiduo locus est,
qui tulit hoc decus egregium,
urbe potens, populis locuples,
sed mage sanguine martyrii
virgineoque potens titulo. ...   10

Nunc locus Emerita est tumulo
clara colonia Vettoniae,
quam memorabilis amnis Ana
praeterit et viridante rapax
gurgite moenia pulchra lavat.   15

Hic ubi marmore perspicuo
atria luminat alma nitor
et peregrinus et indigena,
relliquias cineresque sacros
servat humus veneranda sinu.   20

Tecta corusca super rutilant
de laquearibus aureolis
saxaque caesa solum variant,
floribus ut rosulenta putes
prata rubescere multimodis.   25

28

Carpite purpureas violas
sanguineosque crocos metite;
non caret his genialis hiems,
laxat et arva tepens glacies
floribus ut cumulet calathos. 30

Ista comantibus e foliis
munera virgo puerque date:
ast ego serta choro in medio
texta feram pede dactylico,
vilia, marcida, festa tamen. 35

Sic venerarier ossa libet,
ossibus altar et impositum:
illa Dei sita sub pedibus
prospicit haec populosque suos
carmine propitiata fovet. 40

22 *Julian the Apostate*

EX quo mortalem praestrinxit spiritus alvum,
spiritus ille Dei, Deus et se corpore matris
induit atque hominem de virginitate creavit:
Delphica damnatis tacuerunt sortibus antra,
non tripodas cortina tegit, non spumat anhelus 5
fata Sibyllinis fanaticus edita libris.
perdidit insanos mendax Dodona vapores,
mortua iam mutae lugent oracula Cumae,
nec responsa refert Libycis in Syrtibus Ammon:
ipsa suis Christum Capitolia Romula maerent 10
principibus lucere Deum destructaque templa
inperio cecidisse ducum: iam purpura supplex
sternitur Aeneadae rectoris ad atria Christi,
vexillumque crucis summus dominator adorat.

principibus tamen e cunctis non defuit unus,   15
me puero, ut memini, ductor fortissimus armis,
conditor et legum, celeberrimus ore manuque,
consultor patriae, sed non consultor habendae
relligionis, amans tercentum milia divum.
perfidus ille Deo, quamvis non perfidus orbi,   20
augustum caput ante pedes curvare Minervae
fictilis et soleas Iunonis lambere, plantis
Herculis advolvi, genua incerare Dianae:
quin et Apollineo frontem submittere gypso,
aut Pollucis equum suffire ardentibus extis.   25

ST. AUGUSTINE

d. 430

23   From his *Psalm against the Donatists*

Omnes qui gaudetis de pace, modo verum iudicate.

ABUNDANTIA peccatorum solet fratres conturbare.
propter hoc Dominus noster voluit nos praemonere
comparans regnum caelorum reticulo misso in mare.
congregavit multos pisces omne genus hinc et inde.   5
quos cum traxissent ad litus, tunc coeperunt separare,
bonos in vasa miserunt, reliquos malos in mare.
quisquis novit evangelium, recognoscat cum timore.
videt reticulum ecclesiam, videt hoc saeculum mare;
genus autem mixtum piscis iustus est cum peccatore;   10
saeculi finis est litus: tunc est tempus separare;
qui modo retia ruperunt, multum dilexerunt mare;
vasa sunt sedes sanctorum, quo non possunt pervenire.

Omnes qui gaudetis de pace, modo verum iudicate.

Bonus auditor fortasse quaerit, qui ruperint rete.   15
homines multum superbi, qui iustos se dicunt esse.
sic fecerunt conscissuram et altare contra altare.
diabolo se tradiderunt, cum pugnant de traditione
et crimen quod commiserunt in alios volunt transferre.
ipsi tradiderunt libros et nos audent accusare,   20
ut peius committant scelus quam quod commiserunt ante.
qui possent causam librorum excusare de timore,
quo Petrus Christum negavit, dum terreretur de morte,
modo quo pacto excusabunt factum altare contra altare?
et pace Christi conscissa ut spem ponant in homine,   25
quod persecutio non fecit, ipsi fecerunt in pace.

    Omnes qui gaudetis de pace, modo verum iudicate.

PAULINUS OF NOLA

d. 431

24   *His Affection for Ausonius*

EGO te per omne quod datum mortalibus
   et destinatum saeculum est,
claudente donec continebor corpore,
   discernar orbe quamlibet,
nec orbe longe nec remotum lumine   5
   tenebo fibris insitum:
videbo corde, mente complectar pia
   ubique praesentem mihi.
et cum solutus corporali carcere
   terraque provolavero,   10
quo me locavit axe communis pater,
   illic quoque animo te geram;
neque finis idem qui meo me corpore
   et amore laxabit tuo.

mens quippe, lapsis quae superstes artubus   15
    de stirpe durat caeliti,
sensus necesse est simul et adfectus suos
    teneat aeque ut vitam suam,
et ut mori, sic oblivisci non capit,
    perenne vivax et memor.   20

25 *The Feast of St. Felix is his Springtime*

VER avibus voces aperit, mea lingua suum ver
    natalem Felicis habet, quo lumine et ipsa
floret hiems populis gaudentibus; et licet atro
frigore tempus adhuc mediis hiberna pruinis
ducat, concretum terris canentibus annum,   5
ista luce tamen nobis pia gaudia laetum
ver faciunt. cedit pulsis a pectore curis
maeror, hiems animi; fugiunt a corde sereno
nubila tristitiae. sicut cognoscit amicos
mitis hirundo dies et pinnis candida nigris   10
ales et illa piae turtur cognata columbae,
nec nisi vere novo resonant acalanthida dumi,
quaeque sub hirsutis mutae modo saepibus errant
mox reduci passim laetantur vere volucres,
tam variae linguis quam versicoloribus alis: 15
sic et ego hunc agnosco diem, quem sancta quotannis
festa novant iusto magni Felicis honore.
nunc placidum mihi ver gaudente renascitur anno,
nunc libet ora modis et carmina solvere votis
vocibus et vernare novis. Deus, influe cordi,   20
Christe, meo et superis sitientem fontibus exple.

26   *The Nightingale*

ADNUE, fons verbi, verbum Deus, et velut illam
    me modo veris avem dulci fac voce canorum,
quae viridi sub fronde latens solet avia rura
multimodis mulcere modis linguamque per unam
fundere non unas mutato carmine voces,   5
unicolor plumis ales, sed picta loquellis.
nunc teretes rotat illa modos, nunc sibila longis
ducit acuta sonis, rursum quasi flebile carmen
inchoat et subito praecidens fine querellam
adtonitas rupto modulamine decipit aures.   10

27 *Epithalamium for Iulianus and Titia*

CONCORDES animae casto sociantur amore,
    virgo puer Christi, virgo puella Dei.
Christe Deus, pariles duc ad tua frena columbas
    et moderare levi subdita colla iugo.
namque tuum leve, Christe, iugum est, quod prompta
        voluntas   5
    suscipit et facili fert amor obsequio.
invitis gravis est castae pia sarcina legis,
    dulce piis onus est vincere carnis opus.
absit ab his thalamis vani lascivia vulgi,
    Iuno Cupido Venus, nomina luxuriae.   10
sancta sacerdotis venerando pignora pacto
    iunguntur; coeant pax pudor et pietas.

d. 447

28 *Hymn on St. Patrick*

AUDITE, omnes amantes Deum, sancta merita
viri in Christo beati, Patricii episcopi,
quomodo bonum ob actum similatur angelis
perfectamque propter vitam aequatur apostolis.

Beata Christi custodit mandata ın omnibus,   5
cuius opera refulgent clara inter homines,
sanctumque cuius sequuntur exemplum mirificum,
unde et in caelis patrem magnificant Dominum.

Constans in Dei timore et fide immobilis,
super quem aedificatur, ut Petrus, ecclesia,   10
cuiusque apostolatum a Deo sortitus est,
in cuius portae adversum inferni non praevalent.

Dominus illum elegit, ut doceret barbaras
nationes et piscaret per doctrinae retia,
et de saeculo credentes traheret ad gratiam,   15
Dominum qui sequerentur sedem ad aetheream.

Electa Christi talenta vendit evangelica,
quae Hibernas inter gentes cum usuris exigit,
navigii huius laboris tum operae pretium
cum Christo regni caelestis possessurus gaudium.   20

Fidelis Dei minister insignisque nuntıus
apostolicum exemplum formamque praebet bonis,
qui tam verbis quam et factis plebi praedicat Dei,
ut, quem dictis non convertit, actu provocet bono.

34

Gloriam habet cum Christo, honorem in saeculo, 25
qui ab omnibus ut Dei veneratur angelus,
quem Deus misit ut Paulum ad gentes apostolum,
ut hominibus ducatum praeberet regno Dei.

Humilis Dei ob metum spiritu et corpore,
super quem bonum ob actum requiescit Dominus, 30
cuiusque iusta in carne Christi portat stigmata
et cuius sola sustentans gloriatur in cruce.

Impiger credentes pascit dapibus caelestibus,
ne qui videntur cum Christo, in via deficiant;
quibus erogat ut panes verba evangelica, 35
et cuius multiplicantur ut manna in manibus.

Kastam qui custodit carnem ob amorem Domini,
quam carnem templum paravit sanctoque spiritui,
a quo constanter cum mundis possidetur actibus,
quam ut hostiam placentem vivam offert Domino. 40

Lumenque mundi accensum ingens evangelicum,
in candelabro levatum, toto fulgens saeculo,
civitas regis munita, supra montem posita,
copia in qua est multa, quam Dominus possidet.

Maximus namque in regno caelorum vocabitur, 45
qui, quod verbis docet sacris, factis adimplet bonis;
bono praecedit exemplo formaque fidelium,
mundoque in corde habet ad Deum fiduciam.

Nomen Domini audenter adnuntiat gentibus,
quibus lavacri salutis aeternam dat gratiam, 50
pro quorum orat delictis ad Deum cotidie,
pro quibus ut Deo dignas immolatque hostias.

Omnem pro divina lege mundi spernit gloriam,
qui cuncta ad eius mensam aestimat quisquilia,
nec ingruenti movetur mundi huius fulmine,   55
sed in adversis laetatur, cum pro Christo patitur.

Pastor bonus et fidelis gregis evangelici,
quem Deus Dei elegit custodire populum
suamque pascere plebem divinis dogmatibus,
pro qua ad Christi exemplum suam tradit animam. 60

Quem pro meritis salvator provexit pontificem,
ut in caelesti moneret clericos militia,
caelestem quibus annonam erogat cum vestibus,
quod in divinis impletur sacrisque adfatibus.

Regis nuntius invitans credentes ad nuptias,   65
qui ornatur vestimento nuptiali indutus,
qui caeleste haurit vinum in vasis caelestibus
propinansque Dei plebi spiritale poculum.

Sacrum invenit thesaurum sacro in volumine
salvatorisque in carne deitatem pervidet,   70
quem thesaurum emit sanctis perfectisque meritis;
Israhel vocatur huius anima, '*videns Deum*'.

Testis Domini fidelis in lege catholica,
cuius verba sunt divinis condita oraculis,
ne humanae putrent carnes esaeque a vermibus,   75
sed caelesti saliantur sapore ad victimam.

Verus cultor et insignis agri evangelici,
cuius semina videntur Christi evangelia,
quae divino serit ore in aures prudentium,
quorumque corda ac mentes sancto arat spiritu.   80

Xristus illum sibi legit in terris vicarium,
qui de gemino captivos liberat servitio,
plerosque de servitute quos redemit hominum,
innumeros de zabuli absolvit dominio.

Ymnos cum apocalypsi psalmosque cantat Dei,   85
quosque ad aedificandum Dei tractat populum,
quam legem in trinitate sacri credit nominis,
tribusque personis unam docetque substantiam.

Zona Domini praecinctus diebus ac noctibus
sine intermissione Deum orat Dominum,   90
cuius ingentis laboris percepturus praemium
cum apostolis regnabit sanctus super Israhel.

ANONYMOUS

c. 450

29   *In Time of Drought*

SQUALENT arva soli pulvere multo,
pallet siccus ager, terra fatiscit,
nullus ruris honos, nulla venustas,
quando nulla viret gratia florum.

Tellus dura sitit nescia roris,   5
fons iam nescit aquas, flumina cursus,
herbam nescit humus, nescit aratrum,
magno rupta patet turpis hiatu.

Aestu fervet humus, igneus ardor
ipsas urit aves, frondea rami   10
fessis tecta negant, pulvis harenae
sicco despuitur ore viantis.

37

Ventis ora ferae, bestia ventis,
captantesque viri flamina ventis,
ventis et volucres ora recludunt   15
hac mulcere sitim fraude volentes.

Fetus cerva suos, pignora cerva,
fetus cerva siti fessa recusat,
fetus cerva pios maesta relinquit,
quaesitam quoniam non vehit herbam.   20

Venerunt iuvenes pocula noti
quaerentes putei, lymphaque fugit,
et vasis vacuis tecta revisunt,
fletus, heu, proprios ore bibentes.

Bos praesepe suum linquit inane   25
pratorumque volens carpere gramen
nudam versat humum, sic pecus omne
fraudatum moriens labitur herbis.

Radices nemorum rustica plebes
explorat misero curva labore   30
solarique famem cortice quaerit
nec sucos teneros arida praestat.

Hanc peccata famem nostra merentur;
sed mercem propriam, Christe, foveto,
quo culpa gravior, gratia maior   35
iusti supplicii vincla resolvat.

Iam caelum reseres arvaque laxes
fecundo placidus imbre, rogamus;
Eliae meritis impia saecla
donasti pluvie, nos quoque dones.   40

Aeterne genitor, gloria Christo
semper cum genito sit tibi, sancto
compar spiritui, qui Deus unus
pollens perpetuis inclite saeclis.

CAELIUS SEDULIUS

c. 450

30   *A solis ortus cardine*

A SOLIS ortus cardine
    adusque terrae limitem
Christum canamus principem,
natum Maria virgine.

Beatus auctor saeculi   5
servile corpus induit,
ut carne carnem liberans
non perderet, quod condidit.

Clausae parentis viscera
caelestis intrat gratia,   10
venter puellae baiulat
secreta, quae non noverat.

Domus pudici pectoris
templum repente fit Dei,
intacta nesciens virum   15
verbo creavit filium.

Enixa est puerpera,
quem Gabriel praedixerat,
quem matris alvo gestiens
clausus Iohannes senserat.   20

Feno iacere pertulit,
praesaepe non abhorruit
parvoque lacte pastus est,
per quem nec ales esurit.

Gaudet chorus caelestium,   25
et angeli canunt Deum,
palamque fit pastoribus
pastor creatorque omnium.

Hostis Herodes impie,
Christum venire quid times?   30
non eripit mortalia,
qui regna dat caelestia.

Ibant magi, qua venerant,
stellam sequentes praeviam,
lumen requirunt lumine,   35
Deum fatentur munere.

Katerva matrum personat
collisa deflens pignora,
quorum tyrannus milia
Christo sacravit victimam.   40

Lavacra puri gurgitis
caelestis agnus attigit,
peccata qui mundi tulit,
nos abluendo sustulit.

Miraculis dedit fidem   45
habere se Deum patrem,
infirma sanans corpora
et suscitans cadavera.

Novum genus potentiae!
aquae rubescunt hydriae   50
vinumque iussa fundere
mutavit unda originem.

Orat salutem servulo
nixus genu centurio,
credentis ardor plurimus   55
extinxit ignes febrium.

Petrus per undas ambulat
Christi levatus dextera;
natura quam negaverat
fides paravit semitam.   60

Quarta die iam foetidus
vitam recepit Lazarus
mortisque liber vinculis
factus superstes est sibi.

Rivos cruoris torridi   65
contacta vestis obstruit,
fletu rigante supplicis
arent fluenta sanguinis.

Solutus omni corpore
iussus repente surgere   70
suis vicissim gressibus
aeger vehebat lectulum.

Tunc ille Iudas carnifex
ausus magistrum tradere
pacem ferebat osculo,   75
quam non habebat pectore.

Verax datur fallacibus,
pium flagellat impius,
crucique fixus innocens
coniunctus est latronibus.   80

Xeromurram post sabbatum
quaedam vehebant compares,
quas allocutus angelus
vivum sepulcro non tegi.

Ymnis, venite, dulcibus   85
omnes canamus subditum
Christi triumpho tartarum,
qui nos redemit venditus.

Zelum draconis invidi
et os leonis pessimi   90
calcavit unicus Dei
seseque caelis reddidit.

31   *Prayer at the beginning of his Epic*

OMNIPOTENS aeterne Deus, spes unica mundi,
   qui caeli fabricator, ades, qui conditor orbis,
qui maris undisonas fluctu surgente procellas
mergere vicinae prohibes confinia terrae,
qui solem radiis, et lunam cornibus inples   5
inque diem ac noctem lumen metiris utrumque,
qui stellas numeras, quarum tu nomina solus,
signa, potestates, cursus, loca, tempora nosti,
qui diversa novam formasti in corpora terram
torpentique solo viventia membra dedisti,   10
qui pereuntem hominem vetiti dulcedine pomi

instauras meliore cibo, potuque sacrati
sanguinis infusum depellis ab angue venenum;
qui genus humanum, praeter quos clauserat arca
diluvii rapida spumantis mole sepultum,   15
una iterum de stirpe creas, ut mystica virtus,
quod carnis delicta necant, hoc praesule ligno
monstraret liquidas renovari posse per undas,
totum namque lavans uno baptismate mundum:
pande salutarem paucos quae ducit in urbem   20
angusto mihi calle viam, verbique lucernam
da pedibus lucere meis, ut semita vitae
ad caulas me ruris agat, qua servat amoenum
pastor ovile bonus, qua vellere praevius albo
virginis agnus ovis, grexque omnis candidus intrat. 25
te duce difficilis non est via; subditur omnis
imperiis natura tuis, rituque soluto
transit in adversas iussu dominante figuras.
si iubeas mediis segetes arere pruinis,
messorem producet hiems; si currere mustum   30
vernali sub sole velis, florentibus arvis
sordidus inpressas calcabit vinitor uvas,
cunctaque divinis parebunt tempora dictis.

AUSPICIUS OF TOUL

c. 460

32 *Rhythmical Iambics to Count Arbogast*

PRAECELSO et spectabili
his Arbogasti comiti
Auspicius, qui diligo,
salutem dico plurimam.

Magnas caelesti Domino   5
rependo corde gratias,
quod te Tullensi proxime
magnum in urbe vidimus.

Multis me tuis actibus
laetificabas antea;   10
sed nunc fecisti maximo
me exultare gaudio.

Maior etenim solito
apparuisti omnibus,
ut potestatis ordinem   15
inlustri mente vinceres.

Cuï hic honor debitus
maiore nobis gaudio,
nondum delatus nomine,
iam est conlatus meritis.   20

Plus est enim laudabile
virum fulgere actibus
quam praetentare lampadem
sine scintillae lumine.

Sed tu quod totis gradibus   25
plus es quam esse diceris,
erit, credo, velocius,
ut nomen reddant merita.

Clarus et enim genere
clarus et vitae moribus,   30
iustus pudicus sobrius
totus inlustris redderis.

Pater in cunctis nobilis
fuit tibi Arigius:
cuius tu famam nobilem   35
aut renovas aut superas.

Sed tuus honor novus est
eiusque tibi permanet,
et geminato lumine
sic tu praeluces omnibus.   40

Cuiusque nemo dubitet
felicitati praestitum,
ut superesset genetrix
tibi laudanda omnibus.

Quae te sic cunctis copiis   45
replet et ornat pariter,
ut sis abundans usibus
et sis decorus actibus.

ANONYMOUS

c. 453–82

33   *In Time of Invasion*

TRISTES nunc populi, Christe redemptor,
    pacem suppliciter cerne rogantes,
threnos et gemitus, cerne dolorem,
maestis auxilium desuper adfer.

Dire namque fremens, en, furor atrox   5
gentis finitimae arva minatur
saeve barbarico murmure nostra
vastari, perimens ut lupus agnos.

Defensor quis erit, ni pius ipse
succurras miserans, auctor Olympi,   10
humano generi crimina parcas,
affectos venia dones amare?

Abram praesidio pertulit olim
reges quinque tuo, conditor aevi,
haud multis pueris nempe parentem   15
prostratis reducens hostibus atris.

Moÿses gelidi aequora ponti
confidens populum torrida carpens
deduxit, refluens undaque hostem
extemplo rapiens occulit omnem.   20

Tercentisque viris Amalecitas
deiecit Gedeon iussus adire,
oppressum populum gente feroci
liberavit ope fretus opima.

Haec tu, cunctipotens, omnia solus,   25
in cuius manibus sunt universa,
in te nostra salus, gloria in te,
occidis iterum vivificasque.

Maior quippe tua gratia, Iesu,
quam sit flagitii copia nostri,   30
contritos nec enim maestaque corda,
clemens, vel humiles spernere nosti.

Salva ergo tua morte redemptos,
salva suppliciter pacta petentes,
disrumpe frameas, spicula frange,   35
confringe clipeos bella volentum.

BLOSSIUS AEMILIUS DRACONTIUS

fl. 484

34   *The Earthly Paradise*

EST locus interea diffundens quattuor amnes
    floribus ambrosiis gemmato caespite pictus,
plenus odoriferis nunquam marcentibus herbis,
hortus in orbe Dei cunctis felicior hortis.
fructus inest anni, cum tempora nesciat anni: 5
illic floret humus semper sub vere perenni,
arboreus hinc inde chorus vestitur amoene:
frondibus intextis ramorum murus opacus
stringitur atque omnes pendent ex arbore fructus
et passim per prata iacent. non solis anheli   10
flammatur radiis, quatitur nec flatibus ille,
nec coniuratis furit illic turbo procellis;
non glacies destricta domat, non grandinis ictus
verberat aut gelidis canescunt prata pruinis.
sunt ibi sed placidi flatus, quos mollior aura   15
edidit exsurgens nitidis de fontibus horti;
arboribus movet illa comas, de flamine molli
frondibus inpulsis immobilis umbra vagatur:
fluctuat omnis honos et nutant pendula poma.
ver ibi perpetuum communes temperat auras,   20
ne laedant frondes et ut omnia poma coquantur.
non apibus labor est ceris formare cicutas:
nectaris aetherei sudant ex arbore mella
et pendent foliis iam pocula blanda futura,
pendet et optatae vivax medicina salutis,   25
dependent quis dat sollers pictura figuras.

35   *The Six Ages of Man*

SEX sunt aetates hominum procul usque senectam,
   hae distincta tenent tempora quaeque sua.
numquid adultorum strepitus infantia simplex
   vindicat aut fremitus pigra senectus habet?
non catulaster agit puerilia, non puer audet   5
   attrectare tener Martia tela manu;
non furit in venerem nondum pubentibus annis
   nec sub flore genae marcidus est iuvenis;
maturus tractat, gemit et tremebunda senectus
   nescia fervoris vel levitatis inops.   10

ANONYMOUS

                                        c. 6th cent.

36   *Hymn for Compline*

TE lucis ante terminum,
   rerum creator, poscimus
ut solita clementia
sis praesul ad custodiam.

Procul recedant somnia   5
et noctium phantasmata,
hostemque nostrum comprime
ne polluantur corpora.

Praesta, pater omnipotens,
per Iesum Christum Dominum,   10
qui tecum in perpetuum
regnat cum sancto spiritu.

48

ANONYMOUS

c. 6th cent.

37   *Hymn for Vespers*

O LUX beata, trinitas
et principalis unitas,
iam sol recedit igneus:
infunde lumen cordibus!

Te mane laudum carmine,   5
te deprecamur vespere,
te nostra supplex gloria
per cuncta laudet saecula!

ANONYMOUS

c. 6th cent.

38   *Easter Hymn*

A URORA lucis rutilat,
caelum laudibus intonat,
mundus exultans iubilat,
gemens infernus ululat,

Cum rex ille fortissimus   5
mortis confractis viribus
pede conculcans tartaros
solvit catena miseros.

Ille, qui clausus lapide
custoditur sub milite,   10
triumphans pompa nobile
victor surgit de funere:

Solutis iam gemitibus
et inferni doloribus,
quia surrexit Dominus   15
splendens clamat angelus.

Tristes erant apostoli
de nece sui Domini,
quem poena mortis crudeli
servi damnarant impii.   20

Sermone blando angelus
praedixit mulieribus,
'in Galilaea Dominus
videndus est quantocius.'

Illae dum pergunt concite   25
apostolis hoc dicere,
videntes eum vivere
osculant pedes Domini.

Quo agnito discipuli
in Galilaeam propere   30
pergunt, videre faciem
desideratam Domini.

Claro paschali gaudio
sol mundo nitet radio,
cum Christum iam apostoli   35
visu cernunt corporeo.

Ostensa sibi vulnera
in Christi carne fulgida,
resurrexisse Dominum
voce fatentur publica.   40

Rex Christe clementissime,
tu corda nostra posside,
ut tibi laudes debitas
reddamus omni tempore.

ANONYMOUS

c. 6th cent.

39   *Hymn for Compline*

CHRISTE, qui lux es et dies,
noctis tenebras detegis,
lucifer lucem praeferens,
lumen beatum praedicans,

Precamur, sancte Domine,   5
defende nos in hac nocte,
sit nobis in te requies,
quietam noctem tribue.

Ne gravis somnus irruat,
nec hostis nos surripiat,   10
ne caro illi consentiens
nos tibi reos statuat.

Oculi somnum capiant,
cor ad te semper vigilet;
dextera tua protegat   15
famulos qui te diligunt.

Defensor noster, aspice,
insidiantes reprime,
guberna tuos famulos
quos sanguine mercatus es.   20

Memento nostri, Domine,
in isto gravi corpore;
qui es defensor animae
adesto nobis, Domine.

ANONYMOUS

c. 6th cent.

40　　*Hymn for Vespers at Easter*

AD cenam agni providi,
　　stolis albis candidi,
post transitum maris rubri
Christo canamus principi.

Cuius sacrum corpusculum　　　　　　5
in ara crucis torridum;
cruore eius roseo
gustando vivimus Deo.

Protecti paschae vespero
a devastante angelo,　　　　　　　10
erepti de durissimo
Pharaonis imperio.

Iam pascha nostrum Christus est
qui immolatus agnus est;
sinceritatis azyma　　　　　　　15
caro eius oblata est.

O vera digna hostia,
per quam fracta sunt tartara;
redempta plebs captivata,
reddita vitae praemia.　　　　　　20

Consurgit Christus tumulo,
victor redit de barathro,
tyrannum trudens vinculo
et reserans paradisum.

Quaesumus, auctor omnium,   25
in hoc paschali gaudio
ab omni mortis impetu
tuum defendas populum.

ANONYMOUS

c. 6th cent.

41   *Hymn for Prime*

IAM lucis orto sidere
Deum precamur supplices
ut in diurnis actibus
nos servet a nocentibus;

Linguam refrenans temperet,   5
ne litis horror insonet,
visum fovendo contegat
ne vanitates hauriat.

Sint pura cordis intima,
absistat et vecordia,   10
carnis terat superbiam
potus cibique parcitas;

Ut cum dies abscesserit,
noctemque sors reduxerit,
mundi per abstinentiam   15
ipsi canamus gloriam.

53

c. 6th cent.

42   *Iesu, nostra redemptio*

IESU, nostra redemptio,
amor et desiderium,
Deus creator omnium,
homo in fine temporum:

Quae te vicit clementia,   5
ut ferres nostra crimina,
crudelem mortem patiens
ut nos a morte tolleres,

Inferni claustra penetrans,
tuos captivos redimens,   10
victor triumpho nobili
ad dextram patris residens?

Ipsa te cogat pietas
ut mala nostra superes
parcendo, et voti compotes   15
nos tuo vultu saties.

Tu esto nostrum gaudium,
qui es futurum praemium,
sit nostra in te gloria
per cuncta semper saecula.   20

ENNODIUS OF PAVIA

d. 521

43   *Rhetoric Rules the World*

SIT noster tantum, non stringunt crimina quemquam.
  nos vitae maculas tergimus artis ope.
si niveo constet merito quis teste senatu,
  cogimus hunc omnes dicere nocte satum.
et reus et sanctus de nostro nascitur ore;   5
  dum loquimur, captum ducitur arbitrium.
lana Tarentinae laus urbis, gemma, potestas,
  quid sunt ad nostrum iuncta supercilium?
qui nostris servit studiis mox imperat orbi.
  nil dubium metuens ars mihi regna dedit.   10

ALCIMUS ECDICIUS AVITUS

d. c. 526

44   *The Garden of Eden*

HIC ver adsiduum caeli clementia servat:
  turbidus auster abest semperque sub aere sudo
nubila diffugiunt iugi cessura sereno.
  nec poscit natura loci quos non habet imbres,
sed contenta suo dotantur germina rore.   5
perpetuo viret omne solum terraeque tepentis
blanda nitet facies, stant semper collibus herbae
arboribusque comae: quae cum se flore frequenti
diffundunt, celeri confortant germina suco.
nam quidquid nobis toto nunc nascitur anno,   10
menstrua maturo dant illic tempora fructu.
lilia perlucent nullo flaccentia sole

55

nec tactus violat violas roseumque ruborem
servans perpetuo suffundit gratia vultu.
sic cum desit hiems nec torrida ferveat aestas,   15
fructibus autumnus, ver floribus occupat annum.

ARATOR

fl. 544

45   *St. Paul to the Elders of Ephesus*

O DILECTA manus quae Christi militat armis!
    o summo plebs nata Deo! meministis amoris
et studii documenta mei; gentilia promptus
agmina Iudaicosque tuli sine fine furores.
ut vitae praecepta darem, nullumque lateret   5
in populo narrata fides; a sanguine vestro
mundus semper ero, nec debitor oris avari
clausa talenta luam, sterilemque in semine verbi
ieiunus culpabit ager; vos convenit inde
usuram praestare piam cum venerit auctor,   10
qui meriti discussor erit, servosque reposcet
mensurae crementa suae. mihi germina ferre
sensibus ardor erat, quae passim credita sulcis
sparsimus; at fructus tenues mala terra dolebit.
vado videre crucis venerandam gentibus urbem,   15
quo me iussa vocant; varii luctamen agonis
hic debitur certare mihi, nam cuncta subibit,
qui cursum complere volet; mitissima sors est
poenarum quas vota gerunt regnique facultas
perpetuo pro rege pati. servate, ministri,   20
ecclesiam Christi, pretium quam sanguine nobis
fecit in orbe suo; famuli retinere laborent
quae Dominus de morte dedit. non cernitis ultra

iam faciem vultusque meos; vigilantius oro;
commissos lustrate greges, quia dente rapaci   25
convenient ad ovile lupi; custodia peccat,
cum spoliis si raptor eat; pastoris inertis
fraude perit quod praedo capit; sed et acrior hostis
intus erit, graviusque malum discordia portat
quae vulnus sub pace creat; ne cedite duris;   30
virtuti damnosa quies, nullumque coronat
in stadio securus honor; sua gloria forti
causa laboris erit, rarusque ad praemia miles
cui pax sola fuit; victoria semen ab hoste
accipit, hinc oritur; Dominus plantaria vestra   35
fecundare valet, qui per sua dona venire
ad sua dona facit, quodque adiuvat ipse ministrat.

GILDAS (?)

fl. 547

46   From the *Lorica*

SUFFRAGARE, trinitatis unitas,
unitatis miserere trinitas.

Suffragare, quaeso, mihi posito
maris magni velut in periculo,
ut non secum trahat me mortalitas   5
huius anni neque mundi vanitas.

Et hoc idem peto a sublimibus
caelestis militiae virtutibus,
ne me linquant lacerandum hostibus,
sed defendant me iam armis fortibus.   10

Et me illi praecedant in acie
caelestis exercitus militiae,
Cherubin et Seraphin, cum milibus
Michael et Gabriel similibus.

Opto thronos, virtutes, archangelos,   15
principatus, potestates, angelos,
ut me denso defendentes agmine
inimicos valeam prosternere.

Tum deinde ceteros agonithetas:
patriarchas, quattuor quater prophetas,   20
apostolos, navis Christi proretas,
et martyres, omnes peto athletas,

Uti me per illos salus saepiat
atque omne malum a me pereat;
Christus mecum pactum firmum feriat;   25
timor, tremor taetras turbas terreat.

ANONYMOUS

6th cent.

47   *Hisperica Famina: Sunrise*

TITANEUS olimphium inflammat arotus tabu-
     latum
thalasicum illustrat vapore flustrum
flammivomo secat polum corusco supernum
almi scandit camaram firmamenti
alboreum febeus suffocat mene proritus   5
cibonea pliadum non exhomicant fulgora
merseum solifluus eruit nevum tactus
densos phetoneum extricat sudos incendium

roscida aret rubigine stillicidia
nec olivatus frondea olivat nimbus robora   10
fęnosas dividuat imber uvas
micras uricomus apricat lacunas rogus
mundanumque torret iubar girum
aligera placoreum reboat curia concentum
tinulas patulis mormurant armonias rostris.   15

ST. COLUMBA

d. 597

48   *Altus Prosator*

ALTUS prosator, vetustus
   dierum et ingenitus
erat absque origine
primordii et crepidine,
est et erit in saecula   5
saeculorum infinita;
cuï est unigenitus
Christus et sanctus spiritus
coaeternus in gloria
deitatis perpetua.   10
non tres deos depromimus,
sed unum Deum dicimus,
salva fide in personis
tribus gloriosissimis.

Bonos creavit angelos   15
ordines et archangelos
principatuum ac sedium
potestatum, virtutium,
uti non esset bonitas
otiosa ac maiestas   20

trinitatis in omnibus
largitatis muneribus,
sed haberet caelestia
in quibus privilegia
ostenderet magnopere   25
possibili fatimine.

Caeli de regni apice
stationis angelicae
claritate, prae fulgoris
venustate speciminis   30
superbiendo ruerat
Lucifer, quem formaverat,
apostataeque angeli
eodem lapsu lugubri
auctoris cenodoxiae   35
pervicacis invidiae,
ceteris remanentibus
in suis principatibus.

Draco magnus taeterrimus,
terribilis et antiquus,   40
qui fuit serpens lubricus,
sapientior omnibus
bestiis et animantibus
terrae ferocioribus,
tertiam partem siderum   45
traxit secum in barathrum
locorum infernalium
diversorumque carcerum
refugas veri luminis
parasito praecipites.   50

Excelsus mundi machinam
praevidens et harmoniam,
caelum et terram fecerat,
mare, aquas condiderat,
herbarum quoque germina,   55
virgultorum arbuscula,
solem, lunam ac sidera,
ignem ac necessaria:
aves, pisces et pecora,
bestias, animalia,   60
hominem demum regere
protoplastum praesagmine.

Factis simul sideribus,
aetheris luminaribus,
collaudaverunt angeli   65
factura pro mirabili
immensae molis Dominum,
opificem caelestium,
praeconio laudabili,
debito et immobili,   70
concentuque egregio
grates egerunt Domino
amore et arbitrio,
non naturae donario.

Grassatis primis duobus   75
seductisque parentibus
secundo ruit zabulus
cum suis satellitibus,
quorum horrore vultuum
sonoque volitantium   80

consternarentur homines
metu territi fragiles,
non valentes carnalibus
haec intueri visibus,
qui nunc ligantur fascibus,   85
ergastulorum nexibus.

Hic sublatus e medio
deiectus est a Domino,
cuius aeris spatium
constipatur satellitum   90
globo invisibilium
turbido perduellium,
ne malis exemplaribus
imbuti ac sceleribus
nullis unquam tegentibus   95
saeptis ac parietibus
fornicarentur homines
palam omnium oculis.

Invehunt nubes pontias
ex fontibus brumalias   100
tribus profundioribus
oceani dodrantibus
maris, caeli climatibus,
caeruleis turbinibus
profuturas segetibus,   105
vineis et germinibus,
agitatae flaminibus
thesauris emergentibus,
quique paludes marinas
evacuant reciprocas.   110

Kaduca ac tyrannica
mundique momentanea
regum praesentis gloria
nutu Dei deposita;
ecce gigantes gemere   115
sub aquis magno ulcere
comprobantur, incendio
aduri ac supplicio
Cocytique Charybdibus
strangulati turgentibus,   120
Scyllis obtecti fluctibus
eliduntur et scrupibus.

Ligatas aquas nubibus
frequenter crebrat Dominus,
ut ne erumpant protinus   125
simul ruptis obicibus,
quarum uberioribus
venis velut uberibus
pedetentim natantibus
telli per tractus istius   130
gelidis ac ferventibus
diversis in temporibus
usquam influunt flumina
nunquam deficientia.

Magni Dei virtutibus   135
appenditur dialibus
globus terrae et circulus
abysso magnae inditus
suffultu Dei, iduma
omnipotentis valida,   140

columnis velut vectibus
eundem sustentantibus,
promontoriis et rupibus
solidis fundaminibus
velut quibusdam basibus   145
firmatus immobilibus.

Nulli videtur dubium
in imis esse infernum,
ubi habentur tenebrae,
vermes et dirae bestiae,   150
ubi ignis sulphureus
ardens flammis edacibus,
ubi rugitus hominum,
fletus et stridor dentium,
ubi Gehennae gemitus   155
terribilis et antiquus,
ubi ardor flammaticus,
sitis famisque horridus.

Orbem infra, ut legimus,
incolas esse novimus,   160
quorum genu precario
frequenter flectit Domino,
quibusque impossibile
librum scriptum revolvere
obsignatum signaculis   165
septem de Christi monitis,
quem idem resignaverat,
postquam victor exstiterat
explens sui praesagmina
adventus prophetalia.   170

64

Plantatum a prooemio
paradisum a Domino
legimus in primordio
genesis nobilissimo,
cuius ex fonte flumina   175
quattuor sunt manantia,
cuius etiam florido
lignum vitae in medio,
cuius non cadunt folia
gentibus salutifera,   180
cuius inenarrabiles
deliciae ac fertiles.

Quis ad condictum Domini
montem ascendit Sinai?
quis audivit tonitrua   185
ultra modum sonantia,
quis clangorem perstrepere
enormitatis buccinae?
quis quoque vidit fulgura
in gyro coruscantia,   190
quis lampades et iacula
saxaque collidentia
praeter Israhelitici
Moysen iudicem populi?

Regis regum rectissimi   195
prope est dies Domini,
dies irae et vindictae,
tenebrarum et nebulae,
diesque mirabilium
tonitruorum fortium,   200

dies quoque angustiae,
maeroris ac tristitiae,
in quo cessabit mulierum
amor ac desiderium
hominumque contentio   205
mundi huius et cupido.

Stantes erimus pavidi
ante tribunal Domini
reddemusque de omnibus
rationem affectibus,   210
videntes quoque posita
ante obtutus crimina
librosque conscientiae
patefactos in facie;
in fletus amarissimos   215
ac singultus erumpemus
subtracta necessaria
operandi materia.

Tuba primi archangeli
strepente admirabili   220
erumpent munitissima
claustra ac polyandria,
mundi praesentis frigora
hominum liquescentia,
undique conglobantibus   225
ad compagines ossibus,
animabus aethralibus
eisdem obviantibus
rursumque redeuntibus
debitis mansionibus.   230

Vagatur ex climactere
Orion caeli cardine
derelicto Virgilio,
astrorum splendidissimo;
per metas Thetis ignoti   235
orientalis circuli,
girans certis ambagibus
redit priscis reditibus,
oriens post biennium
Vesperugo in vesperum;   240
sumpta in problematibus
tropicis intellectibus.

Xristo de caelis Domino
descendente celsissimo
praefulgebit clarissimum   245
signum crucis et vexillum,
tectisque luminaribus
duobus principalibus
cadent in terram sidera
ut fructus de ficulnea,   250
eritque mundi spatium
ut fornacis incendium;
tunc in montium specubus
abscondent se exercitus.

Ymnorum cantionibus   255
sedulo tinnientibus,
tripudiis sanctis milibus
angelorum vernantibus,
quattuorque plenissimis
animalibus oculis   260

cum viginti felicibus
quattuor senioribus
coronas admittentibus
agni Dei sub pedibus,
laudatur tribus vicibus   265
trinitas aeternalibus.

Zelus ignis furibundus
consumet adversarios
nolentes Christum credere
Deo a patre venisse.   270
nos vero evolabimus
obviam ei protinus
et sic cum ipso erimus
in diversis ordinibus
dignitatum pro meritis   275
praemiorum perpetuis
permansuri in gloria
a saeculis in saecula.

49   *Noli, Pater*

Te timemus terribilem nullum credentes similem,
o Iesu amantissime, o rex regum rectissime.

Noli, pater, indulgere tonitruo cum fulgure,
ne frangamur formidine huius atque uridine.

Te cuncta canunt carmina angelorum per agmina,   5
teque exaltent culmina caeli vaga per fulmina.

Benedictus in saecula recta regens regimina.
Iohannes coram Domino adhuc matris in utero
repletus Dei gratia pro vino atque sicera.

Elisabeth Zachariae virum magnum genuit   10
Iohannem Baptistam, praecursorem Domini.

Manet in meo corde Dei amoris flamma,
ut in argenti vase auri ponitur gemma.

ANONYMOUS

c. 7th cent.

50   *Versiculi familiae Benchuir*

BENCHUIR bona regula,
   recta atque divina,
stricta, sancta, sedula,
   summa, iusta ac mira.

Munther Benchuir beata,   5
   fide fundata certa,
spe salutis ornata,
   caritate perfecta.

Navis nunquam turbata,
   'quamvis fluctibus tonsa,   10
nuptiis quoque parata
   regi Domino sponsa.

Domus deliciis plena,
   super petram constructa,
necnon vinea vera   15
   ex Aegypto transducta.

Certe civitas firma,
   fortis atque munita,
gloriosa ac digna,
   supra montem posita.   20

Arca Cherubin tecta,
 omni parte aurata,
sacrosanctis referta,
 viris quattuor portata.

Christo regina apta,   25
 solis luce amicta,
simplex simulque docta,
 undecumque invicta.

Vere regalis aula,
 variis gemmis ornata,   30
gregisque Christi caula,
 patre summo servata.

Virgo valde fecunda
 haec et mater intacta,
laeta ac tremebunda,   35
 verbo Dei subacta,

Cuï vita beata
 cum perfectis futura,
Deo patre parata,
 sine fine mansura.   40

ANONYMOUS

c. 7th cent.

51   *Hymn at the Communion of Priests*

SANCTI, venite, Christi corpus sumite,
 sanctum bibentes quo redempti sanguinem,

Salvati Christi corpore et sanguine,
a quo refecti laudes dicamus Deo.

Hoc sacramento corporis et sanguinis 5
omnes exuti ab inferni faucibus.

Dator salutis, Christus filius Dei
mundum salvavit per crucem et sanguinem.

Pro universis immolatus Dominus
ipse sacerdos existit et hostia. 10

Lege praeceptum immolari hostias,
qua adumbrantur divina mysteria.

Lucis indultor et salvator omnium
praeclaram sanctis largitus est gratiam.

Accedunt omnes pura mente creduli 15
sumant aeternam salutis custodiam.

Sanctorum custos, rector quoque, Dominus,
vitae perennis largitor credentibus,

Caelestem panem dat esurientibus,
de fonte vivo praebet sitientibus. 20

Alpha et ω ipse Christus Dominus
venit, venturus iudicare homines.

ANONYMOUS

c. 7th cent.

52 *In Natale Martyrum*

SACRATISSIMI martyres summi Dei,
bellatores fortissimi Christi regis,
potentissimi duces exercitus Dei,
    victores in caelis Deo canentes: *Alleluia.*

71

Excelsissime, Christe, caelorum Deus,   5
Cherubim cui sedes cum patre sacra,
angelorum et martyrum fulgens chorus
    tibi sancti proclamant: *Alleluia.*

Magnifice, tu prior omnium, passus crucem
qui devicta morte refulsisti mundo,   10
ascendisti ad caelos ad dextram Dei,
    tibi sancti proclamant: *Alleluia.*

Armis spiritalibus munita mente
apostoli sancti te sunt secuti,
qui, cum ipsi crucis paterentur mortem,   15
    tibi sancti canebant: *Alleluia.*

Christe, martyrum tu es adiutor potens
proeliantium sancta pro tua gloria,
qui, cum victores exirent de hoc saeclo,
    tibi sancti canebant: *Alleluia.*   20

Illustris tua, Domine, laudanda virtus,
quae per spiritum sanctum firmavit martyres,
qui consternerent zabulum et mortem vincerent;
    tibi sancti canebant: *Alleluia.*

Manu hi Domini excelsa protecti   25
contra diabolum steterunt firmati,
trinitati fidem toto corde servantes
    tibi sancti canebant: *Alleluia.*

Vere regnantes erunt tecum, Christe Deus,
qui passionis merito coronas habent   30
et centenario fructu repleti gaudent,
    tibi sancti proclamant: *Alleluia.*

Christi gratiam supplices obsecremus,
ut in ipsius gloriam consummemur,
et in sancta Ierusalem civitate   35
    trinitati cum sanctis dicamus: *Alleluia.*

ANONYMOUS

7th cent.

53   *A Storm in Devon*

QUANDO profectus fueram
    usque diram Domnoniam
per carentem Cornubiam
florulentis cespitibus
et foecundis graminibus,   5
elementa inormia
atque facta informia
quassantur sub aetherea
convexi caeli camera,
dum tremet mundi machina   10
sub ventorum monarchia.
ecce, nocturno tempore,
orto brumali turbine,
quatiens terram tempestas
turbabat atque vastitas,   15
cum fracto venti federe
bacharentur in aethere
et rupto retinaculo
desevirent in saeculo.

73

VENANTIUS FORTUNATUS

d. *c.* 610

54   *Hymn to the Holy Cross* (1)

PANGE, lingua, gloriosi proelium certaminis
  et super crucis tropaeo dic triumphum nobilem,
qualiter redemptor orbis immolatus vicerit.

De parentis protoplasti fraude factor condolens,
quando pomi noxialis morte morsu corruit,   5
ipse lignum tunc notavit, damna ligni ut solveret.

Hoc opus nostrae salutis ordo depoposcerat,
multiformis perditoris arte ut artem falleret
et medelam ferret inde, hostis unde laeserat.

Quando venit ergo sacri plenitudo temporis,   10
missus est ab arce patris natus orbis conditor
atque ventre virginali carne factus prodiit.

Vagit infans inter arta conditus praesaepia,
membra pannis involuta virgo mater adligat,
et pedes manusque crura stricta pingit fascia.   15

Lustra sex qui iam peracta tempus implens corporis,
se volente, natus ad hoc, passioni deditus,
agnus in crucis levatur immolandus stipite.

Hic acetum, fel, arundo, sputa, clavi, lancea;
mite corpus perforatur; sanguis, unda profluit,   20
terra pontus astra mundus quo lavantur flumine.

Crux fidelis, inter omnes arbor una nobilis,
nulla talem silva profert flore, fronde, germine,
dulce lignum dulce clavo dulce pondus sustinens.

Flecte ramos, arbor alta, tensa laxa viscera,   25
et rigor lentescat ille quem dedit nativitas,
ut superni membra regis mite tendas stipite.

Sola digna tu fuisti ferre pretium saeculi
atque portum praeparare nauta mundo naufrago,
quem sacer cruor perunxit fusus agni corpore.   30

55   *Hymn to the Holy Cross* (2)

VEXILLA regis prodeunt,
   fulget crucis mysterium,
quo carne carnis conditor
suspensus est patibulo.

Confixa clavis viscera   5
tendens manus, vestigia,
redemptionis gratia
hic immolata est hostia.

Quo vulneratus insuper
mucrone diro lanceae,   10
ut nos lavaret crimine,
manavit unda et sanguine.

Impleta sunt quae concinit
David fideli carmine
dicendo nationibus: 15
regnavit a ligno Deus.

Arbor decora et fulgida,
ornata regis purpura,
electa digno stipite
tam sancta membra tangere.   20

Beata cuius bracchiis
pretium pependit saeculi,
statera facta est corporis
praedam tulitque tartari.

Fundis aroma cortice,   25
vincis sapore nectare,
iucunda fructu fertili
plaudis triumpho nobili.

Salve, ara, salve, victima,
de passionis gloria,   30
qua vita mortem pertulit
et morte vitam reddidit.

56   *Crux benedicta nitet*

CRUX benedicta nitet, Dominus qua carne pependit
    atque cruore suo vulnera nostra lavat,
mitis amore pio pro nobis victima factus
    traxit ab ore lupi qua sacer agnus oves,
transfixis palmis ubi mundum a clade redemit,   5
    atque suo clausit funere mortis iter.
hic manus illa fuit clavis confixa cruentis
    quae eripuit Paulum crimine, morte Petrum.
fertilitate potens, o dulce et nobile lignum,
    quando tuis ramis tam nova poma geris!   10
cuius odore novo defuncta cadavera surgunt,
    et redeunt vitae qui caruere diem.
nullum uret aestus sub frondibus arboris huius,
    luna nec in noctem sol neque meridie.
tu plantata micas secus, est ubi cursus aquarum,   15
    spargis et ornatas flore recente comas.

appensa est vitis inter tua brachia, de qua
  dulcia sanguineo vina rubore fluunt.

57   *Verses on the Resurrection*

TEMPORA florigero rutilant distincta sereno
  et maiore poli lumine porta patet.
altius ignivomum solem caeli orbita ducit,
  qui vagus Oceanus exit et intrat aquas,
armatis radiis elementa liquentia lustrans   5
  adhuc nocte brevi tendit in orbe diem.
splendida sincerum producunt aethera vultum,
  laetitiamque suam sidera clara probant.
terra favens vario fundit munuscula foetu,
  cum bene vernales reddidit annus opes.   10
mollia purpureum pingunt violaria campum,
  prata virent herbis, emicat herba comis.
paulatim subeunt stillantia lumina florum
  arridentque oculis gramina tincta suis.
semine deposito lactans seges exilit arvis,   15
  spondens agricolae vincere posse famem.
caudice desecto lacrimat sua gaudia palmes,
  unde merum tribuat, dat modo vitis aquam.
cortice de matris tenera lanugine surgens
  praeparat ad partum turgida gemma sinum.   20
tempore sub hiemis foliorum crine revulso
  iam reparat viridans frondea tecta nemus.
myrta, salix, abies, corylus, siler, ulmus, acernus:
  plaudit quaeque suis arbor amoena comis.
construitura favos apes hinc alvearia linquens   25
  floribus instrepitans poplite mella rapit.

ad cantus revocatur avis, quae carmine clauso
    pigrior hiberno frigore muta fuit.
hinc philomena suis attemperat organa cannis,
    fitque repercusso dulcior aura melo.   30
ecce, renascentis testatur gratia mundi
    omnia cum Domino dona redisse suo.
namque triumphanti post tristia tartara Christo
    undique fronde nemus, gramina flore favent.
legibus inferni oppressis super astra meantem   35
    laudant rite Deum lux, polus, arva, fretum.
qui crucifixus erat Deus, ecce, per omnia regnat,
    dantque creatori cuncta creata precem.
salve, festa dies, toto venerabilis aevo,
    qua Deus infernum vicit et astra tenet.   40

58   *The Poet sends Violets to St. Radegund*

TEMPORA si solito mihi candida lilia ferrent
    aut speciosa foret suave rubore rosa,
haec ego rure legens aut caespite pauperis horti,
    misissem magnis munera parva libens.
sed quia prima mihi desunt, vel solvo secunda: 5
    profert qui violas, fert et amore rosas.
inter odoriferas tamen has quas misimus herbas
    purpureae violae nobile germen habent:
respirant pariter regali murice tinctae
    et saturat foliis hinc odor, inde color.   10
haec, quod utrumque gerit pariter, habeatis utraque,
    et sit mercis odor flore perenne decus.

6th cent.

59   *Hymn to the Virgin Mary*

QUEM terra, pontus, aethera
    colunt, adorant, praedicant,
trinam regentem machinam
claustrum Mariae baiulat.

Cui luna, sol et omnia   5
deserviunt per tempora,
perfusa caeli gratia
gestant puellae viscera.

Mirantur ergo saecula,
quod angelus fert semina,   10
quod aure virgo concipit
et corde credens parturit.

Beata mater munere,
cuius supernus artifex
mundum pugillo continens   15
ventris sub arca clausus est.

Benedicta caeli nuntio,
fecunda sancto spiritu,
desideratus gentibus
cuius per alvum fusus est.   20

O gloriosa femina,
excelsa super sidera,
qui te creavit provide
lactas sacrato ubere.

Quod Eva tristis abstulit,   25
tu reddis almo germine,
intrent ut astra flebiles,
caeli fenestra facta es.

tu regis alti ianua
et porta lucis fulgida;   30
vitam datam per virginem,
gentes redemptae, plaudite.

ST. COLUMBANUS

d. 615

60   *Epistle to Fedolius in Adonics*

ACCIPE, quaeso,
nunc bipedali
condita versu
carminulorum
munera parva   5
tuque frequenter
mutua nobis
obsequiorum
debita redde.
nam velut aestu   10
flantibus austris
arida gaudent
imbribus arva,
sic tua nostras
missa frequenter   15
laetificabat
pagina mentes.

non ego posco
nunc periturae
munera gazae,   20
non quod avarus
semper egendo
congregat aurum,
quod sapientum
lumina caecat   25
et velut ignis
flamma perurit
improba corda.
saepe nefanda
crimina multis   30
suggerit auri
dira cupido,
e quibus ista
nunc tibi pauca
tempore prisco   35
gesta retexam.
extitit ingens
causa malorum
aurea pellis.
corruit auri   40
munere parvo
cena deorum,
et tribus illis
maxima lis est
orta deabus;   45
hinc populavit
Troiugenarum
ditia regna
Dorica pubes.

fl. 657

61 *The Geography of Asia*

ASIA ab oriente   vocata antiquitus
a regina, cuius nomen   funxit in imperio;
haec in tertiaque parte   orbis est disposita.

Ab oriente ortu solis,   maris a meridie,
ab occiduoque mare   Tyrreno coniungitur,   5
septentrione fluviale   Tanaique cingitur.

Habet primum paradisi   hortorum delicias,
omni genere pomorum   consitus qui graminat,
habet etiamque vitae   lignum inter medias.

Non est aestas neque frigus,   sincera temperies,   10
fons manat inde perennis   fluitque in rivulis.
post peccatum interclusus   est primaevi hominis.

EUGENIUS OF TOLEDO

d. 658

62 *The Nightingale*

VOX, philomela, tua cantus edicere cogit,
inde tui laudem rustica lingua canit.
vox, philomela, tua citharas in carmine vincit
et superas miris musica flabra modis.
vox, philomela, tua curarum semina pellit,   5
recreat et blandis anxia corda sonis.
florea rura colis, herboso caespite gaudes,
frondibus arboreis pignera parva foves.

cantibus ecce tuis recrepant arbusta canoris,
    consonat ipsa suis frondea silva comis.   10
iudice me cygnus et garrula cedat hirundo,
    cedat et inlustri psittacus ore tibi.
nulla tuos umquam cantus imitabitur ales,
    murmure namque tuo dulcia mella fluunt.
dic ergo tremulos lingua vibrante susurros   15
    et suavi liquidum gutture pange melos.
porrige dulcisonas attentis auribus escas;
    nolo tacere velis, nolo tacere velis.
gloria summa tibi, laus et benedictio, Christe,
    qui praestas famulis haec bona grata tuis.   20

ANONYMOUS

c. 8th cent.

63   *Hymn for the Dedication of a Church*

URBS beata Ierusalem dicta pacis visio,
  quae construitur in caelis vivis ex lapidibus,
et angelis coornata ut sponsata comite,

Nova veniens e caelo, nuptiali thalamo
praeparata, ut sponsata copuletur Domino;   5
plateae et muri eius ex auro purissimo.

Portae nitent margaritis adytis patentibus,
et virtute meritorum illuc introducitur
omnis qui pro Christi nomen hic in mundo premitur.

Tunsionibus, pressuris expoliti lapides,   10
suis coaptantur locis per manum artificis,
disponuntur permansuri sacris aedificiis.

Angularis fundamentum lapis Christus missus est,
qui compage parietis in utroque nectitur,
quem Syon sancta suscepit, in quo credens permanet.   15

Omnis illa Deo sacra et dilecta civitas
plena modulis in laude et canore iubilo
trinum Deum unicumque cum favore praedicat.

Hoc in templo, summe Deus, exoratus adveni
et clementi bonitate precum vota suscipe,   20
largam benedictionem hic infunde iugiter.

Hic promereantur omnes petita acquirere
et adepta possidere cum sanctis perenniter,
paradisum introire translati in requiem.

Gloria et honor Deo usquequo altissimo   25
una patri filioque inclito paraclito,
cui laus est et potestas per aeterna saecula.

ALDHELM

d. 709

64   *The Monastic Church at Malmesbury*

HIC celebranda rudis florescit gloria templi,
limpida quae sacri signat vexilla triumphi;
hic·Petrus et Paulus, tenebrosi lumina mundi,
praecipui patres, populi qui frena gubernant,
carminibus crebris alma venerantur in aula.   5

Claviger aetherius, portam qui pandis in aethra,
candida caelorum recludens regna tonantis,
ausculta clemens populorum vota precantum,

marcida qui riguis umectant imbribus ora;
suscipe singultus commissa piacla gementum,   10
qui prece flagranti torrent peccamina vitae!

Maximus et doctor, patulo vocitatus ab axe,
cum cuperes Christo priscos praeponere ritus,
Saulus, qui dictus mutato nomine Paulus
post tenebras claram coepisti cernere lucem,   15
vocibus orantum nunc aures pande benignas
et tutor tremulis cum Petro porrige dextram,
sacra frequentantes aulae qui limina lustrant,
quatenus hic scelerum detur indulgentia perpes
larga de pietate fluens et fonte superno,   20
dignis qui numquam populis torpescit in aevum!

THE VENERABLE BEDE

d. 735

65   *Hymn to St. Etheldreda*

ALMA Deus trinitas, quae saecula cuncta gubernas,
    adnue iam coeptis, alma Deus trinitas.
Bella Maro resonet, nos pacis dona canamus,
    munera nos Christi, bella Maro resonet.
Carmina casta mihi, foedae non raptus Helenae,   5
    luxus erit lubricis, carmina casta mihi.
Dona superna loquar, miserae non proelia Troiae,
    terra quibus gaudet, dona superna loquar.
En, Deus altus adit venerandae virginis alvum
    liberet ut homines, en, Deus altus adit.   10
Femina virgo parit mundi devota parentem,
    porta Maria Dei, femina virgo parit.

85

Gaudet amica cohors de virgine matre tonantis,
    virginitate micans gaudet amica cohors.
Huius honor genuit casto de germine plures,   15
    virgineos flores huius honor genuit.
Ignibus usta feris virgo non cessit Agatha,
    Eulalia et perfert ignibus usta feris.
Kasta feras superat mentis pro culmine Tecla,
    Eufemia sacra casta feras superat.   20
Laeta ridet gladios ferro robustior Agnes,
    Caecilia infestos laeta ridet gladios.
Multus in orbe viget per sobria corda triumphus,
    sobrietatis amor multus in orbe viget.
Nostra quoque egregia iam tempora virgo beavit,   25
    Edilthrida nitet nostra quoque egregia.
Orta patre eximio regali et stemmate clara,
    nobilior Domino est orta patre eximio.
Percipit inde decus regina et sceptra sub astris,
    plus super astra manens percipit inde decus.   30
Quid petis, alma, virum, sponso iam dedita summo?
    sponsus adest Christus; quid petis, alma, virum?
Regis ut aetherei matrem iam, credo, sequaris,
    tu quoque sis mater regis ut aetherei.
Sponsa dicata Deo bis sex regnaverat annis   35
    inque monasterio est sponsa dicata Deo.
Tota sacrata polo celsis ubi floruit actis,
    reddidit atque animam tota sacrata polo.
Virginis alma caro est tumulata bis octo Novembres,
    nec putet in tumulo virginis alma caro.   40
Xriste, tui est operis, quia vestis et ipsa sepulcro
    inviolata nitet, Christe, tui est operis.
Ydros et ater abit sacrae pro vestis honore,
    morbi diffugiunt, ydros et ater abit.

Zelus in hoste furit, quondam qui vicerat Evam,   45
  virgo triumphat ovans, zelus in hoste furit.
Aspice, nupta Deo, quae sit tibi gloria terris,
  quae maneat caelis, aspice, nupta Deo.
Munera laeta capis, festivis fulgida taedis,
  ecce, venit sponsus! munera laeta capis.   50
Et nova dulcisono modularis carmina plectro,
  sponsa hymno exultas et nova dulcisono.
Nullus ab altithroni comitatu segregat agni,
  quam affectu tulerat nullus ab altithroni.

PAUL THE DEACON (?)

d. 799

66   *Hymn to St. John the Baptist*

UT queant laxis resonare fibris
  mira gestorum famuli tuorum
solve polluti labii reatum,
    sancte Iohannes.

Nuntius celso veniens Olympo   5
te patri magnum fore nasciturum,
nomen et vitae seriem gerendae
    ordine promit.

Ille promissi dubius superni
perdidit promptae modulos loquelae;   10
sed reformasti genitus peremptae
    organa vocis.

Ventris obstruso positus cubili,
senseras regem thalamo manentem;
hinc parens nati meritis uterque   15
    abdita pandit.

Antra deserti teneris sub annis,
civium turmas fugiens, petisti
ne levi saltim maculare vitam
    famine posses.   20

Praebuit hirtum tegimen camelus
artubus sacris, strophium bidentes,
cui latex haustum, sociata pastum
    mella locustis.

Ceteri tantum cecinere vatum   25
corde praesago iubar adfuturum:
tu quidem mundi scelus auferentem
    indice prodis.

Non fuit vasti spatium per orbis
sanctior quisquam genitus Iohanne,   30
qui nefas saecli meruit lavantem
    tingere lymphis.

O nimis felix meritique celsi,
nesciens labem nivei pudoris,
praepotens martyr, heremique cultor,   35
    maxime vatum.

Serta ter denis alios coronant
aucta crementis, duplicata quosdam,
trina centeno cumulata fructu
    te, sacer, ornant.   40

Nunc potens nostri meritis opimis
pectoris duros lapides repelle
asperum planans iter, et reflexos
    dirige calles,

Ut pius mundi sator et redemptor   45
mentibus pulsa luvione puris
rite dignetur veniens sacratos
      ponere gressus.

Gloria patri genitaeque proli
et tibi, compar utriusque semper,   50
spiritui sancto, simul atque magnam
      laudem et honorem.

ANONYMOUS

c. 800

67   *Aachen, the Second Rome*

QUIS poterit tanti praeconia promere regis,
    quisve putat sermone rudi se principis acta
posse referre, senes cum vincant omnia vates?
exsuperatque meum ingenium iustissimus actis
rex Karolus, caput orbis, amor populique decusque, 5
Europae venerandus apex, pater optimus, heros,
Augustus; sed et urbe potens, ubi Roma secunda
flore novo, ingenti, magna consurgit ad alta
mole, tholis muro praecelsis sidera tangens.
stat pius arce procul Karolus loca singula signans, 10
altaque disponens venturae moenia Romae.
hic iubet esse forum, sanctum quoque iure senatum,
ius populi et leges ubi sacraque iussa capessant.
insistitque operosa cohors; pars apta columnis
saxa secat rigidis, arcem molitur in altum;   15
ast alii rupes manibus subolvere certant,
effodiunt portus, statuuntque profunda theatri
fundamenta, tholis includunt atria celsis.

89

hic alii thermas calidas reperire laborant,
balnea sponte sua ferventia mole recludunt.   20
marmoreis gradibus speciosa sedilia pangunt.
fons nimio bullantis aquae fervere calore
non cessat; partes rivos deducit in omnes
urbis. et aeterni hic alii bene regis amoenum
construere ingenti templum molimine certant.   25
scandit ad astra domus muris sacrata politis.

ANONYMOUS

9th cent.

68   *The Swan Sequence*

CLANGAM, filii,
ploratione una

Alitis cygni,
qui transfretavit aequora.

O quam amare   5
lamentabatur, arida

Se dereliquisse
florigera
et petisse alta
maria;   10

Aiens: infelix sum
avicula,
heu mihi, quid agam
misera?

Pennis soluta   15
inniti
lucida non potero
hic in stilla.

Undis quatior,
procellis   20
hinc inde nunc allidor
exsulata.

Angor inter arta
gurgitum cacumina.
gemens alatizo   25
intuens mortifera,
non conscendens supera.

Cernens copiosa
piscium legumina,
non queo in denso   30
gurgitum assumere
alimenta optima.

Ortus, occasus,
plagae poli,
administrate   35
lucida sidera.

Sufflagitate
Oriona,
effugitantes
nubes occiduas.   40

Dum haec cogitaret tacita,
venit rutila
adminicula aurora.

Oppitulata afflamine
coepit virium   45
recuperare fortia.

Ovatizans
iam agebatur
inter alta
et consueta nubium   50
sidera.

Hilarata
ac iucundata
nimis facta,
penetrabatur marium   55
flumina.

Dulcimode cantitans
volitavit ad amoena
arida.

Concurrite omnia   60
alitum et conclamate
agmina:

Regi magno
sit gloria.

ANONYMOUS

9th cent.

69   *Beata tu, Virgo Maria*

BEATA tu, virgo Maria,
mater Christi gloriosa
Deique plena gratia,

Nimium credula
Gabrielis verba.   5
O *alma virgo Maria,*
O *beata Maria!*

De te enim dicit Hiezechiel propheta,
quia erat clausa in domo Domini porta,
O *alma virgo Maria,*   10
O *beata Maria!*

Iam enim tripudia caelestia regna
angelorum super choros sublimata,
O *alma virgo Maria,*
O *beata Maria!*   15

Petimus ergo tua sancta suffragia;
intercede pro nobis ad eum, qui est saecli vita.

Te enim expectat supplex ista et humilis plebecula,
ut tuis fulta precibus semper convalescat ad meliora.

O beata Dei genetrix, virgo Maria, semper gloriosa,   20
quae sola digna fuisti lactare huius saeculi vitam.

Nostri ergo, quaesumus, memorare prece sedula,
ut una tecum simul mereamur gaudere per aevum

In caelestia regna, O *beata Maria!*

ANONYMOUS

c. 9th cent.

70   *Hymn for the Saturday before*
          Septuagesima

ALLELUIA dulce carmen, vox perennis gaudii,
   alleluia laus suavis est choris caelestibus,
quod canunt Dei manentes in domo per saecula.

Alleluia laeta mater concinis Ierusalem,
alleluia vox tuorum civium gaudentium: 5
exules nos flere cogunt Babylonis flumina.

Alleluia non meremur nunc perenne psallere,
alleluia nos reatus cogit intermittere;
tempus instat, quo peracta lugeamus crimina.

Unde supplices precamur te, beata trinitas,   10
ut tuum nobis videre pascha des in aethere,
quo tibi laete canemus alleluia perpetim.

ANONYMOUS

c. 9th cent.

71   *Ave maris stella*

AVE, maris stella,
   Dei mater alma
atque semper virgo,
felix caeli porta.

Sumens illud Ave   5
Gabrielis ore,
funda nos in pace,
mutans nomen Evae.

94

Solve vincla reis,
profer lumen caecis,   10
mala nostra pelle,
bona cuncta posce.

Monstra te esse matrem,
sumat per te precem
qui pro nobis natus   15
tulit esse tuus.

Virgo singularis,
inter omnes mitis,
nos culpis solutos
mites fac et castos.   20

Vitam praesta puram,
iter para tutum,
ut videntes Iesum
semper collaetemur.

Sit laus Deo patri,   25
summum Christo decus,
spiritui sancto
honor, tribus unus.

ANONYMOUS

9th cent.

72   *The Abbot of Angers*

ANDECAVIS abas esse dicitur,
ille nomen primi tenet hominum;
hunc fatentur vinum vellet bibere
super omnes Andechavis homines.

eia eia eia laudes, 5
eia laudes dicamus Libero.

iste malet	vinum omni tempore;
quem nec dies	nox nec ulla preterit,
quod non vino	saturatus titubet
velut arbor	agitata flatibus. 10

eia eia eia laudes,
eia laudes dicamus Libero.

Iste gerit	corpus inputribile
vinum totum	conditum ut alove,
et ut mire	corium conficitur, 15
cutis eius	nunc con vino tinguitur.

eia eia eia laudes,
eia laudes dicamus Libero.

Iste cupa	non curat de calicem
vinum bonum	bibere suaviter, 20
set patellis	atque magnis cacabis
et in eis	ultra modum grandibus.

eia eia eia laudes,
eia laudes dicamus Libero.

Hunc perperdet	Andechavis civitas, 25
nullum talem	ultra sibi sociat,
qui sic semper	vinum possit sorbere;
cuius facta,	cives, vobis pingite!

eia eia eia laudes,
eia laudes dicamus Libero. 30

ANONYMOUS

73   *Sancte sator, suffragator*

SANCTE sator, suffragator,
legum lator, largus dator,
iure pollens, es qui potens,
nunc in aethra firma petra,
a quo creta cuncta freta,   5
quae aplustra verrunt flustra,
quando celox currit velox:
cuius numen crevit lumen,
simul solum, supra polum.
prece posco, prout nosco,   10
caeliarche Christe, parce,
et piacla, dira jacla,
trude taetra tua cetra,
quae capesso et facesso.
in hoc sexu, sarcis nexu,   15
Christe, umbo meo lumbo
sis, ut atro cedat latro
mox sugmento fraudulento.
pater, parma, procul arma
arce hostis uti costis,   20
immo corde sine sorde:
tunc deinceps trux et anceps
catapulta cedat multa.
alma tutrix atque nutrix,
fulci, manus, me, ut sanus,   25
corde reo, prout queo,
Christo theo qui est leo

ANONYMOUS

dicam: 'Deo grates cheo ,
sicque beo me ab eo.

COLMAN 'NEPOS CRACAVIST"

c. 800

74 *The Love of Ireland*

DUM subito properas dulces invisere terras,
deseris et nostrae refugis consortia vitae,
festinas citius precibus nec flecteris ullis,
nec retinere valet blandae suggestio vocis.
vincit amor patriae. quis flectere possit amantem? 5
nec sic arguerim deiectae taedia mentis.
nam mihi praeteritae Christus si tempora vitae
et priscas iterum renovaret ab ordine vires,
si mihi quae quondam fuerat floresceret aetas
et nostros subito faceret nigrescere canos, 10
forsitan et nostram temptarent talia mentem.
tu modo da veniam pigraeque ignosce senectae,
quae nimium nostris obstat nunc aemula votis.
audi doctiloquo cecinit quod carmine vates:
omnia fert aetas, gelidus tardante senecta 15
sanguis hebet, frigent effetae in corpore vires,
siccae nec calido complentur sanguine venae.
me maris anfractus lustranda et littora terrent.
at tu rumpe moras celeri sulcare carina,
Colmanique tui semper Colmane memento. 20
iam iam nunc liceat fida te voce monere;
pauca tibi dicam vigili quae mente teneto:
non te pompiferi delectet gloria mundi,
quae volucri vento vanoque simillima somno
labitur et vacuas fertur ceu fumus in auras, 25

fluminis et validi cursu fluit ocior omni.
vade libens patriae quoniam te cura remordet.
omnipotens genitor, nostrae spes unica vitae,
qui maris horrisonos fluctus ventosque gubernat,
det tibi nunc tutas crispantis gurgitis undas,   30
ipse tuae liquidis rector sit navis in undis,
aequore nubiferi devectum flatibus Euri
reddat ad optatae Scottorum littora terrae.
tunc valeas fama felix multosque per annos
vivas egregiae capiens praeconia vitae.   35
sic ego praesentis nunc gaudia temporis opto
ut tibi perpetuae contingant praemia vitae.

ANONYMOUS

c. 800

75   *Contention of Winter and Spring*

CONVENIUNT subito cuncti de montibus altis
pastores pecudum vernali luce sub umbra
arborea pariter laetas celebrare Camenas.
adfuit et iuvenis Dafnis seniorque Palaemon;
omnes hi cuculo laudes cantare parabant.   5

Ver quoque florigero succinctus stemmate venit,
frigida venit Hiems, rigidis hirsuta capillis.
his certamen erat cuculi de carmine grande.
Ver prius adlusit ternos modulamine versus:

VER

'Opto meus veniat cuculus, carissimus ales.   10
omnibus iste solet fieri gratissimus hospes
in tectis, modulans rutilo bona carmina rostro.'

99

HIEMS

Tum glacialis hiems respondit voce severa:
'non veniat cuculus, nigris sed dormiat antris.
iste famem secum semper portare suescit.'   15

VER

'Opto meus veniat cuculus cum germine laeto,
frigora depellat, Phoebo comes almus in aevum.
Phoebus amat cuculum crescenti luce serena.'

HIEMS

'Non veniat cuculus, generat quia forte labores,
proelia congeminat, requiem disiungit amatam,   20
omnia disturbat: pelagi terraeque laborant.'

VER

'Quid tu, tarda Hiems, cuculo convicia cantas?
qui torpore gravi tenebrosis tectus in antris
post epulas Veneris, post stulti pocula Bacchi.'

HIEMS

'Sunt mihi divitiae, sunt et convivia laeta,   25
est requies dulcis, calidus est ignis in aede.
haec cuculus nescit, sed perfidus ille laborat.'

VER

'Ore feret flores cuculus et mella ministrat,
aedificatque domus, placidas et navigat undas,
et generat suboles, laetos et vestiet agros.'   30

HIEMS

'Haec inimica mihi sunt, quae tibi laeta videntur,
sed placet optatas gazas numerare per arcas
et gaudere cibis simul et requiescere semper.'

VER

'Quis tibi, tarda Hiems, semper dormire parata,
divitias cumulat, gazas vel congregat ullas,   35
si ver vel aetas ante tibi nulla laborant?'

HIEMS

'Non illis dominus, sed pauper inopsque superbus,
nec te iam poteris per te tu pascere tantum,
ni tibi qui veniet cuculus alimonia praestat.'

PALAEMON

Tum respondit ovans sublimi e sede Palaemon   40
et Dafnis pariter, pastorum et turba piorum:
'desine plura, Hiems—rerum tu prodigus, atrox—
et veniat cuculus, pastorum dulcis amicus.
collibus in nostris erumpant germina laeta,
pascua sint pecori, requies et dulcis in arvis,   45
et virides rami praestent umbracula fessis,
uberibus plenis veniantque ad mulctra capellae,
et volucres varia Phoebum sub voce salutent.
quapropter citius cuculus nunc ecce venito!
tu iam dulcis amor, cunctis gratissimus hospes: 50
omnes te expectant pelagus tellusque polusque,
salve, dulce decus, cuculus, per saecula salve!'

PAULINUS OF AQUILEIA

d. 802

76   *Hymn for a Synod at Friuli*

CONGREGAVIT nos in unum Christi amor:
   exultemus et in ipso iucundemur,
timeamus et amemus Deum vivum
et ex corde diligamus nos sincero.
ubi caritas et amor Deus ibi est.   5

Qui non habet caritatem nihil habet,
sed in tenebris et umbra mortis manet.
nos alterutrum amemus et in die,
sicut decet, ambulemus lucis filii.
ubi caritas, etc.   10

Clamat Dominus et dicit clara voce:
'ubi fuerint in unum congregati
meum propter nomen simul tres vel duo,
et in medio eorum ego ero.'
ubi caritas, etc.   15

Simul ergo cum in unum congregamur,
ne nos mente dividamus caveamus.
cessent iurgia maligna, cessent lites.
vere medium sic nostrum Christus erit.
ubi caritas, etc.   20

Nam ut caritas coniungit et absentes,
sic discordia seiungit et praesentes.
unum omnes indivise sentiamus,
ne et simul congregati dividamur.
ubi caritas, etc.   25

Caritas est summum bonum, amplum donum,
in qua pendet totus ordo praeceptorum,
per quam vetus atque nova lex impletur,
quae ad caeli celsa mittit se repletos.
ubi caritas, etc.   30

Haec per coccum primae legis figuratur,
qui colore rubro tingui bis iubetur,
quia caritas praeceptis in duobus
constat, quibus Deus amatur atque homo.
ubi caritas, etc.   35

Tota ergo mente Deum diligamus
et illius nil amori praeponamus.
inde proximos in Deo ut nos ipsos
et amemus propter Christum inimicos.
ubi caritas, etc.   40

Qui hoc geminum praeceptum caritatis
mente humili contendit observare,
vere hic in Christo manet, et in illo
nocte sceleris expulsa manet Christus.
ubi caritas, etc.   45

Ardua et arta via ducit sursum,
ampla est atque devexa quae deorsum;
sed perennem dat fraternus amor vitam
et perpetuam maligna lis dat poenam.
ubi caritas, etc.   50

Unanimiter excelsum imploremus
ut det pacem clemens nostris in diebus;
iungat fidei speique opus bonum,
ut consortium captemus supernorum.
ubi caritas, etc.   55

'Gloria aeterno regi' decantemus
et pro vita dominorum exoremus,
multos ut cum ipsis annos gaudeamus
propter quorum hic amorem congregamur.
ubi caritas, etc.   60

77 On the Festival of St. Peter and St. Paul

FELIX per omnes festum mundi cardines
apostolorum praepollet alacriter,
Petri beati, Pauli sacratissimi,
quos Christus almo consecravit sanguine,
ecclesiarum deputavit principes.   5

Hi sunt olivae duae coram Domino
et candelabra luce radiantia,
praeclara caeli duo luminaria;
fortia solvunt peccatorum vincula,
portas Olympi reserant fidelibus.   10

Habent supernas potestatem claudere
sermone sedes, pandere splendentia
limina poli super alta sidera;
linguae eorum claves caeli factae sunt,
larvas repellunt ultra mundi limites.   15

Petrus beatus catenarum laqueos
Christo iubente rupit mirabiliter,
custos ovilis et doctor ecclesiae,
pastorque gregis conservator ovium,
arcet luporum truculentam rabiem.   20

Quodcunque vinclis super terram strinxerit,
erit in astris religatum fortiter
et quod resolvit in terris arbitrio,
erit solutum super caeli radium,
in fine mundi iudex erit saeculi.   25

Non impar Paulus huic, doctor gentium,
electionis templum sacratissimum,
in morte compar, in corona particeps;
ambo lucernae et decus ecclesiae
in orbe claro coruscant vibramine.   30

O Roma felix, quae tantorum principum
es purpurata pretioso sanguine !
excellis omnem mundi pulchritudinem,
non laude tua, sed sanctorum meritis,
quos cruentatis iugulasti gladiis.   35

Vos ergo modo, gloriosi martyres,
Petre beate, Paule mundi lilium,
caelestis aulae triumphales milites,
precibus almis vestris nos ab omnibus
munite malis, ferte super aethera.   40

Gloria Deo per immensa saecula
sit tibi, nate, decus et imperium,
honor, potestas sanctoque spiritui,
sit trinitati salus individua
per infinita saeculorum saecula.   45

d. 804

78   *He laments his Lost Nightingale*

QUAE te dextra mihi rapuit, luscinia, ruscis,
   illa meae fuerat invida laetitiae.
tu mea dulcisonis implesti pectora musis,
   atque animum moestum carmine mellifluo.
quapropter veniant volucrum simul undique coetus, 5
   carmine te mecum plangere Pierio.
spreta colore tamen fueras non spreta canendo;
   lata sub angusto gutture vox sonuit,
dulce melos iterans vario modulamine Musae,
   atque creatorem semper in ore canens. 10
noctibus in furvis nusquam cessavit ab odis
   vox veneranda sacris, o decus atque decor.
quid mirum cherubim, seraphim si voce tonantem
   perpetua laudent, dum tua sic potuit?
felix o nimium, Dominum noctemque diemque 15
   qui studio tali semper in ore canit.
non cibus atque potus fuerat tibi dulcior odis,
   alterius volucrum nec sociale iugum.
hoc natura dedit, naturae et conditor almus,
   quem tu laudasti vocibus assiduis, 20
ut nos instrueres vino somnoque sepultos
   somnigeram mentis rumpere segnitiem.
quod tu fecisti, rationis et inscia sensus,
   indice natura nobiliore satis,
sensibus hoc omnes magna et ratione vigentes 25
   gessissent aliquod tempus in ore suo.
maxima laudanti merces in saecla manebit
   aeternum regem perpes in arce poli.

79 *Too Quick Despairer, wherefore wilt thou go?*

'PLANGAMUS cuculum, Dafnin dulcissime, nostrum,
   quem subito rapuit saeva noverca suis.
plangamus pariter querulosis vocibus illum;
   incipe tu senior, quaeso, Menalca prior.'

'Heu, cuculus, nobis fueras cantare suetus,   5
   quae te nunc rapuit hora nefanda tuis?
heu, cuculus, cuculus, qua te regione reliqui,
   infelix nobis illa dies fuerat. . . .

Non pereat cuculus, veniet sub tempore veris,
   et nobis veniens carmina laeta ciet. . . .   10

Heu mihi, si cuculum Bacchus dimersit in undis,
   qui rapiet iuvenes vortice pestifero.
si vivat, redeat, nidosque recurrat ad almos,
   nec corvus cuculum dissecet ungue fero.'

80 *On his Cell*

O MEA cella, mihi habitatio dulcis, amata,
   semper in aeternum, o mea cella, vale.
undique te cingit ramis resonantibus arbos,
   silvula florigeris semper onusta comis.
prata salutiferis florebunt omnia et herbis,   5
   quas medici quaerit dextra salutis ope.
flumina te cingunt florentibus undique ripis,
   retia piscator qua sua tendit ovans.

pomiferis redolent ramis tua claustra per hortos,
    lilia cum rosulis candida mixta rubris.   10

omne genus volucrum matutinas personat odas,
    atque creatorem laudat in ore Deum.

in te personuit quondam vox alma magistri,
    quae sacro sophiae tradidit ore libros.

in te temporibus certis laus sancta tonantis   15
    pacificis sonuit vocibus atque animis.

te, mea cella, modo lacrimosis plango camenis,
    atque gemens casus pectore plango tuos,

tu subito quoniam fugisti carmina vatum,
    atque ignota manus te modo tota tenet.   20

te modo nec Flaccus nec vatis Homerus habebit,
    nec pueri musas per tua tecta canunt.

vertitur omne decus saecli sic namque repente,
    omnia mutantur ordinibus variis.

nil manet aeternum, nihil immutabile vere est,   25
    obscurat sacrum nox tenebrosa diem.

decutit et flores subito hiems frigida pulcros,
    perturbat placidum et tristior aura mare.

qua campis cervos agitabat sacra iuventus,
    incumbit fessus nunc baculo senior.   30

nos miseri, cur te fugitivum, mundus, amamus?
    tu fugis a nobis semper ubique ruens.

tu fugiens fugias, Christum nos semper amemus,
    semper amor teneat pectora nostra Dei.

ille pios famulos diro defendat ab hoste,   35
    ad caelum rapiens pectora nostra, suos;

pectore quem pariter toto laudemus, amemus;
    nostra est ille pius gloria, vita, salus.

THEODULPH OF ORLEANS

d. 821

81   For the Palm Sunday Procession

GLORIA, laus et honor tibi sit, rex Christe, redemptor,
    cui puerile decus prompsit hosanna pium.
Israel es tu rex, Davidis et inclita proles,
    nomine qui in Domini, rex benedicte, venis.
coetus in excelsis te laudat caelicus omnis   5
    et mortalis homo et cuncta creata simul.
plebs Hebraea tibi cum palmis obvia venit;
    cum prece, voto, hymnis adsumus ecce tibi.
hi tibi passuro solvebant munia laudis;
    nos tibi regnanti pangimus ecce melos.   10
hi placuere tibi; placeat devotio nostra,
    rex pie, rex clemens, cui bona cuncta placent.
fecerat Hebraeos hos gloria sanguinis alti;
    nos facit Hebraeos transitus ecce pius.
inclita terrenis transitur ad aethera victis,   15
    virtus a vitiis nos capit alma tetris.
nequitia simus pueri, virtute vieti;
    quod tenuere patres, da teneamus iter.
degeneresque patrum ne simus ab arte piorum,
    nos tua post illos gratia sancta trahat.   20
sis pius ascensor, tuus et nos simus asellus,
    tecum nos capiat urbs veneranda Dei.

FREDEGARD OF ST. RIQUIER

fl. 825

82 *The Thrush Charms away his Toothache*

IAM pridem nimium residebam maestus amoeno
  pomerio chiram laevam positam subhabensque
ad malam nimia dentum pro morte doloris.
vox subito turdi nostras tunc perculit aures
invalidas dulcis varios imitando volucres.   5
ad sonitum galli resonabat gutture tenso;
post vero merulae morem milvique sonabat;
inde simul recinens velut aureolus nitidusque,
bitrisci vocem frangebat et ipse pusilli.
talia demirans, confestim diffugit ultro   10
improbus ille dolor, qui me vexabat amare;
deinde petens nidum, memetque laborque revisit.
quem Deus appellat, ne me torquere parumper
exim iam valeat, submisse flagito, noster.
discite, lectores, avium cantus variarum;   15
segnitiem mentis post rumpite nocte dieque,
quo iugiter Domino laudes depromere dignas
possitis, summa digne et vos audiat arce
iudiciique die dicat: 'properate, beati,
sumite nunc vobis ab origine regna parata   20
mundi', de messi latitant quo perpete iusti,
balsama quo redolent, fragrant et lilia semper,
quo Deus omne bonum meritis clemensque rependit
clementer famulis, gratis quos condidit ipse.

ANGILBERT

c. 841

83   *The Battle of Fontenoy*

AURORA cum primo mane tetram noctem dividet,
    sabbatum non illud fuit, sed Saturni dolium,
de fraterna rupta pace gaudet daemon impius.

Bella clamat, hinc et inde pugna gravis oritur,
frater fratri mortem parat, nepoti avunculus;   5
filius nec patri suo exhibet quod meruit.

Caedes nulla peior fuit campo nec in Marcio;
fracta est lex christianorum sanguinis proluvio,
unde manus inferorum, gaudet gula Cerberi.

Dextera praepotens Dei protexit Hlotharium,   10
victor ille manu sua pugnavitque fortiter:
ceteri si sic pugnassent, mox foret concordia.

Ecce olim velut Iudas salvatorem tradidit,
sic te, rex, tuique duces tradiderunt gladio:
esto cautus, ne frauderis agnus lupo praevio.   15

Fontaneto fontem dicunt, villam quoque rustici.
ubi strages et ruina Francorum de sanguine:
horrent campi, horrent silvae, horrent ipsi paludes.

Gramen illud ros et imber nec humectat pluvia,
in quo fortes ceciderunt, proelio doctissimi,   20
pater, mater, soror, frater, quos amici fleverant.

Hoc autem scelus peractum, quod descripsi rithmice,
Angelbertus ego vidi pugnansque cum aliis,
solus de multis remansi prima frontis acie.

Ima vallis retrospexi, verticemque iugeri,   25
ubi suos inimicos rex fortis Hlotharius
expugnabat fugientes usque forum rivuli.

Karoli de parte vero, Hludovici pariter
albent campi vestimentis mortuorum lineis,
velut solent in autumno albescere avibus.   30

Laude pugna non est digna, nec canatur melode;
oriens, meridianus, occidens et aquilo
plangant illos qui fuerunt illic casu mortui.

Maledicta dies illa, nec in anni circulo
numeretur, sed radatur ab omni memoria,   35
iubar solis illi desit, aurora crepusculo.

Noxque illa, nox amara, noxque dura nimium,
in qua fortes ceciderunt, proelio doctissimi,
pater, mater, soror, frater, quos amici fleverant.

O luctum atque lamentum! nudati sunt mortui,   40
horum carnes vultur, corvus, lupus vorant acriter:
horrent, carent sepulturis, vanum iacet cadaver.

Ploratum et ululatum nec describo amplius:
unusquisque quantum potest restringatque lacrimas;
pro illorum animabus deprecemur Dominum.   45

WALAFRID STRABO

d. 849

84   *The Rose and the Lily*

I AM nisi me fessum via longior indupediret,
  scrupeus atque novi terreret carminis ordo,
debueram viburna rosae pretiosa metallo

Pactoli et niveis Arabum circumdare gemmis.
haec quia non Tyrio Germania tinguitur ostro,   5
lata nec ardenti se Gallia murice iactat,
lutea purpurei reparat crementa quotannis
ubertim floris, tantum qui protinus omnes
herbarum vicisse comas virtute et odore
dicitur, ut merito florum flos esse feratur.   10
inficit hic oleum proprio de nomine dictum,
quod quam saepe fiat mortalibus utile curis,
nec meminisse potest hominum nec dicere quisquam.
huic famosa suos opponunt lilia flores,
longius horum etiam spirans odor imbuit auras,   15
sed si quis nivei candentia germina fructus
triverit, aspersi mirabitur ilicet omnem
nectaris ille fidem celeri periisse meatu,
hoc quia virginitas fama subnixa beata
flore nitet, quam si nullus labor exagitarit   20
sordis et illiciti non fregerit ardor amoris,
flagrat odore suo. porro si gloria pessum
integritatis eat, foetor mutabit odorem.
haec duo namque probabilium genera inclyta florum
ecclesiae summas signant per saecula palmas,   25
sanguine martyrii carpit quae dona rosarum,
liliaque in fidei gestat candore nitentis.
o mater virgo, fecundo germine mater,
virga fide intacta, sponsi de nomine sponsa,
sponsa, columba, domus regina, fidelis amica,   30
bello carpe rosas, laeta arripe lilia pace.
flos tibi sceptrigero venit generamine Iesse,
unicus antiquae reparator stirpis et auctor,
lilia qui verbis vitaque dicavit amoena,
morte rosas tinguens, pacemque et proelia membris   35

liquit in orbe suis, virtutem amplexus utramque,
praemiaque ambobus servans aeterna triumphis.

ANONYMOUS

before 850

85 *The Publican in the Temple*

STANS a longe,

Qui plurima
perpetrarat facinora,

Atque sua
revolvens secum crimina   5

Nolebat alta
contemplari
caeli sidera,

Sed pectus tundens
haec promebat   10
ore lacrimans:

'Deus, propitius
mihi peccatori esto

Et mea omnia
pius dele facinora.'   15

Hac voce
benignam promeruit
clementiam,

Necnon et
iustificatus venit   20
domum suam.

Cuius nos sacra
sectantes exempla
dicamus Deo:

'Deus benigne,   25
nostri miserere,
laxans debita

Mitis et nos iustifica.'

PAULUS ALBARUS

fl. 850

86   *The Nightingale*

VOX, filomela, tua metrorum carmina vincit
    et superat miris flamina magna modis.
vox, filomela, tua dulcis super organa pergit,
    cantica nam suabe fulgide magna canit.
vox, philomela, tua superat sic gutture Musas,   5
    ut citharas vincat sivila 'ter tua, ter'.
sicque liras dulces cordarum pollice ductas
    excellis mulcens, corda fobens hominum.
cedat omnigena, tivi vox quoque garrula cedat,
    iudice me carmen fulgeat omne tuum.   10
nulla certe tivi equeter nunc cantibus ales:
    et victrix hominum voce feras superum.
dic ergo varias blande modulamine voces
    et funde solite gutture sepe melos.
porrige dulcissonum gaudenti pectore plectrum   15
    et dulce tibias gutture clange sonans.
gloria summa Deo dico per secula Christo,
    qui nobis famulis gaudia tanta dedit.

c. 850

87   *Ireland*

FINIBUS occiduis describitur optima tellus
    nomine et antiquis Scottia scripta libris.
dives opum, argenti, gemmarum, vestis et auri,
    commoda corporibus, aëre, putre solo.
melle fluit pulchris et lacte Scottia campis,   5
    vestibus atque armis, frugibus, arte, viris.
ursorum rabies nulla est ibi, saeva leonum
    semina nec umquam Scottica terra tulit.
nulla venena nocent nec serpens serpit in herba
    nec conquesta canit garrula rana lacu.   10
in qua Scottorum gentes habitare merentur,
    inclita gens hominum milite, pace, fide.

ANONYMOUS

after 850 (?)

88   *Veni, creator spiritus*

VENI, creator spiritus,
    mentes tuorum visita,
imple superna gratia,
quae tu creasti, pectora.

Qui paraclitus diceris,   5
donum Dei altissimi,
fons vivus, ignis, caritas
et spiritalis unctio.

Tu septiformis munere,
dextrae Dei tu digitus,   10
tu rite promisso patris
sermone ditans guttura.

Accende lumen sensibus,
infunde amorem cordibus,
infirma nostri corporis   15
virtute firmans perpeti.

Hostem repellas longius,
pacemque dones protinus,
ductore sic te praevio
vitemus omne noxium.   20

Per te sciamus, da, patrem,
noscamus atque filium,
te utriusque spiritum
credamus omni tempore.

MAGNENTIUS RABANUS MAURUS

d. 856

89   *A Prayer to God*

OMNIPOTENS genitor, qui rerum es maximus auctor,
   nate coaequalis spiritus atque Dei,
unus natura, personis trinus et ipse
   vivificans cuncta, vita beata, Deus,
respice me miserum flenti et miseratus adesto,   5
   qui graviter peccans aeger in orbe dego.
eripe me his, invicte, malis, procul omnia pelle,
   quae mentem et corpus crimina dira tenent.

nam vitam variis macularam erroribus omnem
   atque tuam legem spernere non timui.   10
lingua, mente, manu commisi noxia multa,
   textus evangelii quaeque vetare solet.
et quid tunc volui deceptus fraude maligni,
   quemve sequebar amens decipulam hostis amans?
ac miser inferni redolentia sulfure stagna   15
   ignem cum verme, perpete cum gemitu,
elegi amare magis quam dulcia gaudia caeli,
   turiferos campos quam, paradise, tuos.
heu miser, heu demens, ubi nunc tua vita periret,
   quosve dares gemitus tortus in igne dire,   20
ni Deus immensae bonitatis, verus amator
   humanae formae, retraheret miserans!
fit quoque, quod dudum psalmista ast voce canebat,
   cum stupuit mirans dona superna Dei:
ni foret adiutor Dominus, iam infernus haberet   25
   sontem trux animam et cruciaret eam.
nunc, Deus alme, tuum famulum pietate sueta
   conversum recipe, quem dolor excruciat.
sana contritum, flentem solabere maestum,
   indulgens, quaeso, crimina cuncta tuo.   30
da mihi spem veniae, fac corda maerentia laeta,
   commutans lacerum iam facias placidum.
daque fidem plenam, da spem, da pignus amoris,
   mandataque tua corde manuque geram.
strinxi me voto; comple hoc, pius arbiter orbis,   35
   natura fragilis quod celerare nequit.
sitque opus omne tuum, quodcumque expendis alumno,
   sit tibi laus soli gloria sitque tua.
cumque velis vitae finem finemque laboris
   imponere, servo tunc miserere tuo,   40

ne occursus saevus noceat, ne Tartarus ardens,
    missus sed lucis ducat ad astra poli.
dum iudex venias meritorum iura rependens,
    iustifices servum tunc, precor, ipse tuum,
in dextra ponens, cum iustis praemia reddens,   45
    cernam quod vultum lucis in arce tuum.
te, bone Iesu, precor, rector, salvator et auctor,
    quidquid protuleram rite loquendo prece hic,
suscipias miserans famulum clementer et audi,
    ardua poscenti des quoque regna poli.   50
portio sim plebis laudes et in ordine cantem
    sanctorum gratulans cantica grata tibi.
gloria magna Deo, semper tibi gloria, Christe.
    amen, in aeternum gloria magna Deo.

GOTTSCHALK OF ORBAIS

d. 869

90   *Prayer to Christ*

CHRISTE, mearum
    lux tenebrarum,
memet in atrum
criminis antrum
sive barathrum   5
respice lapsum.

Unde per almum,
te rogo, flatum,
nobile verbum,
qui regis ipsum   10
cum patre mundum
compar in aevum,

Erue servum
valde misellum.
pelle piaclum,   15
tolle reatum,
dirige gressum,
redde paratum.

Atque clientem
suscipe flentem   20
teque timentem.
da mihi mentem,
fraude carentem,
prava caventem,

Ima sinentem,   25
summa petentem
teque colentem
atque scientem,
te venerantem,
quin et amantem.   30

Tu Deus unus
cum patre summus,
flamine plenus,
semper amandus,
mente colendus   35
seu venerandus.

Tu metuendus
rexque tremendus,
tutor habendus
et reverendus   40
duxque sequendus
atque petendus.

Inclitus omnis
conditor orbis
luxque perennis,   45
tu pia cunctis
norma ministris,
forma salutis,

Dextera fessis,
spes quoque lapsis,   50
palma regressis,
sedula iustis
gloria servis
et decus almis.

Spes mea, Christe,   55
rex benedicte,
lux pia vitae
duxque perite,
pastor amande,
quin venerande,   60

Respice nunc me,
da, sequar ut te;
iam miserere
iamque medere
et tibi fac me   65
iamque placere.

Gloria lausque
sit tibi, Christe,
cum genitore,
quin et amore   70
nunc utriusque,
quin sine fine.

91 *Penitential Prayer*

O DEUS, miseri
  miserere servi.
ex quo enim me iussisti
  hunc in mundum nasci,
prae cunctis ego amavi   5
  vanitate pasci.
heu, quid evenit mihi!

O Deus, miseri
  miserere servi.
tu me, Domine, fecisti,   10
  ut servirem tibi;
ego miser te dimisi
  et longe abivi.
heu, quid evenit mihi!

O Deus, miseri   15
  miserere servi.
tu me quoque redemisti
  de iugo servili,
et ego te non agnovi
  nec ad te redivi.   20
heu, quid evenit mihi!

O Deus, miseri
  miserere servi.
mandata, quae praecepisti,
  proh dolor, reliqui,   25
fateor voce lugubri,
  nimium deliqui.
heu, quid evenit mihi!

O Deus, miseri
   miserere servi.   30
almam legem, quam dedisti,
   denique neglexi
et illa, quae vetuisti,
   avide dilexi.
heu, quid evenit mihi!   35

O Deus, miseri
   miserere servi.
cuncta bona praeterivi
   animo libenti
atque multa mala egi   40
   pectore ferventi.
heu, quid evenit mihi!

O Deus, miseri
   miserere servi.
voluptates non dimisi,   45
   sed his me addixi
et totius me peccati
   vinculis devinxi.
heu, quid evenit mihi!

O Deus, miseri   50
   miserere servi.
iram tuam provocavi
   crimine frequenti
ideoque te offendi
   offensa ingenti.   55
heu, quid evenit mihi!

O Deus, miseri
   miserere servi.

sed quid plura dicam tibi,
   o pia lux saecli?   60
mala quoque, quae permisi,
   cuncta miser feci.
heu, quid evenit mihi!

O Deus, miseri
   miserere servi.   65
ergo iam succurre flenti,
   Domine, clienti,
scelera tibi fatenti,
   veniam petenti.
heu, quid evenit mihi!   70

O Deus, miseri
   miserere servi.
affer opem indigenti
   iam manu clementi
vulneraque detegenti   75
   medere languenti.
heu, quid evenit mihi!

O Deus, miseri
   miserere servi.
subveni te invocanti   80
   et in te speranti;
dextram da, quem redemisti,
   iam periclitanti.
heu, quid evenit mihi!

O Deus, miseri   85
   miserere servi.
igitur vos, omnes sancti,
   coheredes Christi,

exorate prece dulci
 pro me infelici.   90
heu, quid evenit mihi!

O Deus, miseri
 miserere servi.
alma tu, Maria, tui
 virgo mater Dei,   95
interventu nunc salubri
 memor esto mei.
heu, quid evenit mihi!

O Deus, miseri
 miserere servi.   100
sancte Michael, insigni
 supplicato regi,
deprecentur atque cuncti
 angelorum chori.
heu, quid evenit mihi!   105

O Deus, miseri
 miserere servi.
claviger quoque praecelsi,
 sancte Petre, regni,
socios adiungens tibi   110
 preces funde patri.
heu, quid evenit mihi!

O Deus, miseri
 miserere servi.
martyrumque gloriosi   115
 beatorum globi,

flagitate pro miselli
   peccatis alumni.
heu, quid evenit mihi!

O Deus, miseri   120
   miserere servi.
patriarchae quin electi
   et prophetae sancti,
suffragamini petenti
   precibus clienti.   125
heu, quid evenit mihi!

O Deus, miseri
   miserere servi.
virgines o clarae, vestri
   per amorem sponsi   130
memoramini nunc mei
   delictis oppressi.
heu, quid evenit mihi!

O Deus, miseri
   miserere servi.   135
insuper vos, summi Dei
   confessores almi,
opem ferte, precor, mihi
   oratu instanti.
heu, quid evenit mihi!   140

92   *O cur iubes canere?*

U T quid iubes, pusiole,
   quare mandas, filiole,
     carmen dulce me cantare,

cum sim longe exsul valde
    intra mare?   5
    o cur iubes canere?

Magis mihi, miserule,
flere libet, puerule,
    plus plorare quam cantare
    carmen tale, iubes quale,   10
    amor care.
    o cur iubes canere?

Mallem, scias, pusillule,
ut velles tu, fratercule,
    pio corde condolere   15
    mihi atque prona mente
    conlugere.
    o cur iubes canere?

Scis, divine tiruncule,
scis, superne clientule,   20
    hic diu me exsulare,
    multa die sive nocte
    tolerare.
    o cur iubes canere?

Scis captivae plebeculae   25
Israeli cognomine
    praeceptum in Babylone
    decantare extra longe
    fines Iudae.
    o cur iubes canere?   30

Non potuerunt utique
nec debuerunt itaque

carmen dulce coram gente
aliena nostrae terrae
   resonare.   35
    o cur iubes canere?

Sed quia vis omnimode,
o sodalis egregie,
   canam patri filioque
   simul atque procedente   40
    ex utroque.
    hoc cano ultronee.

Benedictus es, Domine,
pater, nate, paraclite,
   Deus trine, Deus une,   45
   Deus summe, Deus pie,
    Deus iuste.
    hoc cano spontanee.

Exsul ego diuscule
hoc in mari sum, Domine,   50
   annos nempe duos fere
   nosti fore; sed iamiamque
    miserere.
    hoc rogo humillime.

Interim cum pusione   55
situs in hac regione,
   psallam ore, psallam corde,
   psallam die, psallam nocte
    carmen dulce
    tibi, rex piissime.   60

GOTTSCHALK (?)

93 *The beginning of the Eclogue of Theodulus*

AETHIOPUM terras iam fervida torruit aestas,
  in Cancro solis dum volvitur aureus axis;
compuleratque suas tiliae sub amoena capellas
natus ab Athenis pastor cognomine Pseustis;
pellis pantherae corpus cui texit utrimque   5
discolor et rigidas perflavit fistula buccas
emittens sonitum per mille foramina vocum.
ad fontem iuxta pascebat oves Alithia,
virgo decora nimis David de semine regis
cuius habens citharam fluvii percussit ad undam.   10
substiterat fluvius tanta dulcedine captus
auscultando quasi modulantis carmina plectri
ipseque balantum grex obliviscitur esum.
non tulerat Pseustis, sed motus felle doloris
litoris alterius proclamat ab aggere tutus: 15
'cur, Alithia, canis rebus stultissima mutis?
si iuvat, ut vincas, mecum certare potestas:
fistula nostra tuum cedet, si vincis, in usum;
victa dabis citharam; legem coeamus in aequam'
illa refert: 'nec dicta movent nec praemia mulcent   20
me tua nunc adeo, quia vulnere mordeor uno:
quo res cumque cadit, testis nisi sedulus assit,
si victus fueris, non me vicisse fateris.
sed quia mutari nescit sententia coepti,
en adaquare gregem, simul et relevare calorem   25
nostra venit Fronesis; sedeat pro iudice nobis.'

Pseustis ad haec: 'video, quod eam sors obtulit ultro.
huc ades, o Fronesi! nam sufficit hora diei,
ut tua iam nostro postponas seria ludo.'
tunc mater Fronesis: 'adaquato me grege quamvis 30
accelerare domum iussisset uterque parentum
nec dubitem poenas, si quicquam tardo, paratas,
laeta feram talis praesumens gaudia litis.
perge prior, Pseusti, quia masculus; illa sequaci
aequabit studio. sit tetras in ordine vestro, 35
Pitagorae numerus. sol augeat, obsecro, tempus.'

SEDULIUS SCOTTUS

d. after 874

94   *His Manner of Life*

AUT lego vel scribo, doceo scrutorve sophian:
   obsecro celsithronum nocte dieque meum.
vescor, poto libens, rithmizans invoco musas,
   dormisco stertens: oro Deum vigilans.
conscia mens scelerum deflet peccamina vitae: 5
   parcite vos misero, Christe, Maria, viro.

GERALDUS

9th cent

95   *Walther's Battle with Gunther and Hagen*

AT vir Waltharius missa cum cuspide currens
   evaginato regem importunior ense
impetit et scuto dextra de parte revulso
ictum praevalidum ac mirandum fecit eique
crus cum poblite adusque femur decerpserat omne. 5

ille super parmam ante pedes mox concidit huius.
palluit exanguis domino recidente satelles.
Alpharides spatam tollens iterato cruentam
ardebat lapso postremum infligere vulnus.
immemor at proprii Hagano vir forte doloris   10
aeratum caput inclinans obiecit ad ictum.
extensam cohibere manum non quiverat heros,
sed cassis fabrefacta diu meliusque peracta
excipit assultum mox et scintillat in altum.
cuius duritia stupefactus dissilit ensis,   15
proh dolor! et crepitans partim micat aere et herbis.

Belliger ut frameae murcatae fragmina vidit,
indigne tulit ac nimia furit efferus ira
impatiensque sui capulum sine pondere ferri,
quamlibet eximo praestaret et arte metallo,   20
protinus abiecit monimentaque tristia sprevit;
qui dum forte manum iam enormiter exeruisset,
abstulit hanc Hagano sat laetus vulnere prompto.
in medio iactus recidebat dextera fortis
gentibus ac populis multis suspecta tyrannis,   25
innumerabilibus quae fulserat ante trophaeis.
sed vir praecipuus nec laevis cedere gnarus,
sana mente potens carnis superare dolores,
non desperavit neque vultus concidit eius,
verum vulnigeram clipeo insertaverat ulnam   30
incolumique manu mox eripuit semispatam,
qua dextrum cinxisse latus memoravimus illum,
ilico vindictam capiens ex hoste severam.
nam feriens dextrum Haganoni effodit ocellum
ac timpus resecans pariterque labella revellens   35
olli bis ternos discussit ab ore molares.

Tali negotio dirimuntur proelia facto
quemque suum vulnus atque aeger anhelitus arma
ponere persuasit. quisnam hinc immunis abiret,
qua duo magnanimi heroes tam viribus aequi   40
quam fervore animi steterant in fulmine belli?

Postquam finis adest, insignia quemque notabant:
illic Guntharii regis pes, palma iacebat
Waltharii nec non tremulus Haganonis ocellus.
sic sic armillas partiti sunt Avarenses!   45

ANONYMOUS

c. 900

96   *The Day of Judgement*

FORTIS atque amara

Erit tunc dies illa,

In qua perient cuncta,

Quae videntur, corporea,
tellus et omnia   5
natantia.

Iudex mitis parebit,
ut districte puniat,

Iudicabitque saecla,
qui creavit omnia.   10

Columna caeli
ad nutum illius
tremescet alta.

O dies illa,
in qua manifesta   15
sic erunt cuncta!

Et quid faciet virgula,
quid tabella,
si ita pavescet
poli columnella?   20

Et quid sentient humana,
quid terrena,
si ita tremescet
polorum caterva?

O rex, sempiterna   25
qui largiris nobis
omnia moderna,

Ne nos sinas ire
in inferni taetra
zabulorum loca,   30

Sed duc ad angelorum regna.

ANONYMOUS

c. 900

97   *Sequence for the First Sunday in
Advent*

SALUS aeterna,
indeficiens mundi vita,

Lux sempiterna,
et redemptio vere nostra,

Condolens humana 5
perire saecla
per temptantis numina,

Non linquens excelsa
adisti ima
propria clementia. 10

Mox tua spontanea
gratia,
assumens humana,

Quae fuerant perdita
omnia 15
salvasti terrea,

Ferens mundo gaudia.
Tu animas et corpora
nostra, Christe, expia,

Ut possideas lucida 20
nosmet habitacula.

Adventu primo iustifica,

In secundo nosque libera.

Ut, cum facta
luce magna 25

iudicabis omnia,

Compti stola
incorrupta
nosmet tua

Subsequamur mox vestigia 30
quocumque visa.

c. 900

98   The Song of the Return of the Alleluia

ALLELUIA, dic nobis
quibus e terris nova

Cuncto mundo nuntians
gaudia

Nostram rursus visitas   5
patriam?

Respondens
placido vultu, dulci voce
dixit Alleluia:

'Angelus   10
mihi de Christo indicavit
pia miracula;

Resurrexisse
Dominum siderum
cecinit voce laudanda.   15

Mox ergo pennas
volucris vacuas
dirigens laeta per auras

Redii,
famulis ut dicam   20
vacuatam
legem veterem
et novam
regnare gratiam.

Itaque   25
plaudite, famuli,
voce clara:
Christus hodie
redemit
nos a morte dira.   30

Pater filium
tradidit servis,
ut interimerent
pro salute nostra.

Sponte subiit   35
filius mortem,
ut nos redimeret
morte ab aeterna.

Nunc requiem
rapere licet omnibus   40
et frui vita
perpetua.

Nunc colite
pariter mecum, famuli,
celebri laude   45
sanctum Pascha.

Christus est pax nostra.'

ANONYMOUS

c. 900

99   *Quem quaeritis in sepulchro?*

QUEM quaeritis in sepulchro,
o christicolae?

ANONYMOUS

Iesum Nazarenum crucifixum,
o caelicolae.

Non est hic;   5
surrexit, sicut praedixerat.
ite, nuntiate,
quia surrexit.

Alleluia, resurrexit Dominus,
hodie resurrexit leo fortis,   10
filius Dei.
Deo gratias: dicite, eia,
resurrexi et adhuc tecum, etc.

ANONYMOUS

c. 900

100   *'Anacreontic' Song*

ANACREUNTI carmine
   telam libet contexere,
pedem pedi lentiscere
et tramitem transducere.

Sunt saecla praeclarissima,   5
sunt prata vernantissima,
formosa gaudent omnia,
sunt grata nostri moenia.

Laetentur ergo somata
et rideant praecordia,   10
amor petens finitima
sint cuncta vitulantia.

Phoebus rotat per tempora
torquens polorum lumina;
somnum susurrant flumina,   15
aves canunt et dulcia.

Turtur prior dans oscina,
rauce sonat post ardea;
sistema miscens merula,
olos implet croëmata.   20

Myrto sedens lusciola,
'vos cara', dicens, 'pignora,
audite matris famina,
dum lustrat aether sidera.

Cantans mei similia,   25
canora prolis germina,
cantu Deo dignissima
tractim refrange guttura.

Tu namque plebs laetissima,
tantum Dei tu psaltria   30
divina cantans cantica
per blanda cordis viscera.

Materna iam nunc formula
ut rostra vincas plumea,
futura vocis organa   35
contempera citissima.'

Hoc dixit et mox iubila
secuntur subtilissima;
melum fit voce tinnula
soporans mentis intima.   40

Densantur hinc spectacula,
accurrit omnis bestia,
leaena, lynx et dammula,
caudata stans vulpecula.

Pisces relinquunt aequora   45
et vada sunt retrograda;
pulsando Codrus ilia
praegnas adest invidia.

Auro sedet rex aquila,
circum cohors per agmina,   50
gemmata pavo tergora,
cornix subest et garrula.

Corvina quin centuria,
ardet phalans et milvea;
de marte tractant omina,   55
vincatur ut lusciola.

Palumbes at iuvencula
praesumit e victoria;
gallus prior cum merula
disrumpta plangunt ilia;   60

Cicadis inflans iecora
campo crepat misellula;
palmam tenet lusciola
versus trahens per sibila.

Turbata gens tum rostrea,   65
exsanguis hinc et aquila;
frigescit, in praecordia
virtusque cedit ossea.

139

Praeco fugae fit ulula
urgens gradi per abdita,   70
pudore mens ne conscia
poenas luat per saecula.

Tunc versa castra plumea
sparsim legunt aumatia
auraeque fissa flamina,   75
petuntur tecta silvea.

ANONYMOUS

c. 900

101   *O Roma nobilis*

O ROMA nobilis, orbis et domina
cunctarum urbium excellentissima,
roseo martyrum sanguine rubea,
albis et virginum liliis candida;
salutem dicimus tibi per omnia,   5
te benedicimus—salve per saecula!

Petre, tu praepotens caelorum claviger,
vota precantium exaudi iugiter.
cum bis sex tribuum sederis arbiter,
factus placabilis iudica leniter,   10
teque precantibus nunc temporaliter
ferto suffragia misericorditer.

O Paule, suscipe nostra precamina,
cuius philosophos vicit industria;
factus oeconomus in domo regia,   15
divini muneris appone fercula;
ut quae repleverit te sapientia
ipsa nos repleat tua per dogmata.

c. 900

Watching Song

O TU, qui servas armis ista moenia,
noli dormire, moneo, sed vigila.
dum Hector vigil extitit in Troia,
non eam cepit fraudulenta Graecia.
prima quiete dormiente Troia   5
laxavit Synon fallax claustra perfida.

. . . Nos adoremus celsa Christi numina:
illi canora demus nostra iubila.
illius magna fisi sub custodia
haec vigilantes iubilemus carmina.   10
divina, mundi rex Christe, custodia,
sub tua serva haec castra vigilia.

. . . Sancta Maria, mater Christi splendida,
haec cum Iohanne teothocos impetra,
quorum hic sancta venerantur pignora   15
et quibus ista sunt sacrata limina;
quo duce victrix est in bello dextera
et sine ipso nihil valent iacula.

Fortis iuventus, virtus audax bellica,
vestra per muros audiantur carmina,   20
et sit in armis alterna vigilia,
ne fraus hostilis haec invadat moenia.
resultet echo 'comes, eia vigila'
per muros 'eia' dicat echo 'vigila'.

c. 900

103   *O admirabile Veneris idolum*

O ADMIRABILE Veneris idolum,
  cuius materiae nihil est frivolum;
archos te protegat, qui stellas et polum
fecit, et maria condidit et solum.
furis, ingenio non sentias dolum: 5
Clotho te diligat, quae baiulat colum.

Saluto puerum non per hypothesim,
sed firmo pectore deprecor Lachesim,
sororem Atropos, ne curet haeresim.
Neptunum comitem habeas et Thetim   10
cum vectus fueris per fluvium Athesim.
quo fugis, amabo, cum te dilexerim?
miser quid faciam, cum te non viderim?

Dura materies ex matris ossibus
creavit homines iactis lapidibus: 15
ex quibus unus est iste puerulus,
qui lacrimabiles non curat gemitus.
cum tristis fuero, gaudebit aemulus:
ut cerva rugio, cum fugit hinnulus.

ANONYMOUS

c. 915

104 Prologue to a Panegyrical Poem on the Emperor Berengar. Dialogue between the Author and his Book

'NON hederam sperare vales laurumve, libelle,
    quae largita suis tempora prisca viris.
contulit haec magno labyrinthea fabula Homero
    Aeneisque tibi, docte poeta Maro.
atria tunc divum resonabant carmine vatum: 5
    respuet en musam quaeque proseucha tuam;
Pierio flagrabat eis sed munere sanguis:
    prosequitur gressum nulla Thalia tuum.
hinc metuo rapidas ex te nigrescere flammas,
    auribus ut nitidis vilia verba dabis.'   10
'quid vanis totiens agitas haec tempora dictis,
    carmina quae profers si igne voranda times?
desine; nunc etenim nullus tua carmina curat:
    haec faciunt urbi, haec quoque rure viri.
quid tibi praeterea duros tolerasse labores   15
    profuit ac longos accelerasse vias?
endromidos te cura magis victusque fatigat:
    hinc fugito nugas, quas memorare paras.'
'irrita saepe mihi cumulas quae murmura, codex,
    non poterunt votis addere claustra meis.   20
seria cuncta cadant, opto, et labor omnis abesto,
    dum capiti summo xenia parva dabo.
nonne vides, tacitis abeant ut saecla triumphis,
    quos agitat toto orbe colendus homo?
tu licet exustus vacuas solvaris in auras,   25

143

pars melior summi scribet amore viri.
supplice sed voto Christum rogitemus ovantes,
    quo faveat coeptis patris ab arce meis.
haud moveor plausu populi vel munere circi:
    sat mihi pauca viri ponere facta pii.'   30
Christe, poli convexa pio qui numine torques,
    da, queat ut famulus farier apta tuus!

ANONYMOUS

c. 10th cent.

105   *Sequence for the Resurrection*

ARVI polique conditori
    alacres ferant

Melodias
cetus, simul astra
necne aequora;   5

Reboare
non cessent globorum
luminaria.

Angelorum fistula
et vox societur nostra.   10

Redemptori carmina
iubilate, cacumina

Montium omnium; silvarum,
frondium expandite densarum
floscula pulcherrima;   15

Campi, eremi, germinate
germina odorifera magnarum
rosarum et lilia.

Ortus, Occasus, Oriona
laudes reboent: 20
in excelsis Deo Hosanna.

Quam primum cecinit caterva
angelorum, pax
in tellure descendit vera.

Hodie caeli   25
melliflui facti nam exstant;

Maria undas
purpuratis conchulis aequant.

Titan rutilat,
sed et radiis   30
suis placidum
affert iubarem et
cunctus orbis modo exsultat.

Clara processit
virga ex Iesse   35
proferens velut
ex aromatibus
virtutum unguenta optima.

Foeno iacere non abhorruit
patris proles unica;   40

Ab arce summa patris venit legens
humillima loca,

Velatus carne nostra,

Vili strictus fascia.

Tempus impletum   45
corporis lustra sex iam peracta

Levatus cruce
alta patri litatur hostia.

Expavit terra,
tremuerunt aequora,   50
monumentaque patent aperta,
sanctorum resurgunt corpora.

Immolatus nostra
salute, depositus
de cruce datur sepulcro, sed   55
et die resurgens tertia

Ovem reduxit
ad caulas, quae dudum diu
oberraverat.

Vox angelica   60
Christo reboat ovans de
ove perdita,

Pietate paterna
iam recuperata,

Ipsaque die sancta   65
visitans iam castra

Apostolicaque
ipsi dat praeconia
iucunda per saecla.

ANONYMOUS

106 *The Oriole, a Visitor to the Monastery*

CAPUT gemmato,   caeteris praeclarus;
mane consurgit,   admonet suos pares;
suave canet   ad monacharum aures.

Est nominatus   auriolus clarus;
in ulnis virdis,   pectus purpuratum   5
longum producit   sibilum per auras.

Plateo collo   et iacintina crura,
dorso crogato   et cauda galluca;
in quercu canet,   dum fratres manducant.

Giro se turnat,   in ramo iucundat;   10
respectu clarus,   lucet tamquam aurum;
ut laetus mimus,   tales facit risos.

Nido suspensus   ad suos pullones;
ut eum cernant   sui amatores,
cunctas praecellit   parvulorum voces.   15

Pedes turinos,   oculos praeclaros;
velox in pinnis,   voce modulatus;
sanctorum grege   dulciter amatus.

In vespertino   exultat garritu,
suave canet   monachis auditu,   20
solis occasu   redit ad secretum.

147

10th cent.

107   *The Alleluiatic Sequence*

CANTEMUS cuncti melodum
nunc *Alleluia.*

In laudibus aeterni regis
haec plebs resultet
Alleluia.   5

Hoc denique caelestes chori
cantant in altum
Alleluia.

Hoc beatorum
per prata paradisiaca   10
psallat concentus
Alleluia.

Quin et astrorum
micantia luminaria
iubilant altum   15
Alleluia.

Nubium cursus,
ventorum volatus,
fulgurum coruscatio
et tonitruum sonitus   20
dulce consonent simul
Alleluia.

Fluctus et undae,
imber et procellae,
tempestas et serenitas,   25
cauma, gelu, nix, pruinae,
saltus, nemora pangant
Alleluia.

Hinc, variae volucres,
creatorem   30
laudibus concinite cum
Alleluia;

Ast illinc respondeant
voces altae
diversarum bestiarum   35
Alleluia.

Istinc montium
celsi vertices sonent
Alleluia;

Illinc vallium   40
profunditates saltent
Alleluia.

Tu quoque, maris
iubilans abysse, dic
Alleluia.   45

Necnon terrarum
molis immensitates:
Alleluia.

Nunc omne genus
humanum laudans exsultet   50
Alleluia.

Et creatori
grates frequentans consonet
Alleluia.

Hoc denique nomen audire   55
iugiter delectatur
Alleluia.

Hoc etiam carmen caeleste
comprobat ipse Christus
Alleluia.   60

Nunc vos, o socii,
cantate laetantes
Alleluia;

Et vos pueruli,
respondete semper   65
Alleluia.

Nunc omnes canite simul
Alleluia Domino,
Alleluia Christo
pneumatique *Alleluia.*   70

Laus trinitati aeternae:
Alleluia, Alleluia,
Alleluia, Alleluia,
Alleluia, Alleluia.

d. 912

108   *Sequence for the Dedication of a*
Church

PSALLAT ecclesia,
   mater illibata
et virgo sine ruga,
honorem huius ecclesiae.

Haec domus aulae   5
caelestis
probatur particeps

In laude regis
caelorum
et ceremoniis   10

Et lumine continuo
aemulans
civitatem sine tenebris

Et corpora in gremio
confovens   15
animarum, quae in caeio vivunt.

Quam dextra protegat Dei

Ad laudem ipsius diu!

Hic novam prolem
gratia parturit
fecunda spiritu sancto;   20

Angeli cives
visitant hic suos,
et corpus sumitur Iesu;

Fugiunt universa   25
corpori nocua;

Pereunt peccatricis
animae crimina;

Hic vox laetitiae
personat;   30

Hic pax et gaudia
redundant;

Hac domo trinitati
laus et gloria
semper resultant.   35

109   *Rachel Mourning for a Martyr*

QUID tu, virgo

Mater, ploras
Rachel formosa,

Cuius vultus
Iacob delectat?   5

Ceu sororis
aniculae

Lippitudo
eum iuvet!

Terge, mater, fluentes   10
oculos.

Quam te decent genarum
rimulae?

'Heu, heu, heu, quid me
incusatis fletus   15
incassum fudisse,

Cum sim orbata nato,
paupertatem meam
qui solus curaret;

                                          20
Qui non hostibus
cederet
angustos terminos,
quos mihi
Iacob acquisivit;

                                          25
Quique stolidis
fratribus,
quos multos, proh dolor,
extuli,
esset profuturus?'

                                          30
Numquid flendus est iste,
qui regnum possedit caeleste
Quique prece frequenti
miseris fratribus
apud Deum auxiliatur?

ANONYMOUS

c. 940

110 *Ecbasis Captivi; the Blackbird and the Nightingale sing of Christ's Passion*

CONCENTU parili memoratur passio Christi.
  passer uterque Deum caesum flet verbere Iesum,
exanimis factus, claudens spiramina flatus;
commutat vocem, dum turbant tristia laudem,
organa divertit, dum Christi vulnera plangit,   5
solvitur in luctum, recolens Dominum crucifixum,
squalet se cinere, dum fertur motio terrae,
offuscat visum, memorans solem tenebratum.
hi gemini trepidas pressere ad pectora palmas;
unicus ut matrem, sic deflent hi patientem.   10
his avibus motis stupuit militia regis;
turbatur pardus, tam gratum perdere munus.

ODO OF CLUNY

d. 943

111   *God Manifest in his Works*

REX invisibilis mundum, qui cernitur, egit,
  indicet ut per opus se opifex mirabile mirus.
maxima res mundus rerum, quas cernimus, extat.
conficit hunc aer, tellus, mare, sidus et aether.
aethera curva putes, planum cum sit teres arvum.   5
aer et ignis eunt susum, aequor et arva deorsum.
nympha gravis volucri libratur in aera ductu,
ne corpus dubites super aethera posse manere,
perfidiosa cohors comicorum quod negat esse.

dissona matheriem rerum qui elementa feracem   10
(frigida nam calidis compugnant, humida siccis
ponderis expertes et contra pondus habentes)
concordes dat habere vices, Deus inde probatur.
ergo fit invisus per visibilem manifestus,
principium sine principio, finis sine fine.   15

LETALDUS

c. 950–1000

112 *Within emerges from the Whale's Belly*

SQUALIDUS hinc Within superas procedit ad auras.
turtur ut exuvias mediis nudata pruinis
primo vere redit,—vel, cum reditura iuventus
implumes aquilas post multum sustinet aevum:
illis deciduo spoliantur tegmine membra,   5
perspicuamque aciem dudum tegit invida nubes,
arma ruunt pedibus, frustantur guttura rostro,
defessumque animum refovet spes nulla rapinae:
sic Anglo, reducem dum cernit ab aequore lucem,
calvities exesa apicem deterserat omnem,   10
et cutis emissos excocta reliquerat ungues,
palpebraque accrescens densas invexerat umbras,
et nova lux oculos, tanta sub nocte gravatos,
dum redit, offendit, nec cernere litus amoenum
sufficiunt, ipsosque ruunt qui ex urbe propinquos   15
vox vel sola manus, non visus munera produnt.

113   *Sequence for Christmas*

LAETABUNDUS
exsultet fidelis chorus,
   alleluia;

Regem regum
intactae profudit torus: 5
   res miranda.

Angelus consilii
natus est de virgine,
   sol de stella,

Sol occasum nesciens,   10
stella semper rutilans,
   semper clara.

Sicut sidus radium,
profert virgo filium
   pari forma;   15

Neque sidus radio
neque mater filio
   fit corrupta.

Cedrus alta Libani
conformatur hyssopo   20
   valle nostra;

Verbum, mens altissimi,
corporari passum est
   carne sumpta.

Isaïas cecinit;   25
synagoga meminit,
nunquam tamen desinit
    esse caeca;

Si non suis vatibus,
credat vel gentilibus   30
Sibyllinis versibus
    haec praedicta.

Infelix, propera,
crede vel vetera;
    cur damnaberis,   35
        gens misera?

Quem docet litera,
natum considera;
    ipsum genuit
        puerpera.   40

ANONYMOUS

? *c.* 11th cent.

114 *Alma Redemptoris Mater*

ALMA redemptoris mater, quae pervia caeli
  porta manes et stella maris, succurre cadenti
surgere qui curat populo, tu quae genuisti
natura mirante tuum sanctum genitorem,
virgo prius ac posterius, Gabrielis ab ore   5
sumens illud Ave, peccatorum miserere.

115   *Quis est hic ?*

QUIS est hic qui pulsat ad ostium,
  noctis rumpens somnium?
me vocat: 'o virginum·pulcherrima,
soror, coniux, gemma splendidissima!
cito surgens aperi, dulcissima.   5

  Ego sum summi regis filius,
primus et novissimus,
qui de caelis in has veni tenebras,
liberare captivorum animas,
passus mortem et multas iniurias.'   10

  Mox ego dereliqui lectulum,
cucurri ad pessulum:
ut dilecto tota domus pateat,
et mens mea plenissime videat
quem videre maxime desiderat.   15

  At ille iam inde transierat,
ostium reliquerat.
quid ergo, miserrima, quid facerem?
lacrimando sum secuta iuvenem,
manus cuius plasmaverunt hominem.   20

  Vigiles urbis invenerunt me,
exspoliaverunt me,
abstulerunt et dederunt pallium,
cantaverunt mihi novum canticum
quo in regis inducar palatium.   25

Sequence for St. Nicholas

CONGAUDENTES exsultemus
vocali concordia

Ad beati Nicolai
festiva sollemnia,

Qui in cunis adhuc iacens   5
servando ieiunia

Ad papillas coepit summa
promereri gaudia.

Adulescens amplexatur
literarum studia   10

Alienus et immunis
ab omni lascivia.

Felix confessor,
cuius fuit dignitatis
vox de caelo nuntia,   15

Per quam provectus
praesulatus sublimatur
ad summa fastigia.

Erat in eius animo
pietas eximia,   20
et oppressis impendebat
multa beneficia.

Auro per eum virginum
    tollitur infamia
atque patris earundem   25
    levatur inopia.

Quidam nautae navigantes
et contra fluctuum
    saevitiam luctantes
navi paene dissoluta,   30

Iam de vita desperantes,
in tanto positi
    periculo clamantes
voce dicunt omnes una:

'O beate Nicolae,   35
nos ad portum maris trahe
    de mortis angustia;

Trahe nos ad portum maris,
tu qui tot auxiliaris
    pietatis gratia.'   40

Dum clamarent nec incassum,
ecce, quidam dicens: 'assum
    ad vestra praesidia.'

Statim aura datur grata
et tempestas fit sedata,   45
    quieverunt maria.

Ex ipsius tumba manat
    unctionis copia,

Quae infirmos omnes sanat
    per eius suffragia.   50

Nos, qui sumus in hoc mundo
vitiorum in profundo
    iam passi naufragia,

Gloriose Nicolae,
ad salutis portum trahe,   55
    ubi pax et gloria;

Illam nobis unctionem
impetres ad Dominum
    prece pia,

Qui sanavit laesionem   60
multorum peccaminum
    in Maria.

Huius festum celebrantes
    gaudeant per saecula,

Et coronet eos Christus   65
    post vitae curricula.

ANONYMOUS

late 11th cent.

117   *Verbum bonum et suave*

VERBUM bonum et suave
    personemus, illud *Ave*,
per quod Christi fit conclave
    virgo, mater, filia;

Per quod *Ave* salutata   5
mox concepit fecundata
virgo, David stirpe nata,
    inter spinas lilia.

Ave, veri Salomonis
mater, vellus Gedeonis
cuius magi tribus donis
     laudant puerperium.

Ave, solem genuisti,
ave, prolem protulisti,
mundo lapso contulisti
     vitam et imperium.

Ave, mater verbi summi,
maris portus, signum dumi,
aromatum virga fumi,
     angelorum domina;

Supplicamus, nos emenda,
emendatos nos commenda
tuo nato ad habenda
     sempiterna gaudia.

ANONYMOUS

11th cent.

118   *Sequence on the Virgin Mary*

HODIERNAE lux diei
     celebris in matris Dei
agitur memoria.

Decantemus in hac die
semper virginis Mariae
     laudes et praeconia.

Omnis homo, omni hora
ipsam ora et implora
     eius patrocinia;

Psalle, psalle nisu toto 10
cordis oris, voce, voto:
  'ave, plena gratia.'

Ave, domina caelorum
inexperta viri torum,
  parens paris nescia; 15

Fecundata sine viro
genuisti more miro
  genitorem filia.

Florens hortus austro flante,
porta clausa post et ante, 20
  via viris invia;

Fusa caeli rore tellus,
fusum Gedeonis vellus
  deitatis pluvia.

Salve, decus firmamenti, 25
tu caliginosae menti
  desuper irradia;

Placa mare, maris stella,
ne involvat nos procella
  et tempestas obvia. 30

FROM THE 'CAMBRIDGE SONGS'

11th cent. MS.

119   (1) *Lantfrid and Cobbo*

OMNIS sonus cantilene trifariam fit.
  nam aut fidium concentu sonus constat
pulsu plectri manusve,

163

ut sunt discrepantie vocum variis
chordarum generibus; 5

Aut tibiarum canorus redditur flatus,
fistularum ut sunt discrimina, queque
folle ventris orisque
tumidi flatu perstrepentia pulchre
mentem mulcisonant; 10

Aut multimodis gutture canoro idem sonus redditur
plurimarum faucium, hominum volucrum animantium-
que,
sicque in pulsu guttureque agitur.

His modis canamus carorum sotiorumque actus,
quorum in honorem pretitulatur prohemium hocce
pulchre 15
Lantifridi Cobbonisque pernobili stemmate.

Quamvis amicitiarum
genera plura legantur,
non sunt adeo preclara
ut istorum sodalium, 20
qui communes extiterunt
in tantum, ut neuter horum
suapte quid possideret
nec gazarum nec servorum
nec alicuius suppellectilis; 25
alter horum quicquid vellet,
ab altero ratum foret;
more ambo coequales,
in nullo umquam dissides,
quasi duo unus esset, 30
in omnibus similes.

Porro prior orsus Cobbo
dixit fratri sotio:
'diu mihi hic regale
incumbit servitium,   35
quod fratres affinesque
visendo non adeam,
immemor meorum.
ideo ultra mare revertar,
unde huc adveni;   40
illorum affectui
veniendo ad illos
ibi satisfaciam.'

'Tedet me,' Lantfridus inquit,
'vite proprie tam dire,   45
ut absque te solus hic degam.
nam arripiens coniugem
tecum pergam exul, tecum,
ut tu diu factus mecum
vicem rependens amori.'   50
sicque pergentes litora maris
applicarunt pariter.
tum infit Cobbo sodali:
'hortor, frater, maneas:
redeam visendo te   55
en vita comite;
unum memoriale
frater fratri facias:

Uxorem, quam tibi solam
vendicasti propriam,   60
mihi dedas, ut licenter
fruar eius amplexu.'

nihil hesitando manum
manui eius tribuens hilare:
'fruere ut libet, frater, ea,   65
ne dicatur, quod semotim
nisus sim quid possidere.'
classe tunc apparata
ducit secum in equor.

Stans Lantfridus super litus   70
cantibus chordarum ait:
'Cobbo frater, fidem tene,
hactenus ut feceras,
nam indecens est affectum
sequendo voti honorem perdere: 75
dedecus frater fratri ne fiat.'
sicque diu canendo
post illum intuitus,
longius eum non cernens
fregit rupe timpanum.   80

At Cobbo collisum
fratrem non ferens
mox vertendo mulcet:
'en habes, perdulcis amor,
quod dedisti, intactum   85
ante amoris experimentum.
iam non est, quod experiatur ultra;
ceptum iter relinquam.'

120   (2) *Modus Liebinc. The Snow Child*

Aᴅᴠᴇʀᴛɪᴛᴇ,
omnes populi,
ridiculum
et audite, quomodo
Suevum mulier   5
et ipse illam
defraudaret.

Constantie
civis Suevulus
trans equora   10
gazam portans navibus
domi coniugem
lascivam nimis
relinquebat.

Vix remige   15
triste secat mare,
ecce subito
orta tempestate
furit pelagus,
certant flamina,   20
tolluntur fluctus,
post multaque exulem
vagum littore
longinquo nothus
exponebat.   25

Nec interim
domi vacat coniux;
mimi aderant,

167

iuvenes secuntur,
quos et immemor   30
viri exulis
excepit gaudens
atque nocte proxima
pregnans filium
iniustum fudit   35
iusto die.

Duobus
volutis annis
exul dictus
revertitur;   40
occurrit
infida coniux
secum trahens
puerulum.
datis osculis   45
maritus illi
'de quo', inquit, 'puerum
istum habeas,
dic, aut extrema
patieris.'   50

At illa
maritum timens
dolos versat
in omnia.
'mi,' tandem,   55
'mi coniux,' inquit,
'una vice
in Alpibus
nive sitiens

extinxi sitim.   60
inde ergo gravida
istum puerum
damnoso foetu
heu gignebam.'

Anni post hec quinque   65
transierant aut plus,
et mercator vagus
instauravit remos:
ratim quassam reficit,
vela alligat   70
et nivis natum
duxit secum.

Transfretato mari
producebat natum
et pro arrabone   75
mercatori tradens
centum libras accipit
atque vendito
infante dives
revertitur.   80

Ingressusque domum
ad uxorem ait:
'consolare, coniux,
consolare, cara:
natum tuum perdidi,   85
quem non ipsa tu
me magis quidem
dilexisti.

Tempestate orta
nos ventosus furor   90
in vadosas sirtes
nimis fessos egit,
et nos omnes graviter
torret sol, at il-
le nivis natus   95
liquescebat.'

Sic perfidam
Suevus coniugem
deluserat;
sic fraus fraudem vicerat: 100
nam quem genuit
nix, recte hunc sol
liquefecit.

121 (3) *The Man who had been to Hell
and Heaven*

HERIGER, urbis   Maguntiacensis
antistes, quendam   vidit prophetam,
qui ad infernum   se dixit raptum.

Inde cum multas   referret causas,
subiunxit totum   esse infernum   5
accintum densis   undique silvis.

Heriger illi   ridens respondit:
'meum subulcum   illic ad pastum
nolo cum macris   mittere porcis.'

170

Vir ait falsus: 'fui translatus   10
in templum celi   Christumque vidi
letum sedentem   et comedentem.

Iohannes baptista   erat pincerna
atque preclari   pocula vini
porrexit cunctis   vocatis sanctis.'   15

Heriger ait: 'prudenter egit
Christus, Iohannem   ponens pincernam,
quoniam vinum   non bibit unquam.'

   .   .   .   .   .

'Mendax probaris,   cum Petrum dicis
illic magistrum   esse cocorum,
est quia summi   ianitor celi.

Honore quali   te Deus celi   25
habuit ibi?   ubi sedisti?
volo, ut narres,   quid manducasses.'

Respondit homo: 'angulo uno
partem pulmonis   furabar cocis.
hoc manducavi   atque recessi.'   30

Heriger illum   iussit ad palum
loris ligari   scopisque cedi,
sermone duro   hunc arguendo:

'Si te ad suum   invitet pastum
Christus, ut secum   capias cibum,   35
cave ne furtum   facias spurcum.'

122 ### (4) *Invitatio amicae*

'IAM, dulcis amica, venito
quam sicut cor meum diligo:
intra in cubiculum meum
ornamentis cunctis onustum.

Ibi sunt sedilia strata   5
atque velis domus ornata,
floresque in domo sparguntur
herbeque fragrantes miscentur.

Est ibi mensa apposita
universis cibis onusta;   10
ibi clarum vinum abundat
et quicquid te, cara, delectat.

Ibi sonant dulces symphonie,
inflantur et altius tibie;
ibi puer et docta puella   15
pangunt tibi carmina bella.

Hic cum plectro citharam tangit,
illa melos cum lyra pangit;
portantque ministri pateras
pigmentatis poculis plenas.'   20

'Non me iuvat tantum convivium
quantum post dulce colloquium,
nec rerum tantarum ubertas
ut dilecta familiaritas.'

'Iam nunc veni, soror electa   25
et pre cunctis mihi dilecta,
lux mee clara pupille
parsque maior anime mee.'

'Ego fui sola in silva
et dilexi loca secreta;   30
frequenter effugi tumultum
et vitavi populum multum.'

'Iam nix glaciesque liquescit,
folium et herba virescit;
philomela iam cantat in alto: 35
ardet amor cordis in antro.

Karissima, noli tardare;
studeamus nos nunc amare:
sine te non potero vivere;
iam decet amorem perficere.   40

Quid iuvat diferre, electa,
que sunt tamen post facienda?
fac cito quod eris factura,
in me non est aliqua mora.'

123   (5) *Verna feminae suspiria*

LEVIS exsurgit zephirus,
et sol procedit tepidus,
iam terra sinus aperit,
dulcore suo diffluit.

Ver purpuratum exiit,   5
ornatus suos induit,
aspergit terram floribus,
ligna silvarum frondibus.

173

Struunt lustra quadrupedes
et dulces nidos volucres,   10
inter ligna florentia
sua decantant gaudia.

Quod oculis dum video
et auribus dum audio,
heü pro tantis gaudiis   15
tantis inflor suspiriis.

Cum mihi sola sedeo
et hec revolvens palleo,
si forte capud sublevo,
nec audio nec video.   20

Tu saltim, veris gratia,
exaudi et considera
frondes, flores et gramina,
nam mea languet anima.

124   (6) *Carmen Aestivum*

VESTIUNT silve tenera ramorum
    virgulta, suis onerata pomis,
canunt de celsis sedibus palumbes
    carmina cunctis.

Hic turtur gemit, resonat hic turdus,   5
pangit hic priscus merulorum sonus;
passer nec tacet, arripens garritu
    alta sub ulmis.

Hic leta sedit philomela frondis;
longum effundit sibilum per auras   10
sollempne, milvus tremulaque voce
       aethera pulsat.

Ad astra volans aquila, per agros
alauda canit modulos quam plures;
desursum vergit dissimili modo,   15
       dum terram tangit.

Velox impulit iugiter hirundo,
clangit coturnix, gracula resultat;
aves sic cuncte celebrant estivum
       undique carmen.   20

Nulla inter aves similis est api,
que talem gerit tipum castitatis
nisi que Christum baiulavit alvo
       inviolata.

FULBERT OF CHARTRES

d. 1028

125   *Autobiographical Verses*

TE de pauperibus natum suscepit alendum
   Christus, et immeritum sic enutrivit et auxit,
ut collata tibi miretur munera mundus;
nam puero faciles providit adesse magistros,
et iuvenem perduxit ad hoc, ut episcopus esses.   5
reges, pontifices, populi te magnificabant,
servum censentes prudentem satque fidelem
esse pii Domini, sed, proh dolor! ipse, nefande,
prudens nec fidus fueras, ut res manifestat;

nam contra memorare pudet quam nequiter ipsum 10
laeseris et sanctos eius tua prava tuentes;
quae vix ulla satis possunt tormenta piare.
praestolatur adhuc Dominus tamen ille benignus
et te vivere perpetitur, si forte resciscens
segnetiem zelo perimas meritoque reatum. 15
virtus est Domino parendi firma voluntas,
virtus est medium retinendi accepta voluntas.

126   *The Nightingale in Springtime*

AUREA personet lira   clara modulamina,
   simplex chorda sit extensa   voce quindenaria,
primum sonum mese reddat   lege ypodorica!

Philomelae demus laudes   in voce organica,
dulce melos decantantes,   sicut docet musica,   5
sine cuius arte vera   nulla valent cantica.

Cum telluris vere novo   producuntur germina
nemorosa circumcirca   frondescunt et brachia,
flagrat odor quam suavis   florida per gramina,

Hilarescit philomela   dulcis vocis conscia   10
et extendens modulando   gutturis spiramina
reddit voces ad aestivi   temporis indicia.

Instat nocti et diei   voce sub dulcisona,
soporatis dans quietem   cantus per discrimina
nec non pulchra viatori   laboris solatia.   15

Vocis eius pulchritudo,   clarior quam cithara,
vincit omnes cantitando   volucrum catervulas,
implens silvas atque cuncta   modulis arbustula.

Volitando scandit alta arborum cacumina,
gloriosa valde facta veris pro laetitia,   20
ac festiva natis gliscit sibilare carmina.

Felix tempus, cui resultat talis consonantia!
utinam per duodena mensium curricula
dulcis philomela daret suae vocis organa!

O tu parva, numquam cessa canere, avicula! 25
tuam decet symphoniam monochordi musica,
quae tuas laudes frequentat voce diatonica.

Sonos tuos vox non valet imitari lirica,
quibus nescit consentire fistula clarisona,
mira quia modularis melorum tripudia.   30

Nolo, nolo, ut quiescas temporis ad otia,
sed ut laetos des concentus tua volo ligula,
cuius laude memoreris in regum palatia.

Cedit auceps ad frondosa resonans umbracula,
cedit cignus et suavis ipsius melodia,   35
cedit tibi timpanistra et sonora tibia.

Quamvis enim videaris corpore praemodica,
tamen te cuncti auscultant, nemo dat iuvamina,
nisi solus rex coelestis, qui gubernat omnia.

Iam praeclara tibi satis dedimus obsequia, 40
quae in voce sunt iocunda et in verbis rithmica,
ad scholares et ad ludos digne congruentia.

Tempus adest, ut solvatur nostra vox harmonica,
ne fatigent plectrum linguae cantionum taedia,
et pigrescat auris prompta fidium ad crusmata. 45

Trinus Deus in personis,   unus in essentia,
nos conservet et gubernet   sua sub clementia
et regnare nos concedat   cum ipso in gloria. Amen.

127   *Verses in a Horatian Measure*

SANCTUM simpliciter patrem cole,
    pauperum caterva,
quantumque nosti, laudibus honora,

Ad normam redigit qui subdita
    saecla pravitati,   5
potens novandi sicut et creandi.

Et grave damnate, longi tibi
    subvenit laboris
opem ferendo pacis et quietis.

Iam proceres legum rationibus   10
    ante desueti,
quae recta discunt strenue capessunt.

Praedo manum cohibet furcae memor,
    et latrone coram
inermis alte praecinit viator,   15

Dente Saturnali restringitur
    evagata vitis
cultuque tellus senta mansuescit.

Gaudet lancea falx, gaudet spata
    devenire vomer,   20
pax ditat imos, pauperat superbos.

Salve, summe pater, fer et omnibus
  integram salutem,
quicumque pacis diligunt quietem.

at qui bella volunt, hos contere   25
  dextera potenti,
tradens gehennae filios maligni.

128   *Ye Choirs of New Jerusalem*

CHORUS novae Ierusalem
  novam meli dulcedinem
promat colens cum sobriis
paschale festum gaudiis.

Quo Christus, invictus leo,   5
dracone surgens obruto,
dum voce viva personat,
a morte functos excitat.

Quam devorarat improbus
praedam refundit tartarus,   10
captivitate libera
Iesum sequuntur agmina.

Triumphat ille splendide
et dignus amplitudine,
soli polique patriam   15
unam fecit rempublicam.

Ipsum canendo supplices
regem precemur milites,
ut in suo clarissimo
nos ordinet palatio.   20

179

Per saecla metae nescia
patri supremo gloria
honorque sit cum filio
et spiritu paraclito.

129 *The Tale of Abbot John*

IN gestis patrum veterum
quoddam legi ridiculum,
exemplo tamen habile;
quod vobis dico rithmice.

Iohannes abbas, parvulus   5
statura non virtutibus,
ita maiori socio,
quicum erat in heremo:

'Volo,' dicebat, 'vivere,
secure sicut angelus,   10
nec veste nec cibo frui
qui laboretur manibus.'

Respondit maior: 'moneo,
ne sis incepti properus,
frater, quod tibi postmodum   15
sit non cepisse sacius.'

At minor: 'qui non dimicat,
non cadit neque superat.'
ait et nudus heremum
interiorem penetrat.   20

180

Septem dies gramineo
vix ibi durat pabulo,
octava fames imperat
ut ad sodalem redeat;

Qui sero clausa ianua,   25
tutus sedet in cellula
cum minor voce debili
'frater,' appellat, 'aperi,

Iohannes, opis indigus,
notis assistit foribus: 30
ne spernat tua pietas,
quem redegit necessitas.'

Respondit ille deintus:
'Iohannes, factus angelus,
miratur celi cardines;   35
ultra non curat homines.'

Iohannes foris excubat,
malamque noctem tolerat,
et preter voluntariam
hanc agit penitentiam.   40

Facto mane recipitur
satisque verbis uritur;
sed intentus ad crustula
fert patienter omnia.

Refocillatus Domino   45
grates agit et socio;
dehinc rastellum brachiis
tentat movère languidis.

181

Castigatus angustia
de levitate nimia,   50
cum angelus non potuit,
vir bonus esse didicit.

AMARCIUS

fl. *c.* 1046

130   *The nouveau riche*

NAM cum paupertas rebus plerumque secundis
    pollet postque sagum lugubre prefulget in albis,
cernere tedet humum priscamque reducere sortem
inflaturque genas, ut onustae tubere turpi
assurgunt scapulae, vel ut uncis unguibus olim   5
haurit tabifluum pellis lacerata liquorem
aspiratque novo sanies exotica folli,
aut ut caenosae brumali tempore lamae
declivesque viae nimbo turgent tenebroso.
et sublatus inops quivis haec corde volutat: 10
'hem, quis ego sum! quisve mihi par? hercule nullus!
namque fruor simila plus Caucasea nive cana,
nec porro cogor gingivas urere, quippe
cui passer visco capiturque timallus ab hamo.
stragula palla mihi est et iuncto purpura cocco: 15
quid dubitem tortos cidari cohibere capillos,
aut cur me nitidus non cingat balteus auro?
nam et totum corpus gemmis velare coruscis
et margaritis possum, mihi si placet illud:
si libet, ut magnos gestat me reda Quirites.   20
hactenus indulsi nec vindice dente remordi,
si quis "rauce culix" dixit mihi, "fetide cimex."

iam qui dicet idem mihi, bubo scrofave fiet.
si soleas quondam et phaleras in paupere tecto
conpegi aut molles fiscellas vimine lento,   25
nunc mea me virtus et cista referta lucello
extulit; absistat, cui populus alba mapale
dat fruticesque breves, quae pisa procurat, et omnis
non bene vestitus, scabiosus, iners, strabo, varus.'
haec novus aut paria his elato pectore iactat.   30

ANONYMOUS

c. 1050

131   Ruodlieb plays Chess with the King

REX poscens tabulam iubet opponi sibi sellam
et me contra se iubet in fulchro residere,
ut secum ludam, quod ego nimium renuebam
dicens 'terribile, miserum conludere rege';
et dum me vidi sibi non audere reniti,   5
ludere laudavi cupiens ab eo superari,
'vinci de rege' dicens 'quid obest miserum me?
sed timeo, domine, quod mox irasceris in me,
si fortuna iuvet, mihi quod victoria constet.'
rex subridendo dixit velut atque iocando: 10
'non opus est, care, super hac re quid vereare;
si nunquam vincam, commocior haut ego fiam;
sed quam districte noscas ludas volo cum me,
nam quos ignotos facies volo discere tractus.'
statim rex et ego studiose traximus ambo,   15
et, sibi gratia sit, mihi ter victoria cessit,
multis principibus nimis id mirantibus eius.

183

fl. 1050

132   *Epitaph for his Mother*

HOC silicum tumulo iacet Ilisa corpore functa;
    invida mors rapuit, quod sibi vita fuit.
litera si abfuerit, quam simmam Grecia dicit,
    Ilia nomen erit, ut genus edocuit.
funeris obsequium post multos huic facit annos   5
    filius ecce suus Froumundus monachus.
Dulichium genuit patres et Troia priores:
    cui locus hoc corpus hic tegit exiguus.
nominis hanc formam fecit gens esse secundam.
    sic posuit terris, quas superat reliquis.   10
litera, quam cernis, petit, ut precibus memoreris
    corporis atque animae, quo maneat requie.
mente revolve simul, quod tu peregrinus et exul
    hic iaceas terris expulsus propriis.
quapropter pariter, rogo, poscas cum prece, frater,   15
    ut sibi perpetuam nunc tribuat patriam
et nos cum venia simili perducat ad astra
    qui mortem superat et bona cuncta parat.
tercia namque dies Octobris ad usque Kalendas
    abstulit e saeclis reddidit et superis.   2

WIPO

d. 1050

133   *Easter Sequence*

VICTIMAE paschali laudes
    immolent Christiani.

Agnus redemit oves:
Christus innocens patri
reconciliavit   5
peccatores.

Mors et vita duello
conflixere mirando,
dux vitae mortuus
regnat vivus.   10

Dic nobis Maria
'quid vidisti in via?'
'sepulchrum Christi viventis
et gloriam vidi resurgentis:

Angelicos testes   15
sudarium et vestes.
surrexit Christus spes mea,
praecedet suos in Galilaea.'

Credendum est magis soli
Mariae veraci   20
quam Iudaeorum turbae fallaci.

Scimus Christum surrexisse
a mortuis vere;
tu nobis, victor rex, miserere!

PETER DAMIANI

d. 1072

134   *De die mortis*

GRAVI me terrore pulsas, vitae dies ultima,
   maeret cor, solvuntur renes, laesa tremunt viscera,
tui speciem dum sibi mens depingit anxia.

Quis enim pavendum illud explicet spectaculum,
cum dimenso vitae cursu carnis aegrae nexibus 5
anima luctatur solvi propinquans ad exitum?

Perit sensus, lingua riget, resolvuntur oculi,
pectus palpitat, anhelat raucum guttur hominis,
stupent membra, pallent ora, decor abit corporis.

Ecce, diversorum partes confluunt spirituum, 10
hinc angelicae virtutes, illinc turba daemonum,
illi propius accedunt, quos invitat meritum.

Praesto sunt et cogitatus, verba, cursus, opera,
et prae oculis nolentis glomerantur omnia,
illuc tendat, huc se vertat, coram videt posita. 15

Torquet ipsa reum suum mordax conscientia,
plorat acta corrigendi defluxisse tempora;
plena luctu caret fructu sera paenitentia.

Falsa tunc dulcedo carnis in amarum vertitur,
quando brevem voluptatem perpes poena sequitur, 20
iam quod magnum credebatur nil fuisse cernitur.

Utque mens in summae lucis gloriam sustollitur,
aspernatur lutum carnis, quo mersa provolvitur,
et ut carcerali nexu laetabunda solvitur.

Sed egressa durum iter experitur anima, 25
quam incursant furiosa dirae pestis agmina
et diversa suis locis instruunt certamina.

Nam hic incentores gulae, illic avaritiae,
alibi fautores irae, alibi superbiae,
vitii cuiusque globus suas parat acies. 30

Iam si cedat una turma, mox insurgit altera,
omnis ars temptatur belli, omnis pugnae machina,
ne ad hostium pudorem sic evadat anima.

O quam torva bellatorum monstra sunt feralium!
taetri, truces, truculenti, flammas efflant naribus,   35
dracontea tument colla, virus stillant faucibus.

Serpentinis armant spiris manus doctas praeliis,
his oppugnant adventantes telis velut ferreis,
his quos attrahunt aeternis mancipant incendiis.

Quaeso, Christe, rex invicte, tu succurre misero   40
sub extremae sortis hora, cum iussus abiero,
nullum in me ius tyranno praebeatur impio.

Cedat princeps tenebrarum, cedat pars tartarea;
pastor, ovem iam redemptam tunc reduc ad patriam,
ubi te videndi causa perfruar in saecula.   45

135   *The Glories of Paradise*

AD perennis vitae fontem mens sitit nunc arida,
  claustra carnis praesto frangi clausa quaerit anima,
gliscit, ambit, eluctatur exsul frui patria.

Dum pressuris ac aerumnis se gemit obnoxiam,
quam amisit, dum deliquit, contemplatur gloriam,   5
praesens malum auget boni perditi memoriam.

Nam quis promat, summae pacis quanta sit laetitia,
ubi vivis margaritis surgunt aedificia,
auro celsa micant tecta, radiant triclinia?

Solis gemmis pretiosis haec structura nectitur,   10
auro mundo tamquam vitro urbis via sternitur,
abest limus, deest fimus, lues nulla cernitur.

Hiems horrens, aestus torrens illic numquam saeviunt,
flos perpetuus rosarum ver agit perpetuum,
candent lilia, rubescit crocus, sudat balsamum.   15

Virent prata, vernant sata, rivi mellis influunt,
pigmentorum spirat odor liquor et aromatum,
pendent poma floridorum non lapsura nemorum.

Non alternat luna vices, sol vel cursus siderum,
agnus est felicis urbis lumen inocciduum,   20
nox et tempus desunt, aevum diem fert continuum.

Nam et sancti quique velut sol praeclarus rutilant,
post triumphum coronati mutuo coniubilant
et prostrati pugnas hostis iam securi numerant.

Omni labe defaecati carnis bella nesciunt,   25
caro facta spiritalis et mens unum sentiunt,
pace multa perfruentes scandalum non perferunt.

His mortalibus exuti repetunt originem
et praesentem veritatis contemplantur speciem,
hinc vitalem vivi fontis hauriunt dulcedinem.   30

Inde statum semper idem exsistendi capiunt:
clari, vividi, iucundi, nullis patent casibus;
absunt morbi semper sanis, senectus iuvenibus.

Hinc perenne tenent esse, nam transire transiit,
inde virent, vigent, florent, corruptela corruit,   35
immortalitatis vigor mortis ius absorbuit.

Qui scientem cuncta sciunt, quid nescire nequeunt;
nam et pectoris arcana penetrant alterutrum,
unum volunt, unum nolunt, unitas est mentium.

Licet cuique sit diversum pro labore praemium,   40
caritas hoc suum facit quod amat in altero,
proprium sic singulorum fit commune omnium.

Ubi corpus, illic iure congregantur aquilae,
quo cum angelis et sanctae recreantur animae,
uno pane vivunt cives utriusque patriae.   45

Avidi et semper pleni, quod habent desiderant,
non satietas fastidit, neque fames cruciat,
inhiantes semper edunt et edentes inhiant.

Novas semper harmonias vox meloda concrepat,
et in iubilum prolata mulcent aures organa,   50
digna, per quem sunt victores, regi dant praeconia.

Felix caeli quae praesentem regem cernit anima
et sub se spectat alterni orbis volvi machinam,
solem, lunam et globosa bini cursus sidera.

Christe, palma bellatorum, hoc in municipium   55
introduc me post solutum militare cingulum,
fac consortem donativi beatorum civium.

Praebe vires inexhausto laboranti proelio
nec quietem post procinctum deneges emerito,
teque merear potiri sine fine praemio.   60

136 Two Epigrams on Archdeacon Hildebrand

(a) Papam rite colo

PAPAM rite colo, sed te prostratus adoro:
　　tu facis hunc dominum; te facit iste deum.

(b) Vivere vis

VIVERE vis Romae, clara depromite voce:
　　plus domino papae quam domno pareo papae.

ANONYMOUS

c. 1080

137　　　Lament for Troy

PERGAMA flere volo, fato Danais data solo;
　　solo capta dolo, capta redacta solo.
ex Helicone sona, quae prima tenes Helicona,
　　et metra me dona promere posse bona!
est Paris absque pare. quaerit, videt, audet amare, 5
　　audet tentare furta, pericla, mare;
vadit et accedit, clam tollit clamque recedit.
　　nauta solo cedit, fit fuga, praedo redit.
tuta libido maris dat thura libidinis aris,
　　civibus ignaris quod parat arma Paris. 10
post cursus Helenae currunt Larisssa, Mycenae,
　　mille rates plenae fortibus, absque sene.
exsuperare ratus viduatorem viduatus,
　　foedere nudatus foederat ense latus.
Graeco ductori prohibet dolor esse timori 15
　　pro consorte thori vivere sive mori.

c. 1080

'SISTE, puella, gradum per amoenum postulo Padum
   et per aquas alias tam cito ne salias.
siste, puella, precor per terram, quaeso, per aequor;
   si loqueris soli, nil patiere doli.
vestitus, cultus, pulcher super omnia vultus   5
   te generis clari comprobat ore pari.
ex stellis frontis pares germana Phetontis,
   Iuno tibi cedit, de Iove quando redit.
dic, dic prudentes qui te genuere parentes
   et generis ritum dic patriaeque situm.'   10
non stupefacta parum reputans nimis istud amarum
   sic timet ipsa loqui sicut ab igne coqui.
sprevit, vitavit, caput inclinando negavit,
   vix vocem rupit quam retinere cupit.
'si de prole voles, decorat me regia proles;   15
   nobilis est mater, nobilis ipse pater.
si proavos quaeris, dis vim fecisse videris,
   sanguine de quorum me sapit omne forum.
ne super hoc erra, genuit me Troïca terra,
   terra dicata deo nota parente meo.   20
sed fugiens quendam cupientem figere mendam
   hunc circa fluvium floris amo studium. . ..'
'Lucifer ut stellis, sic es praelata puellis;
   in praelativis est tua forma nivis.
constat et est clarum: superas genus omne rosarum;   25
   sit iudex aequus, tu geris omne decus.
dum flavos humeris crines sparsisse videris
   et pro velle iacis, me sine mente facis.

cerni quando sinis frontem religamine crinis,
    haec etiam crebras luce fugat tenebras.   30
sunt oculi digni gemini ceu lumina signi;
    nulla supercilio pars datur in vicio.
dona referre genae nostrae nequit usus avenae;
    lingua nequit vatum scribat ut omne datum.
ad solis morem facies tua nacta colorem;   35
    hanc quotiens videam, cogit ut astupeam.
cum species oris rosei datur esse coloris,
    ni datur os ori, tunc datur esse mori,
cum gula candescat super hancque monile rubescat,
    haec ego dum video, dulciter invideo.'   40

ALPHANUS OF SALERNO

d. 1085

139   *Ode to Archdeacon Hildebrand*

QUANTA gloria publicam
    rem tuentibus indita
saepe iam fuerit, tuam,
Hildebrande, scientiam
nec latere putavimus   5

Nec putamus. idem sacra
    et Latina refert via,
illud et Capitolii
culmen eximium, thronus
pollens imperii, docet.   10

Sed quid istius ardui
    te laboris et invidae

fraudis aut piget aut pudet?
id bonis etenim viris
peste plus subita nocet.   15

Virus invidiae latens
rebus in miseris suam
ponit invaletudinem,
hisque, non aliis, necem
et pericula conferet.   20

Sic ut invidearis, et
non ut invideas, decet
te peritia, quem probi
et boni facit unice
compotem meriti sui.   25

Omne iudicio tuo
ius favet, sine quo mihi
nemo propositi mei
vel favoris inediam
premiumve potest dare.   30

Cordis eximius vigor,
vita nobilis, optimas
res secuta, probant quidem
iuris ingenium, modo
cuius artibus uteris.   35

Est quibus caput urbium
Roma, iustior et prope
totus orbis, eos timet
saeva barbaries adhuc,
clara stemmate regio.   40

His et archiapostoli
    fervido gladio Petri
    frange robur et impetus
    illius, vetus ut iugum
    usque sentiat ultimum.   45

Quanta vis anathematis!
    quicquid et Marius prius
    quodque Iulius egerant
    maxima nece militum,
    voce tu modica facis.   50

Roma quid Scipionibus
    ceterisque Quiritibus
    debuit mage quam tibi,
    cuius est studiis suae
    nacta iura potentiae?   55

Qui probe, quoniam satis
    multa contulerant bona
    patriae, perhibentur et
    pace perpetua frui
    lucis et regionibus.   60

Te quidem, potioribus
    praeditum meritis, manet
    gloriosa perenniter
    vita, civibus ut tuis
    compareris apostolis.   65

140   *An Ode to his Young Friend*
              Transmundus

TRANSMUNDUM metrica laude, sorores,
    dignum, dulce melos fingere doctae,
ut vos voce quidem vultis acuta,
vel Phoebi cithara dicite dulci.

Hic Aristotelis philosophiae   5
versutas hereses atque Platonis
fastus eloquii, mense per annum
uno paene studens, arte refutat.

Qua non Attica dat vincere norma,
sed Tetina palus, noxia semper   10
crudis cardiacis, utericisque,
et splenis vitio vindice passis,

Deridet studium saepe decenne,
et quando libet, hoc monte relicto,
laetus tendit eo tempore veris   15
causa tam citius multa sciendi.

Fertur corde tenus sic homilias
quadraginta legens scire, sed illic;
nam post tot reditus, muneris huius
expers prorsus adest, utpote pridem.   20

Versus tam bene scit Virgilianos
discens a puero, quam bene novit
quos irata libros igne Sibylla
combussit, quod eos renuit emptor.

Tales grammaticos mittit Aternus.   25
hic oblivio sic iuncta perosi
moris philosophos praebet inertes.
felices, quibus haec cognita non est!

Si, Transmunde, mihi credis amice,
his uti studiis desine tandem,   30
fac cures monachi scire professum,
ut vere sapiens esse puteris.

AIMAR BISHOP OF LE PUY

c. 1087

141   *Salve, regina*

SALVE, regina misericordiae,
vita, dulcedo et spes nostra, salve!
ad te clamamus exsules filii Evae,
ad te suspiramus gementes et flentes
in hac lacrimarum valle.   5
eia ergo, advocata nostra,
illos tuos misericordes oculos ad nos converte
et Iesum, benedictum fructum ventris tui,
nobis post hoc exsilium ostende,
o clemens, o pia,   10
o dulcis Maria.

RAOUL OF LA TOURTE

fl. *c.* 1090

142   *A Poet's Lament*

VERSIBUS heroicis si carmen scribere gliscis,
seu mavis elegis, munera nemo dabit;

nulla feret iambus tibi praemia, nulla trocheus,
    hircus nec tragicis iam datur ipse metris;
aspis ut obcludit, quam Marsus praecinit, aures,   5
    aures claudit et is qui dare quid poterit.
sin minus urbani scurrae consueta sequaris,
    qui non delectat sed tenet atque gravat,
si quae protuleris minus esse decentia sentis,
    audiat ut vulgus voce petes tremula,   10
nec tamen adtendet recitantem, ni feriato
    pectore nulla iecur extera cura premat.
eximium vatem si nasci forte Maronem
    hoc aevo dederat prospera stella Venus,
eius iocundo si convenisset in astro   15
    tota favens genesis, cum Iove Mercurius,
ipse suis adsit comitatus si Maro Musis,
    pallida ieiunis faucibus ora gerat,
nec solum macra qua scribat egebit aluta,
    caerula vix mandet cui rude carmen erit.   20
scribere munificis impulsos esse patronis
    contendunt vates, de quibus unus is est
Mantua de laetis quem Romam miserat agris,
    regia quem recipit curia rure satum,
factus et iste viris carissimus est generosis   25
    et Maecenati, Pollio necne tibi;
Caesar agros et opes et clari culmen honoris,
    par foret illustri cuilibet ut, tribuit.
quid Flaccus libertino genitore creatus:
    num rus irriguum Bandusio meruit?   30

12th cent.

143   *On the Death of his Little Dog*

'FLETE, canes, si flere vacat, si flere valetis;
  flete, canes: catulus mortuus est Pitulus.'
'mortuus est Pitulus, Pitulus quis?' 'plus cane dignus.'
  'quis Pitulus?' 'domini cura dolorque sui.'
non canis Albanus, nec erat canis ille Molossus   5
  sed canis exiguus, sed brevis et catulus.
quinquennis fuerat; si bis foret ille decennis,
  usque putes catulum, cum videas, modicum.
muri Pannonico vix aequus corpore toto
  qui non tam muri quam similis lepori.   10
albicolor nigris faciem gemmabat ocellis.'
  'unde genus?' 'mater Fresia, Freso pater.'
'quae vires?' 'parvae, satis illo corpore dignae,
  ingentes animi robore dissimili.'
'quid fuit officium? numquid fuit utile vel non?'   15
  'ut parvum magnus diligeret dominus.
hoc fuit officium, domino praeludere tantum.'
  'quae fuit utilitas?' 'non nisi risus erat.'

.   .   .

qualis eras, dilecte canis, ridende dolende,
  risus eras vivens, mortuus ecce dolor.   20
quisquis te vidit, quisquis te novit, amavit
  et dolet exitio nunc, miserande, tuo.

PETER OF SAINTES

Early 12th cent.

The Fall of Troy

Vɪʀɪʙᴜs, arte, minis Danaum data Troia ruinis
    annis bis quinis fit rogus atque cinis:
urbs bona—nunc dumi—vi flammae, turbine fumi,
    non ita consumi digna, resedit humi;
nutu Iunonis et iniqui fraude Sinonis   5
    clamque datis donis exspoliata bonis. . . .
Priamidis lacerae regumque domus cecidere;
    turres innumerae nunc ubi? sub cinere.
Palladis armigerae quo templa domusque fuere,
    extendunt hederae brachia, lustra ferae.   10
raptu Tyndaridis furor est accensus Atridis,
    bellaque Dardanidis movit amor Paridis:
pellicis obscenae commovit forma Lacaenae
    in scelus effrene pectora Troiugenae:
sic facies Helenae fuit exitus urbis amoenae—   15
    crines, colla, genae cunctaque compta bene.
quam facit audaces amor in sua damna procaces!
    curas mordaces inhiat atque faces. . . .
o res fatalis, fuit omnibus exitialis
    talibus heu talis femina causa malis: 20
digna perire mari potius flammisque cremari
    quam tot privari luce ferisque dari. . . .
quin res Idaeae pereant nequit ars Cytheraeae,
    nec domus Aeneae tuta favore deae,
nec regale decus vi posset frangere Graecus,   25
    sed dolus, atque secus moenia ductus equus:
dumque Sinon orat veniam, dum verba colorat,
    solvitur, explorat claustra foresque forat;

quosque foris norat recipit, scelerique laborat:
    dum res explorat, moenia flamma vorat.   30
postibus ablatis, custodibus et iugulatis,
    succubuit fatis urbs miseranda satis:
urbs miseranda nimis, urbs dives rebus opimis,
    inclyta, sublimis, una fit ex minimis. . . .
alter Homerus ero, vel eodem maior Homero,   35
    tot clades numero scribere si potero.
ut res declarat, quae fundamenta locarat
    Phoebus et aptarat, moenia vomer arat;
et fit opus clarum, quae rex fabricarat, aquarum,
    lustra leaenarum, silvaque tuta parum,   40
atria milvorum, locus et spelunca luporum;
    pascua sunt pecorum templa, theatra, forum. . . .
dum sic Troia cadit tantae discrimine cladis,
    Aenea tradis teque ratemque vadis:
te Venus huic moli subduxit, provida proli;   45
    huic domui soli nil nocuere doli.
Hesperiae metas tibi longa spoponderat aetas;
    te servat pietas, ut nova regna petas.
vi tempestatis sociis tibi rarificatis
    eripuit fatis per freta longa satis: 50
egrediensque fretis, qua sedes parta quietis,
    cursibus expletis a sapiente petis.
hospita Cumanis, impulsibus acta profanis,
    debita Troianis fata, Sibylla, canis—
quanta parent Rutuli, quae gloria surgat Iuli,   55
    qui regum tituli regnaque, qui populi.
ergo donata spe firmus, fidus Achate,
    Hesperiae latae tendis in arva rate:
plurima bella geris, tibi dum loca debita quaeris,
    sed fretus superis obvia quaeque teris: 60

Turnus ut elatus tibi fata tuisque minatus
    occubuit stratus, dum fodis ense latus,
pro qua certatur tibi regia virgo dicatur,
    paxque reformatur dum tibi nupta datur.
hinc processerunt qui Romam constituerunt,   65
    qui, dum bella gerunt, fortia quaeque terunt,
et sibi fecerunt nomen, quod in astra tulerunt,
    ut, qui scripserunt pristina gesta, ferunt.
Romaque turrigerum caput effert, maxima rerum,
    tam dono superum quam studiis procerum.   70
sic ex Aenea crescunt Romana trophaea,
    sic gens Romulea surgit ab Hectorea.

REGINALD OF CANTERBURY

d. after 1109

145 *Malchus Prays to his Guardian Angel*

ANGELE, qui meus es custos pietate superna,
    me tibi commissum serva, tueare, guberna;
terge meam mentem vitiis et labe veterna
assiduusque comes mihi sis vitaeque lucerna.

Angele, fide comes, sapiens, venerande, benigne,   5
me movet et turbat mortis formido malignae
intentatque mihi poenas et tartara digne,
tu succurre, precor, barathri ne mergar in igne.

Angele, confiteor, quia saepe fidem violavi
spiritibusque malis numeroso crimine favi   10
et praecepta Dei non, sicut oportet, amavi,
proh dolor, et Christum prave vivendo negavi.

Angele, quando meos actus per singula tango
meque reum mortis video, per singula plango,
ora rigo lacrimis, mentem cruciatibus ango;   15
his me solve malis, et laudes votaque pango.

Angele, me iugi tua salvet cura rogatu,
ne pro multimodo peream damnerque reatu,
me de terribili tua liberet ars cruciatu,
dignus ut angelico possim fieri comitatu.   20

Angele, qui nosti, quae sunt in fine futura,
qui medicus meus es, mea spes, mea vulnera cura,
vulnera, mens quibus est, nisi cures me, peritura;
ergo mei cordis fac sint penetralia pura.

146   *De quot quot et tot tot*

QUOT sunt horae et quot morae,
    quot annorum spatia,
quot sunt laudes et quot fraudes,
    quot in caelis gaudia,
quot sunt visus et quot risus   5
    quot virorum studia;

Quot sunt montes et quot fontes
    et quot ignes aetheris,
quot sunt apes et quot dapes
    et quot aves aeris,   10
quot sunt metus et quot fletus,
    quot labores miseris;

Quot sunt lares et quot pares,
   quot per mundum flumina,
quot sunt boves et quot oves,   15
   quot in pratis gramina,
quot sunt stillae et quot villae,
   quot villarum nomina;

Quot sunt leges et quot greges
   et quot frondes arborum,   20
quot sunt valles et quot calles
   et quot umbrae nemorum,
quot sunt manes et quot canes
   et momenta temporum;

Quot sunt formae et quot normae,   25
   quot in terris homines,
quot sunt luctus et quot fluctus,
   quot in mari turbines,
quot sunt grues et quot sues
   et quot vitae ordines;   30

Quot sunt stellae et quot velle,
   quot in castris milites,
quot sunt rura et quot iura,
   quot in orbe divites,
quot sunt fures et quot mures,   35
   quot in agris limites;

Quot sunt patres et quot matres
   et quot matrum pueri,
quot sunt rogi et quot logi,
   quot metrorum numeri,   40
quot sunt poenae, quot catenae
   quot in orco miseri;

Quot sunt mores, quot colores
    et quot rerum species,
quot sunt vites et quot lites,   45
    quot bellorum acies,
quot sunt mortes et quot sortes,
    quot malorum rabies:

Tot honores, tot favores
    et tot laudum titulos   50
Malcho demus et cantemus
    dulces illi modulos,
qui ut bonus sic patronus
    nos agnoscat famulos.

Voce rauca scripsi pauca;   55
    Malche, grata sumito,
meque Deo gratum meo
    tua prece facito.
hic consisto, versu isto
    Malchi carmen limito.   60

    Alpha Deus initium,
    ω sit finis et praemium.

ANONYMOUS

c. 1110

147   *Sequence for the Exaltation of the*
Holy Cross

    LAUDES crucis attollamus
    nos qui crucis exsultamus
        speciali gloria.

Dulce melos tangat caelos,
dulce lignum dulci dignum   5
  credimus melodia.

Voci vita non discordet;
cum vox vitam non remordet,
  dulcis est symphonia.

Servi crucis crucem laudent,   10
qui per crucem sibi gaudent
  vitae dari munera.
dicant omnes et dicant singuli:
ave salus totius saeculi,
  arbor salutifera!   15

O quam felix, quam praeclara
fuit haec salutis ara,
  rubens agni sanguine,
agni sine macula,
qui mundavit saecula   20
  ab antiquo crimine!

Haec est scala peccatorum,
per quam Christus, rex caelorum,
  ad se traxit omnia;

Forma cuius hoc ostendit   25
quae terrarum comprehendit
  quattuor confinia.

Non sunt nova sacramenta,
non recenter est inventa
   crucis haec religio: 30

Ista dulces aquas fecit;
per hanc silex aquas iecit
   Moÿsis officio.

Nulla salus est in domo,
nisi cruce munit homo   35
   superliminaria:

Neque sensit gladium,
nec amisit filium,
   quisquis egit talia.

Ligna legens in Sarepta   40
spem salutis est adepta
   pauper muliercula:

Sine lignis fidei
nec lecythus olei
   valet, nec farinula.   45

In scripturis sub figuris
ista latent, sed iam patent
   crucis beneficia;

Reges credunt, hostes cedunt;
sola cruce Christo duce,   50
   unus fugat milia.

Ista suos fortiores
semper facit et victores,
morbos sanat et languores,
   reprimit daemonia;   55

Dat captivis libertatem,
vitae confert novitatem,
ad antiquam dignitatem
   crux reduxit omnia.

O crux, lignum triumphale,   60
vera mundi salus, vale!
inter ligna nullum tale
   fronde, flore, germine;

Medicina christiana,
salva sanos, aegros sana: 65
quod non valet vis humana
   fit in tuo nomine.

Assistentes crucis laudi,
consecrator crucis, audi,
atque servos tuae crucis   70
post hanc vitam verae lucis
   transfer ad palatia;

Quos tormento vis servire,
fac tormenta non sentire;
sed cum dies erit irae,   75

nobis confer et largire
sempiterna gaudia.

SIGEBERT OF GEMBLOUX

d. 1112

148   *Virginalis sancta frequentia*

HINC virginalis sancta frequentia,
 Gertrudis, Agnes, Prisca, Cecilia,
  Lucia, Petronilla, Tecla,
   Agatha, Barbara, Iuliana,

Multaeque, quarum nomina non lego   5
aut lecta nunc his addere neglego,
  dignas Deo quas fecit esse
   integritas animae fidesque.

Tali magistra vel duce praevia
abominantes terrea gaudia,   10
  in carne praeter carnis usum
   angelicam tenuere vitam.

Hae pervagantes prata recentia
pro velle quaerunt serta decentia,
  rosas legentes passionis   15
   lilia vel violas amoris.

PETRUS PICTOR

c. 1120

149   *The Praise of Flanders*

FLANDRIA, dulce solum, super omnes terra beata,
 tangis laude polum, duce magno glorificata.

Flandria, Gallorum decus et robur generale,
et timor Anglorum, sceptrum petis imperiale.
Flandria diva, paris reges magnos comitesque, 5
cum ducibus claris claras dominas, equitesque.
Flandria, Francorum regi Bertam sociasti,
nec minus Anglorum regem Mathilda beasti.
Flandria, regali de stirpe tua generatur
hac, cui sponsali nexu Caesar sociatur. 10
Flandria, reginam Danis cum laude dedisti,
hanc ipsam dominam post Apuliae statuisti.

Flandria, si propero de laude tuoque decore
summa loqui, numero stellas studio leviore,
et quamvis Cicero nostro sonet omnis in ore, 15
non tamen enumero quanto sis plena valore.
Flandria, fertilitas manet in te divitiarum,
te facit utilitas patriam dominam patriarum,
quam proba nobilitas regit et colit indigenarum.

MARBOD OF RENNES

d. 1123

150   *Prayer to the Virgin Mary*

STELLA maris, quae sola paris sine coniuge prolem,
iustitiae clarum specie super omnia solem,
gemma decens, rosa nata recens, perfecta decore,
mella cavis inclusa favis imitata sapore
omnimodos tuus almus odos praecellit odores, 5
exsuperat quos ver reserat tua gratia flores.
corporeus te, casta, Deus conceptus inundat,
exoriens, passus, moriens nos crimine mundat.

ut miseros trahat ad superos, venit altus ad ima,
eripitur, dum mors moritur, plasmatio prima.   10
eximium fuit hoc nimium tibi, sancta virago,
virgineum quod per gremium patris exit imago.
amplexus solet hic sexus sentire pudendos,
ut paribus de seminibus queat edere flendos,
tu vero praegnans utero servansque pudorem   15
producis Dominum lucis vitaeque datorem.
luciferi mater pueri, te mundus adorat,
te precibus, te carminibus devotus honorat.
post Dominum tu spes hominum, quos conscia mordet
mens sceleris, quae per Veneris contagia sordet.   20
supplicium post iudicium removeto gehennae,
Elisios concede pios habitare perenne.

151   *Prayer to God*

CUM recordor, quanta cura
   sum sectatus peritura
et quam dura sub censura
mors exercet sua iura,

In interiori meo,   5
quod est parens soli Deo,
dans rugitum sicut leo
pro peccatis meis fleo.

Cum recordor transiturum
me per mortis iter durum   10
et quid de me sit futurum
post examen illud purum,

Mentis anxius tumultu,
quae virtutum caret cultu,
tristi corde, tristi vultu,   15
preces fundo cum singultu.

Cum singultu preces fundo,
flecto genu, pectus tundo,
ore loquens tremebundo
ad te clamans de profundo: 20

Iesu Christe, fili Dei,
consubstantialis ei,
factor noctis et diei,
quaeso, miserere mei.

Per parentis primae morsum   25
lapsi sumus huc deorsum,
gravant nobis culpae dorsum,
quas commisimus seorsum.

Per secundam genetricem,
saeculi reparatricem,   30
veterem converte vicem
corpus lavans atque psychen.

Sit laus Christo, nostro patri,
sit laus suae sanctae matri,
qui nos tueantur atri   35
a suppliciis barathri.

152   *Hymn on St. Mary Magdalene*

O MNES immundi, currite,
    fons patet indulgentiae,
nullus desperet veniam,
qui servat paenitentiam.

Exemplum Dei filius   5
ostendit peccatoribus,
Mariam, vas spurcitiae,
septeno plenam daemone,

Qua quondam nulla turpior,
qua nunc vix ulla sanctior,   10
quae Christi pedes abluit,
sed mox et caput imbuit.

Abhorret Christus neminem,
Deus non spernit hominem,
agamus illi gratias   15
pias fundendo lacrimas.

Pedes, quos nudat Dominus,
tergamus nostris crinibus,
superfluis ex opibus
ministremus pauperibus.   20

Augebit nobis gratiam,
qui praestat indulgentiam,
ut nostra ex fragrantia
redoleat ecclesia.

Peccatrix haec sanctissima   25
nostra propulset crimina,
eius nobis oratio
sit virtutum largitio.

Sit laus patri ingenito
et eius unigenito   30
cum spiritu paraclito
nec nato nec ingenito.

153   *The Pleasures of Country Life*

MORIBUS esse feris prohibet me gratia veris,
  et formam mentis mihi mutuor ex elementis;
ipsi naturae congratulor, ut puto, iure.
distingunt flores diversi mille colores.
gramineum vellus superinduit sibi tellus.   5
fronde virere nemus et fructificare videmus.
aurioli, merulae, graculi, pici, philomenae
certant laude pari varios cantus modulari.
nidus nonnullis stat in arbore, non sine pullis,
et latet in dumis nova progenies sine plumis.   10
egrediente rosa viridaria sunt speciosa;
adiungas istis campum qui canet aristis,
adiungas vites, uvas quoque, postmodo nuces.
annumerare queas nuruum matrumque choreas,
et ludos iuvenum, festumque diemque serenum.   15
qui tot pulchra videt, nisi flectitur, et nisi ridet,
intractabilis est, et in eius pectore lis est.
qui speciem terrae non vult cum laude referre,
invidet auctori, cuius subservit honori
bruma rigens, aestas, autumnus, veris honestas.   20

BAUDRI OF BOURGUEIL

d. 1130

154 *To Emma, a Nun: Country Pleasures*
and the Rustic Muse

INVENIES nullos flores in carmine nostro,
  flores urbani scilicet eloquii,
rustica dicta mihi quia rusticus incola ruris,
  Magduni natus, incolo Burgulium;

Burgulius locus est procul a Cicerone remotus,   5
  cui plus caepe placet quam stilus et tabulae.
attamen iste locus foret olim vatibus aptus,
  dum musae silvas solivagae colerent.
nam prope prata virent illimibus humida rivis,
  prataque gramineo flore fovent oculos,   10
et virides herbas lucus vicinus amoenat,
  quem concors avium garrulitas decorat.
hic me solatur tantummodo Cambio noster
  cuius saepe undas intueor vitreas.
sed vates silvas iamdudum deseruere   15
  quos urbis perimit deliciosus amor,
et dolor est ingens quia vatum pectora frigent,
  et quia dignantur tecta subire ducum.
est dolor et doleo quia gloria nulla poetis,
  quod quia ditantur promeruere sibi.   20
sunt di, non homines, quos lactat philosophia,
  nec deberent di vivere sicut homo.
praesul, rex, consul, princeps, patriarcha, monarchus,
  littera desit eis, sunt pecualis homo.
furnos conducat, frutices metat, allia mandat   25
  qui sapit atque opibus incubat implicitus;
nam si negligerent sapientes pondus honoris,
  invitis etiam subiceretur honor.
eges, pontifices, nunc et de plebe minores,
  aspernantur eos et nihilum reputant.   30
quid modo Marbodus vatum spectabile sidus?
  eclipsim luna, sol patitur tenebras.
nunc est deflendus, extinctus spiritus eius,
  nam non est lux quae luceat in tenebris.
o utinam afflasset pleno mihi gutture musa,   35
  nam me nullus honor a studiis raperet!

nunc quia musa deest et rauco pectine canto,
  Emma meis saltem versibus assideas.

155 To Adela, Countess of Blois: from a Description of her Chamber and its Tapestries

OBSTUPUI, fateor, substans in limine primo,
  Elisios campos esse ratus thalamos.
nam thalamos operis aulaea recentis obibant,
  quae cum materies tum pretiaret opus;
serica materies, opus est quod vivere credas,   5
  quod nobis iteret historias veteres.
hinc vides elementa novo moderamine iuncta,
  et librata suis singula ponderibus;
antiquumque chaos videas in parte sequestra;
  aer, terra manent insimul, ignis, aqua.   10
astiterat dictans operantibus ipsa puellis,
  signaratque suo quid facerent radio.
erumpit coelum, tellus manet, ignis et aer
  iam velut evadent mobilitate sua.
corpora iuncta simul faciunt et corpora vivunt;   15
  desuper, ut decuit, est opifex operi.
pigras dilabens terras interluit amnis,
  undae concretae conficiunt maria.
vivunt impariter iumenta, volatile, repens;
  omnibus his superest, ut dominetur, homo.   20
hinc ad diluvium protendit linea patrum;
  nomina scripta legas, gesta recensa notes.
arbore sub quadam stetit antiquissimus Adam,
  fructus carpebat Eva, viroque dabat.
quidam crudelis frater, crudelior hoste,   25
  atque homicida, Chain, percutiebat Abel.

ecce locum videas, quem turba vocat Paradisum.
  hic quasi perpetuet inveteratus Enoch.
diluvium campis superest et montibus altis,
  dumque natare licet, vivida quaeque natant: 30
et cervus et lupus, et bos, et tigris, et agnus
  pace nova mites ecce natant pariter.
mirantur montes in summo vertice pisces,
  aequora mirantur quod leo piscis erat.
haec quoque deficiunt, vita sibi deficiente, 35
  quae modo vivebant putrida tabe fluunt.
his inhiare fuit horrorque et grata voluptas:
  omnia sic videas ut quasi vera putes.
arca ferebatur, quo se tulit impetus undae.
  imbres deficiunt et minuuntur aquae; 40
apparent montes, occulta renascitur arbor
  hinc procera magis quo tenuatur aqua.
ecce refert oleam rediens lutulenta columba;
  putribus incumbis, corve, cadaveribus.
limosi montes limosaque paruit arbor; 45
  lurida visa fuit quaeque superficies.
hoc opus, hoc velum thalami primordia vestit
  illa parte domus, qua domus est brevior.

ANONYMOUS

c. 1130

156   *The Metamorphosis of Golias*
      (*The poet's vision of the cosmos*)

SOLE post Arietem Taurum subintrante,
  novo terrae faciem flore picturante,
pinu sub florigera nuper pullulante,
membra sompno foveram, paullo fessus ante.

Nemus quoddam videor mihi subintrare,   5
cuï ramus coeperat omnis pullulare,
quod nequivit hyemis algor deturpare,
nec a sui decoris statu declinare.

Circa ima nemoris aura susurrabat,
cuius crebro flamine nemus consonabat;   10
et ibidem gravitas rauca personabat,
sed a pulsu mellico tota resultabat.

Circa partis mediae medium ramorum,
quasi multitudinem fingens tympanorum
personabat mellicum quiddam et decorum,   15
et extremo carmine dulcius olorum.

Epitrita, sextupla, dupla iunctione
fit concentus, consona modulatione,
et, ut a canentibus fit in Elycone,
totum nemus resonat in proportione.   20

Nam ramorum medium vento quatiente,
et pulsu continuo ramos impellente,
mixtum semitonio interveniente,
sonat diatessaron, sonat diapente.

Sed in parte nemoris eminentiore   25
resonabat sonitu vox acutiore,
ut pars summa mediae cum inferiore
responderet mutuo concordi tenore.

Hic auditur avium vox dulcicanarum,
quarum nemus sonuit voce querelarum;   30
sed illa diversitas consonantiarum
praefigurat ordinem septem planetarum.

Nemoris in medio campus patet latus,
violis et alio flore purpuratus,
quorum ad fragrantiam et ad odoratus   35
visu mihi videor esse bis renatus.

Stat ibidem regia columpnis elata,
cuius substat iaspide basis solidata;
paries iacinctinus, tecta deaurata,
intus et exterius tota picturata.   40

Coniectare coeperam ex visa pictura
quod divina fuerat illa caelatura;
haec Vulcanus fecerat speciali cura,
totum sub involucro, totum sub figura.

Hic sorores pinxerat novem Elyconis,   45
et coelestis circulos omnes regionis,
et cum his et aliis eventum Adonis,
et Gradivi vincula et suae Dionis.

Ista domus locus est universitatis,
res et rerum continens, formam cum formatis, 50
quam creator optimus qui praeest creatis
fecit et disposuit nutu bonitatis.

HILDEBERT OF LAVARDIN

d. 1133

157   *On his Exile*

NUPER eram locuples multisque beatus amicis,
et risere diu prospera fata mihi.
larga Ceres, deus Arcadiae Bacchusque replebant
horrea, septa, penum, farre, bidente, mero.

hortus, apes, famulae, pulmento, melle, tapetis   5
  ditabant large prandia, vasa, domum.
dextra laborabat gemmis, pomaria fructu;
  prata redundabant gramine, lacte greges.
agger opum, tranquilla quies, numerosus amicus
  delicias, somnos consiliumque dabant.   10
singula quid memorem laetos testantia casus?
  omnia captivae prosperitatis erant.
iurares superos intra mea vota teneri,
  et res occasum dedidicisse pati.
denique mirabar sic te, Fortuna, fidelem;   15
  mirabar stabilem, quae levis esse soles.
saepe mihi dixi: quorsum tam prospera rerum?
  quid sibi vult tantus, tam citus agger opum?
hei mihi! nulla fides, nulla est constantia rebus!
  res ipsae quid sint mobilitate docent.   20
res hominum et homines levis alea versat in auras,
  et venit a summo summa ruina gradu.
cuncta sub ancipiti pendent mortalia casu
  et spondent propria mobilitate fugam.
quidquid habes hodie cras te fortasse relinquet,   25
  aut modo, dum loqueris, desinit esse tuum.
has ludit Fortuna vices, regesque superbos
  aut servos humiles non sinit esse diu.
illa dolosa comes, sola levitate fidelis,
  non favet aeternum, nec sine fine premit.   30
illa mihi quondam risu blandita sereno
  mutavit vultus, nubila facta, suos;
et velut aeternam misero conata ruinam,
  spem quoque laetitiae detrahit ipsa mihi.
illa professa dolum, submersit, diruit, ussit   35
  culta, domos, vites, imbribus, igne, gelu.

haec eadem fregit, concussit, debilitavit
hoste, notho, morbis, horrea, poma, gregem.

158 *His two Roman Elegies*

(a) *Par tibi*

PAR tibi, Roma, nihil, cum sis prope tota ruina;
quam magni fueris integra fracta doces.
longa tuos fastus aetas destruxit, et arces
Caesaris et superum templa palude iacent.
ille labor, labor ille ruit quem dirus Araxes   5
et stantem tremuit et cecidisse dolet;
quem gladii regum, quem provida cura senatus,
quem superi rerum constituere caput;
quem magis optavit cum crimine solus habere
Caesar, quam socius et pius esse socer;   10
qui, crescens studiis tribus, hostes, crimen, amicos
vi domuit, secuit legibus, emit ope;
in quem, dum fieret, vigilavit cura priorum:
iuvit opus pietas hospitis, unda, locus.
materiem, fabros, expensas axis uterque   15
misit, se muris obtulit ipse locus.
expendere duces thesauros, fata favorem,
artifices studium, totus et orbis opes.
urbs cecidit de qua si quicquam dicere dignum
moliar, hoc potero dicere: Roma fuit!   20
non tamen annorum series, non flamma, nec ensis
ad plenum potuit hoc abolere decus.
cura hominum potuit tantam componere Romam
quantam non potuit solvere cura deum.
confer opes marmorque novum superumque favorem, 25
artificum vigilent in nova facta manus,

non tamen aut fieri par stanti machina muro,
    aut restaurari sola ruina potest.
tantum restat adhuc, tantum ruit, ut neque pars stans
    aequari possit, diruta nec refici.   30
hic superum formas superi mirantur et ipsi,
    et cupiunt fictis vultibus esse pares.
non potuit natura deos hoc ore creare
    quo miranda deum signa creavit homo.
vultus adest his numinibus, potiusque coluntur   35
    artificum studio quam deitate sua.
urbs felix, si vel dominis urbs illa careret,
    vel dominis esset turpe carere fide!

(b) *Dum simulacra*

DUM simulacra mihi, dum numina vana placerent,
    militia, populo, moenibus alta fui;
at simul effigies arasque superstitiosas
    deiiciens, uni sum famulata Deo.
cesserunt arces, cecidere palatia divum,   5
    servivit populus, degeneravit eques.
vix scio quae fuerim, vix Romae Roma recordor,
    vix sinit occasus vel meminisse mei.
gratior haec iactura mihi successibus illis;
    maior sum pauper divite, stante iacens.   10
plus aquilis vexilla crucis, plus Caesare Petrus,
    plus cinctis ducibus vulgus inerme dedit.
stans domui terras, infernum diruta pulso;
    corpora stans, animas fracta iacensque rego.
tunc miserae plebi, modo principibus tenebrarum   15
    impero; tunc urbes, nunc mea regna polus.
quae ne Caesaribus videar debere vel armis,
    et species rerum meque meosque trahat,

armorum vis illa perit, ruit alta senatus
   gloria, procumbunt templa, theatra iacent,   20
rostra vacant, edicta silent, sua praemia desunt
   emeritis, populo iura, colonus agris;
durus eques, iudex rigidus, plebs libera quondam
   quaerit, amat, patitur otia, lucra, iugum.
ista iacent ne forte meus spem ponat in illis   25
   civis et evacuet spemque bonumque crucis.
crux aedes alias, alios promittit honores,
   militibus tribuens regna superna suis.
sub cruce rex servit, sed liber; lege tenetur,
   sed diadema gerens; iussa tremit, sed amat.   30
fundit avarus opes, sed abundat; foenerat idem,
   sed bene custodit si super astra locat.
quis gladio Caesar, quis sollicitudine consul,
   quis rhetor lingua, quae mea castra manu
tanta dedere mihi? studiis et legibus horum   35
   obtinui terras; crux dedit una polum.

159   *The Heavenly City*

M E receptet Sion illa,
   Sion, David urbs tranquilla,
cuius faber auctor lucis,
cuius portae lignum crucis,
cuius claves lingua Petri,   5
cuius cives semper laeti,
cuius muri lapis vivus,
cuius custos rex festivus.
in hac urbe lux sollennis,
ver aeternum, pax perennis,   10

in hac odor implens caelos,
in hac festum semper melos.
non est ibi corruptela,
non defectus nec querela,
non minuti, non deformes,   15
omnes Christo sunt conformes.
urbs caelestis, urbs beata,
super petram collocata,
urbs in portu satis tuto,
de longinquo te saluto.   20
.te saluto, te suspiro,
te affecto, te requiro.
quantum tui gratulentur,
quam festive conviventur,
quis affectus eos stringat   25
aut quae gemma muros pingat,
quis chalcedon, quis iacinthus,
norunt illi, qui sunt intus.
in plateis huius urbis
sociatus piis turbis   30
cum Moyse et Elia
pium cantem Alleluia.

BERNARD OF CLUNY

fl. 1140

160   *The Joys of Heaven*

HORA novissima, tempora pessima sunt, vigilemus.
ecce minaciter imminet arbiter ille supremus:
imminet, imminet, ut mala terminet, aequa coronet,
recta remuneret, anxia liberet, aethera donet,

auferat aspera duraque pondera mentis onustae,   5
sobria muniat, improba puniat, utraque iuste.
ille piissimus, ille gravissimus ecce venit rex:
surgat homo reus, instat homo Deus, a patre iudex.
surgite, currite simplice tramite, quique potestis;
rex venit ocius, ipseque conscius ipseque testis. . . .   10
curre, vir optime, lubrica reprime, praefer honesta;
fletibus angere, flendo merebere caelica festa.
luce replebere iam sine vespere, iam sine luna;
lux nova, lux ea, lux erit aurea, lux erit una.
cum sapientia sive potentia patria tradet   15
regna patri sua, tunc ad eum tua semita vadet:
tunc nova gloria pectora sobria clarificabit,
solvet aenigmata veraque sabbata continuabit.
liber ab hostibus et dominantibus ibit Hebraeus;
liber habebitur, et celebrabitur hinc iubilaeus.   20
patria luminis, inscia turbinis, inscia litis
cive replebitur, amplificabitur Israelitis:
patria splendida terraque florida, libera spinis,
danda fidelibus est ibi civibus, hic peregrinis.
tunc erit omnibus inspicientibus ora tonantis,   25
summa potentia, plena scientia, pax rata sanctis:
pax erit omnibus illa fidelibus, illa beata,
inresolubilis, invariabilis, intemerata,
pax sine crimine, pax sine turbine, pax sine rixa,
meta laboribus atque tumultibus, anchora fixa.   30
pax erit omnibus unica. sed quibus? immaculatis,
pectore mitibus, ordine stantibus, ore sacratis.
pax ea pax rata, pax superis data, danda modestis,
plenaque vocibus atque canoribus atria festis. . . .
hic breve vivitur, hic breve plangitur, hic breve fletur;   35
non breve vivere, non breve plaudere, retribuetur.

o retributio! stat brevis actio, vita perennis;
o retributio! caelica mansio stat lue plenis.
quid datur et quibus? aether egentibus et cruce dignis,
sidera vermibus, optima sontibus, astra malignis. . . .   40
nunc tibi tristia, tunc tibi gaudia, gaudia quanta
vox nequit edere, lumina cernere, tangere planta.
post nigra, post mala, post fera scandala quae caro praestat,
absque nigredine lux, sine turbine pax tibi restat.
sunt modo praelia, postmodo praemia. qualia? plena;   45
plena refectio, nullaque passio nullaque poena.
spe modo vivitur, et Syon angitur a Babylone:
nunc tribulatio, tunc recreatio, sceptra, coronae. . . .
qui modo creditur, ipse videbitur atque scietur;
ipse videntibus atque scientibus attribuetur.   50
plena refectio tunc pia visio, visio Iesu;
hunc speculabitur, hoc satiabitur Israel esu.
hoc satiabitur, huic sociabitur, in Syon arce:
o bone rex, ibi nullus eget tibi dicere 'parce'.
cor miserabile, tempus inutile non erit ultra;   55
nulla cadavera, nullaque funera, nulla sepulcra:
quodque beatius est, mala longius omnia fient;
ob tua crimina iam tua lumina non madefient. . . .
urbs Syon aurea, patria lactea, cive decora,
omne cor obruis, omnibus obstruis et cor et ora.   60
nescio, nescio quae iubilatio, lux tibi qualis,
quam socialia gaudia, gloria quam specialis.
laude studens ea tollere, mens mea victa fatiscit:
o bona gloria, vincor, in omnia laus tua vicit.
sunt Syon atria coniubilantia, martyre plena,   65
cive micantia, principe stantia, luce serena.
sunt ibi pascua mitibus afflua, praestita sanctis;
regis ibi tonus, agminis et sonus est epulantis.

gens duce splendida, concio candida vestibus albis;
sunt sine fletibus in Syon aedibus, aedibus almis.   70
sunt sine crimine, sunt sine turbine, sunt sine lite
in Syon arcibus aeditioribus Israelitae.
pax ibi florida, pascua vivida, viva medulla;
nulla molestia, nulla tragoedia, lacrima nulla.
o sacra potio, sacra refectio, pax animarum;   75
o pius, o bonus, o placidus sonus, hymnus earum.
sufficiens cibus est Deus omnibus ipse redemptis,
plena refectio, propria visio cunctipotentis:
eius habent satis, his tamen est sitis eius anhela,
absque doloribus, absque laboribus, absque querela. . . . 80
gens temeraria, dum licet, impia facta fleamus;
ille minaciter advenit arbiter, expaveamus.
nemo capessere ius, mala plangere nemo relinquat;
gaudia flentibus, irreverentibus ira propinquat.
iam tuba septima, plaga novissima, lux pia, dira   85
intonat, ingruit, enitet, irruit, et venit ira.
gens male conscia, lubrica gaudia flendo tegamus;
gens male conscia, quae fugientia sunt, fugiamus.
stare refugimus, ad mala fluximus: ad bona stemus;
hora novissima, tempora pessima sunt, vigilemus.   90

161   From the *Mariale*

UT iucundas cervus undas
   aestuans desiderat,
sic ad Deum, fontem vivum
   mens fidelis properat.

Sicut rivi fontis vivi   5
   praebent refrigerium,

ita menti sitienti
    Deus est remedium.

Quantis bonis superponis
    servos tuos, Domine!   10
sese laedit, qui recedit
    ab aeterno lumine.

Vitam laetam et quietam,
    qui te quaerit, repperit;
nam laborem et dolorem   15
    metit, qui te deserit.

Pacem donas et coronas
    his, qui tibi militant,
cuncta laeta sine meta
    his, qui tecum habitant.   20

Heu, quam vana, mens humana,
    visione falleris
dum te curis nocituris
    imprudenter inseris!

Cur non caves lapsus graves,   25
    quos suadet proditor,
nec affectas vias rectas,
    quas ostendit conditor?

Resipisce atque disce,
    cuius sis originis,   30
ubi degis, cuius legis,
    cuius sis et ordinis.

Ne te spernas, sed discernas
   homo, gemma regia,
te perpende et attende,   35
   qua sis factus gratia.

Recordare, quis et quare
   sis a Deo conditus,
cuius heres nunc maneres,
   si fuisses subditus.   40

O mortalis, quantis malis
   meruisti affici,
dum rectori et auctori
   noluisti subici!

Sed maiores sunt dolores   45
   infernalis carceris,
quo mittendus et torquendus
   es, si male vixeris.

Cui mundus est iucundus,
   suam perdit animam,   50
pro re levi atque brevi
   vitam perdit optimam.

Ergo cave, ne suave
   iugum spernas Domini,
nec abiecta lege recta   55
   servias libidini.

fl. *c.* 1140

162   *Sequence for St. Stephen's Day*

HERI mundus exsultavit
et exsultans celebravit
Christi natalitia;

Heri chorus angelorum
prosecutus est caelorum   5
    regem cum laetitia.

Protomartyr et levita,
clarus fide, clarus vita,
    clarus et miraculis,

Sub hac luce triumphavit   10
et triumphans insultavit
    Stephanus incredulis.

Fremunt ergo tamquam ferae,
quia victi defecere,
    lucis adversarii;   15

Falsos testes statuunt
et linguas exacuunt
    viperarum filii.

Agonista, nulli cede,
certa certus de mercede,   20
    persevera, Stephane!

Insta falsis testibus,
confuta sermonibus
    synagogam Satanae!

229

Testis tuus est in caelis,   25
testis verax et fidelis,
   testis innocentiae;

Nomen habes coronati,
te tormenta decet pati
   pro corona gloriae.   30

Pro corona non marcenti
perfer brevis vim tormenti,
   te manet victoria;

Tibi fiet mors natalis,
tibi poena terminalis   35
   dat vitae primordia.

Plenus sancto spiritu
penetrat intuitu
   Stephanus caelestia;

Videns Dei gloriam   40
crescit ad victoriam,
   suspirat ad praemia.

En, a dextris Dei stantem
Iesum, pro te dimicantem,
   Stephane, considera;   45

Tibi caelos reserari,
tibi Christum revelari,
   clama voce libera.

Se commendat salvatori,
pro quo dulce ducit mori   50
   sub ipsis lapidibus.

Saulus servat omnium
vestes lapidantium
   lapidans in omnibus.

Ne peccatum statuatur   55
his, a quibus lapidatur,
genu ponit et precatur
   condolens insaniae;

In Christo sic obdormivit,
qui Christo sic oboedivit   60
et cum Christo semper vivit,
   martyrum primitiae.

Quod sex suscitaverit
   mortuos in Africa,
Augustinus asserit,   65
   fama refert publica.

Huius Dei gratia
   revelato corpore,
mundo datur pluvia
   siccitatis tempore.   70

Solo fugat hic odore
   morbos et daemonia,
laude dignus et honore
   iugique memoria.

Martyr, cuius est iucundum   75
   nomen in ecclesia,
languescentem fove mundum
   caelesti fragrantia.

231

163   *Sequence for the Nativity of the*
Virgin Mary

SALVE, mater salvatoris,
   vas electum, vas honoris,
     vas caelestis gratiae;
ab aeterno vas provisum,
vas insigne, vas excisum   5
     manu sapientiae!

Salve, verbi sacra parens,
flos de spina, spina carens,
     flos, spineti gloria!
nos spinetum, nos peccati   10
spina sumus cruentati,
     sed tu spinae nescia.

Porta clausa, fons hortorum,
cella custos unguentorum,
     cella pigmentaria;   15
cinnamomi calamum,
myrrham, tus et balsamum
     superas fragrantia.

Salve, decus virginum,
restauratrix hominum,   20
     salutis puerpera;
myrtus temperantiae,
rosa patientiae,
     nardus odorifera!

Tu convallis humilis,   25
terra non arabilis,
     quae fructum parturiit;

flos campi, convallium
singulare lilium,
　　Christus ex te prodiit.　　　　　　　30

Tu caelestis paradisus
Libanusque non incisus,
　　vaporans dulcedinem;
tu candoris et decoris,
tu dulcoris et odoris　　　　　　　　35
　　habes plenitudinem.

Tu thronus es Salomonis,
cuï nullus par in thronis
　　arte vel materia:
ebur candens castitatis,　　　　　　　40
aurum fulvum caritatis
　　praesignant mysteria.

Palmam praefers singularem;
nec in terris habes parem,
　　nec in caeli curia;　　　　　　　45
laus humani generis,
virtutum prae ceteris
　　habes privilegia.

　　Sol luna lucidior,
　　　et luna sideribus;　　　　　50
　　sic Maria dignior
　　　creaturis omnibus.

　　Lux eclipsim nesciens
　　　virginis est castitas,
　　ardor indeficiens,　　　　　　55
　　　immortalis caritas.

Salve, mater pietatis,
et totius trinitatis
   nobile triclinium.
verbi tamen incarnati   60
speciale maiestati
   praeparans hospitium!

O Maria, stella maris,
dignitate singularis,
super omnes ordinaris   65
   ordines caelestium:
in supremo sita poli,
nos commenda tuae proli,
ne terrores sive doli
   nos supplantent hostium.   70

In procinctu constituti,
te tuente simus tuti,
pervicacis et versuti
tuae cedat vis virtuti,
   dolus providentiae.   75
Iesu, verbum summi patris,
serva servos tuae matris,
solve reos, salva gratis,
et nos tuae claritatis
   configura gloriae.   80

164 Easter Sequence

ZYMA vetus expurgetur,
ut sincere celebretur
   nova resurrectio.

Haec est dies nostrae spei,
huius mira vis diei   5
   legis testimonio.

Haec Aegyptum spoliavit
et Hebraeos liberavit
   de fornace ferrea;

His in arto constitutis   10
opus erat servitutis
   lutum, later, palea.

Iam divinae laus virtutis,
iam triumphi, iam salutis
   vox erumpat libera.   15
haec est dies, quam fecit Dominus,
dies nostri doloris terminus,
   dies salutifera.

Lex est umbra futurorum,
Christus finis promissorum,   20
   qui consummat omnia.
Christi sanguis igneam
hebetavit romphaeam
   amota custodia.

Puer, nostri forma risus,   25
pro quo vervex est occisus,
   vitae signat gaudium.

Ioseph exit de cisterna,
Christus redit ad superna
   post mortis supplicium.   30

Hic dracones Pharaonis
draco vorat, a draconis
   immunis malitia;
quos ignitus vulnerat,
hos serpentis liberat   35
   aenei praesentia.

Anguem forat in maxilla
Christi hamus et armilla;
   in cavernam reguli
manum mittit ablactatus,   40
et sic fugit exturbatus
   vetus hostis saeculi.

Irrisores Elisaei,
dum conscendit domum Dei,
   zelum calvi sentiunt.   45
David arrepticius,
hircus emissarius
   et passer effugiunt.

In maxilla mille sternit
et de tribu sua spernit   50
   Samson matrimonium;
Samson Gazae seras pandit
et asportans portas scandit
   montis supercilium.

Sic de Iuda leo fortis,   55
fractis portis dirae mortis,
   die surgens tertia,

Rugiente voce patris,
ad supernae sinum matris
   tot revexit spolia.   60

Cetus Ionam fugitivum,
veri Ionae signativum,
post tres dies reddit vivum
    de ventris angustia.

Botrus Cypri reflorescit,   65
dilatatur et excrescit:
synagogae flos marcescit
    et floret ecclesia.

Mors et vita conflixere,
resurrexit Christus vere,   70
et cum Christo surrexere
    multi testes gloriae.

Mane novum, mane laetum
vespertinum tergat fletum;
quia vita vicit letum,   75
    tempus est laetitiae.

Iesu victor, Iesu vita,
Iesu vitae via trita,
cuius morte mors sopita,
ad paschalem nos invita   80
    mensam cum fiducia.

Vive panis, vivax unda,
vera vitis et fecunda,
tu nos pasce, tu nos munda,
ut a morte nos secunda   85
    tua salvet gratia.

c. 1140

165   *St. John the Evangelist*

VERBI vere substantivi,
    caro cum sit in declivi
  temporis angustia,
in aeternis verbum annis
permanere nos Iohannis   5
  docet theologia.

Dum magistri super pectus
fontem haurit intellectus
  et doctrinae flumina,
fiunt ipso situ loci   10
verbo fides, auris voci,
  mens Deo contermina.

Unde mentis per excessus
carnis sensus supergressus
  errorumque nubila,   15
contra veri solis lumen
visum cordis et acumen
  figit velut aquila.

Hebet sensus exsors styli,
stylo scribit tam subtili,   20
  fide tam catholica,
ne de verbo salutari
posset quicquam refragari
  pravitas haeretica.

238

Verbum quod non potest dici,   25
quod virtute creatrici
   cuncta fecit valde bona,
iste dicit ab aeterni
patris nexu non secerni,
   nisi tantum in persona.   30

Quem Matthaeus de intactae
matris alit casto lacte
   cum labore et aerumna;
quem exaltat super cruce
cornu bovis, penna Lucae,   35
   ut serpentem in columna;

Quem de mortis mausoleo
vitae reddit Marci leo,
   scissis petris, terra mota,
hunc de Deo Deum verum,   40
alpha et ω patrem rerum,
   sollers scribit idiota.

Cuius lumen visuale,
vultus anceps, leves alae,
   rotae stantes in quadriga,   45
sunt in caelo visa, prius
quam hic esset vel illius
   forma capax vel auriga.

Illi scribunt Christum pati
dolum, inde vim Pilati   50
   cum corona spinea:
hic sublimis tractu pennae
tractat Christi ius perenne
   cum ultrici framea.

Pennis huius idiotae   55
elevantur regis rotae
    secus animalia:
et caelestes citharoedi
se prosternunt patris sedi
    canentes 'alleluia'.   60

SIMON AUREA CAPRA

fl. c. 1140

166   *The Ilias*

DIVITIIS, ortu, spécie, virtute, triumphis,
    rex Priamus clara clarus in orbe fuit.
dum rex, dum proceres, dum starent Pergama, Troia
    et decus et species et caput orbis erat.
dux Hecubam duxit, sociam sibi nobilitate,   5
    auspiciis, forma, rebus, amore, throno.
ex hac suscepit natos; erat Hector in illis
    clarus et in bello fulminis instar habens.
plus ferus ille fero, plus pardo, plusque leone,
    tam feritas equitum quam feritatis eques.   10
contendens animo statura subaemula grandi,
    non tulit excrescens degenerare soror.
o faustum natis, o faustum coniuge regem,
    si pariter Paridem non peperisset ei!
non in eo pignus peperit, sed tela, sed ignem,   15
    sed sibi, sed Priamo, sed mala cuncta suis.
hoc pater, hoc genetrix, hoc fratrum coetus et Hector,
    hoc etiam regni gloria, Troia, ruit.

167   *The Wrath of Achilles*

SI cor, si vires, si bella requiris Achillis,
   ut doceam paucis, Hectore maior erat,
si stirpem quaeres, ramum Iove duxit ab ipso;
   si decus in ducibus, dux erat ille ducum.
non loquar ex rapta Cryseyde numinis iram,   5
   quam Danai reddunt, rege negante premi.
rex tamen Eacidem viduat viduatus ab illo,
   inque vicem tendunt ense, furore, minis.
quos si dimittas sibi, vel sine milite summo
   castra ducum fierent, vel sine rege duces.   10
sed manus hoc Danaum dirimit, sed detinet ictus,
   ne vice Dardanidum pro muliere ruant.
quod punire parat tanto discrimine crimen
   rex reus Atrides non iterare timet.
devovet Eacides malefidum foedus Atridae,   15
   devovet et dextras quae tenuere suam.
vindicat hoc totum sibi luctus et ardor amicae;
   desinit et pariter Martis et esse suus.
castra movere negans contra Friges abicit arma
   et magis Atrides quam Paris hostis ei.   20

HILARY THE ENGLISHMAN

fl. *c.* 1140

168   *On his master Abelard to induce*
him to relent

LINGUA servi, lingua perfidie,
   rixe motus, semen discordie,
quam sit prava sentimus hodie,

subiacendo gravi sentencie:
 tort a vers nos li mestre.   5

Lingua servi, nostrum discidium,
in nos Petri commovit odium.
quam meretur ultorem gladium,
quia nostrum extinxit studium!
 tort a vers nos li mestre.   10

Detestandus est ille rusticus,
per quem cessat a scola clericus:
gravis dolor! quod quidam puplicus
id effecit ut cesset logicus!
 tort a vers nos li mestre.   15

Est dolendum quod lingua servuli,
magni nobis causa periculi,
susurravit in aurem creduli,
per quod eius cessant discipuli.
 tort a vers nos li mestre.   20

O quam durum magistrum sencio,
si pro sui bubulci nuncio,
qui vilis est et sine precio,
sua nobis negetur lectio.
 tort a vers nos li mestre.   25

Heu quam crudelis est iste nuncius
dicens: 'fratres, exite cicius;
habitetur vobis Quinciacus:
alioquin non leget monacus.'
 tort a vers nos li mestre.   30

Quid, Hilari, quid ergo dubitas?
cur non abis et villam abitas?
sed te tenet diei brevitas,
iter longum et tua gravitas.
   tort a vers nos li mestre.   35

Ex diverso multi convenimus,
quo logices fons erat plurimus;
sed discedat summus et minimus,
nam negatur quod hic quesivimus.
   tort a vers nos li mestre.   40

Nos in unum passim et publice
traxit aura torrentis logice:
desolatos, magister, respice
spemque nostram, que languet, refice.
   tort a vers nos li mestre.   45

Per inpostum, per deceptorium,
si negare vis adiutorium,
huius loci non oratorium
nomen erit, sed ploratorium.
   tort a vers nos li mestre.   50

PETER ABELARD

d. 1142

169   *Saturday at Vespers*

O QUANTA qualia sunt illa sabbata,
  quae semper celebrat superna curia,
quae fessis requies, quae merces fortibus,
cum erit omnia Deus in omnibus!

Vere Ierusalem est illa civitas,   5
cuius pax iugis est, summa iucunditas,
ubi non praevenit rem desiderium,
nec desiderio minus est praemium.

Quis rex, quae curia, quale palatium,
quae pax, quae requies, quod illud gaudium,   10
huius participes exponant gloriae
si, quantum sentiunt, possint exprimere.

Nostrum est interim mentem erigere
et totis patriam votis appetere,
et ad Ierusalem a Babylonia   15
post longa regredi tandem exsilia.

Illic molestiis finitis omnibus
securi cantica Sion cantabimus,
et iuges gratias de donis gratiae
beata referet plebs tibi, Domine.   20

Illic ex sabbato succedet sabbatum,
perpes laetitia sabbatizantium,
nec ineffabiles cessabunt iubili
quos decantabimus et nos et angeli.

Perenni Domino perpes sit gloria   25
ex quo sunt, per quem sunt, in quo sunt omnia:
ex quo sunt, pater est; per quem sunt, filius;
in quo sunt, patris et filii spiritus.

170   *Candlemas*

ADORNA, Sion, thalamum,
quae praestolaris Dominum,
sponsum et sponsam suscipe
cum cereorum lumine.

Prudentes illi virgines,   5
vestras aptate lampades,
et occurrentes dominae
surgant adulescentulae.

Faces accendant famuli
veroque mundi lumini   10
domus omnis cum omnibus
occurrat luminaribus.

Beate senex, propera,
promissa comple gaudia
et revelandum gentibus   15
revela lumen omnibus.

Devota Deo vidua
eiusque templo dedita,
pari propheta gaudio
et confitere Domino.   20

Deo patri cum filio,
cum spiritu paraclito,
ut est una substantia,
sic et una sit gloria.

171   *In Parasceve Domini*

SOLUS ad victimam procedis, Domine,
morti te offerens, quam venis tollere;
quid nos miserrimi possumus dicere,
qui, quae commisimus, scimus te luere?

Nostra sunt, Domine, nostra sunt crimina,   5
qui tua criminum facis supplicia,
quibus sic compati fac nostra pectora,
ut vel compassio digna sit venia.

Nox ista flebilis praesensque triduum,
quo demorabitur fletus, sit vesperum,   10
donec laetitiae mane gratissimum
surgente Domino sit maestis redditum.

Tu tibi compati sic fac nos, Domine,
tuae participes ut simus gloriae,
sic praesens triduum in luctu ducere,   15
ut risum tribuas paschalis gratiae.

172 The Lament of David for Saul and Jonathan

DOLORUM solacium,
  laborum remedium,
   mea mihi cithara;
nunc, quo maior dolor est,
iustiorque maeror est,   5
   plus est necessaria.

Strages magna populi,
regis mors et filii,
   hostium victoria,
ducum desolatio,   10
vulgi desperatio
   luctu replent omnia.

Amalech invaluit,
Israel dum corruit;
infidelis iubilat   15
    Philistaea,
dum lamentis macerat
    se Iudaea.

Insultat fidelibus
infidelis populus,   20
in honorem maximum
    plebs adversa,
in derisum omnium
    fit deversa.

Insultantes inquiunt: 25
'ecce, de quo garriunt,
qualiter hos prodidit
    deus suus,
dum a multis occidit
    dis prostratus.   30

Quem primum his praebuit,
victus rex occubuit,
talis est electio
    dei sui,
talis consecratio   35
    vatis magni!'

Saül, regum fortissime,
virtus invicta Ionathae,
qui vos nequivit vincere
permissus est occidere.   40

Quasi non esset oleo
consecratus dominico,
scelestae manus gladio
iugulatur in proelio.

Plus fratre mihi, Ionatha,   45
in una mecum anima,
quae peccata, quae scelera,
nostra sciderunt viscera!

Expertes, montes Gelbiae,
roris sitis et pluviae,   50
nec agrorum primitiae
vestro succurrant incolae.

Vae, vae tibi, madida
tellus caede regia,
qua et te mi Ionatha,   55
manus stravit impia,

Ubi christus Domini
Israelque incliti
morte miserabili
sunt cum suis perditi!   60

Tu mihi, mi Ionatha,
flendus super omnia;
inter cuncta gaudia
perpes erit lacrima.

Planctus, Sion filiae,   65
super Saül sumite,
largo cuius munere
vos ornabant purpurae.

Heü, cur consilio
acquievi pessimo,   70
ut tibi praesidio
non essem in proelio?
vel confossus pariter
morerer feliciter,
cum, quid amor faciat,   75
maius hoc non habeat,
et me post te vivere
mori sit assidue,
nec ad vitam anima
satis sit dimidia.   80

Vicem amicitiae
vel unam me reddere
oportebat tempore
summae tunc angustiae,
triumphi participem   85
vel ruinae comitem,
ut te vel eriperem
vel tecum occumberem,
vitam pro te finiens
quam salvasti totiens,   90
ut et mors nos iungeret
magis quam disiungeret.

Infausta victoria
potitus interea
quam vana, quam brevia   95
hinc percepi gaudia!
quam cito durissimus
est secutus nuntius,

quem in suam animam
locutum superbiam,   100
mortuis, quos nuntiat,
illata mors aggregat,
ut doloris nuntius
doloris sit socius.

Do quietem fidibus;   105
vellem, ut et planctibus
sic possem et fletibus;
laesis pulsu manibus,
raucis planctu vocibus
deficit et spiritus.   110

173 The Lament of the Virgins of Israel for Jephthah's daughter

AD festas choreas caelibes
  ex more venite virgines!
ex more sint odae flebiles
et planctus ut cantus celebres!
incultae sint maestae facies   5
  plangentum et flentum similes!
auratae sint longe cyclades
et cultus sint procul divites!

Galaditae virgo Iephtae filia
miseranda patris facta victima   10
  annuos virginum elegos
  et pii carminis modulos
  virtuti virginis debitos
  per annos exigit singulos.

O stupendam plus quam flendam virginem!   15
o quam rarum illi virum similem!
  ne votum sit patris irritum
  promissoque fraudet Dominum,
  qui per hunc salvavit populum,
  in suum hunc urget iugulum.   20

NIVARD OF GHENT

c. 1148

174 From *Ysengrimus. The Fox steals the
Parson's Fowl on Sunday*

'SALVE festa dies!' cantabat, ut usque solebat
  in primis feriis, et 'Kyri, vulgus ale.'
'salve festa dies!' animo defecit et ori,
  et dolor ingeminat: 'vae tibi, maesta dies!
vae tibi, maesta dies, toto miserabilis aevo,   5
  qua laetus spolio raptor ad antra redit!
cum mihi festa dies vel maximus hospes adesset,
  abstinui gallo, quem tulit ille Satan;
sic praesul doleat, qui me suspendere cantu
  debuit! en galli missa ruina fuit.   10
non me missa iuvat sed vulpem, altaria iuro;
  malueram missas ter tacuisse novem!'

HUGH PRIMAS

fl. *c.* 1150

175   *His Bitter Complaint*

DIVES eram et dilectus
  inter pares praeelectus,
modo curvat me senectus
et aetate sum confectus.

unde vilis et neglectus   5
a deiectis sum deiectus,
quibus rauce sonat pectus,
mensa gravis, pauper lectus,
quis nec amor nec affectus,
sed horrendus est aspectus.   10

Homo mendax atque vanus
infidelis et profanus
me deiecit capellanus
veteranum veteranus
et iniecit in me manus   15
dignus dici Dacianus.

Prius quidem me dilexit
fraudulenter et illexit.
postquam meas res transvexit,
fraudem suam tunc detexit.   20
Primas sibi non prospexit
neque dolos intellexit,
donec domo pulsus exit.

Satis erat bonus ante
bursa mea sonum dante   25
et dicebat mihi sancte:
'frater, multum diligam te.'

Hoc deceptus blandimento,
ut emunctus sum argento,
cum dolore, cum tormento   30
sum deiectus in momento,
rori datus atque vento.

Vento datus atque rori,
vitae prima turpiori
redonandus et errori;   35
poena dignus graviori
et ut Iudas dignus mori,
qui me tradens traditori
dignitatem vestri chori
tam honesti, tam decori   40
permutabam viliori. . . .

Inconsulte nimis egi,
in hoc malum me inpegi.
ipsi mihi collum fregi,
qui vos linquens praeelegi   45
ut servirem aegro gregi,
vili malens veste tegi,
quam servire summo regi,
ubi lustra tot peregi.

Aberravi, sed pro Deo   50
indulgete mihi reo!
incessanter enim fleo,
pro peccato gemens meo.

Fleo gemens pro peccatis,
iuste tamen et non gratis;   55
et non possum flere satis,
vestrae memor honestatis
et fraternae caritatis.
o quam dura sors Primatis,
quam adversis feror fatis!   60
segregatus a beatis,
sociatus segregatis,

vestris tantum fidens datis,
pondus fero paupertatis.

176   *Primas and his Cloak*

(*a*) *A Curse for the Bishop*

PONTIFICUM spuma, faex cleri, sordida struma,
   qui dedit in bruma mihi mantellum sine pluma!

(*b*) *A Conversation Piece*

'HOC indumentum tibi quis dedit? an fuit emptum?
   estne tuum?'—'nostrum. sed qui dedit, abstulit
ostrum.'—
'quis dedit hoc munus?'—'praesul mihi praebuit unus.'—
'qui dedit hoc munus, dedit hoc in munere funus.
quid valet in bruma chlamys absque pilo, sine pluma?   5
cernis adesse nives, moriere gelu neque vives.'

(*c*) *His Dialogue with his Cloak*

'PAUPER mantelle, macer, absque pilo, sine pelle,
   si potes, expelle boream rabiemque procellae!
sis mihi pro scuto, ne frigore pungar acuto!
per te posse puto ventis obsistere tuto.'—
tunc ita mantellus: 'mihi nec pilus est neque vellus,   5
sum levis absque pilo, tenui sine tegmine filo.
te mordax aquilo per me fieret quasi pilo.
si notus iratus patulos perflabit hiatus,
stringet utrumque latus per mille foramina flatus.'—
'frigus adesse vides.'—'video, quia frigore strides,   10
sed mihi nulla fides, nisi pelliculas chlamydi des.

254

scis, quid ages, Primas? eme pelles, obstrue rimas!
tunc bene depellam iuncta mihi pelle procellam.
compatior certe, moveor pietate super te
et facerem iussum, sed Iacob, non Esau sum.'   15

177 *His Lament for Flora who has left him*

IDIBUS his Mai miser exemplo Menelai
flebam nec noram, quis sustulerat mihi Floram.
tempus erat florum, cum flos meus, optimus horum,
liquit Flora torum, fons fletus, causa dolorum.
nam dum, Flora, fugis, remanet dolor iraque iugis,   5
et dolor et curae, nisi veneris, haud abiturae.
cur non te promis, dulcis comes et bene comis,
ut redeunte pari comites pellantur amari?
terris atque fretis vagor, expers luce quietis,
per noctem somni capto captivior omni.   10
omni captivo vel paupere vel fugitivo
pauperior vivo. madet et iugi gena rivo
nec fiet sicca, manus hanc nisi tergat amica.
si remeare velis, tunc liber, tunc ero felix,
maior ero vates quam Cyrus sive Phraates,   15
vincam primates et regum prosperitates.
quod si forte lates, aliquos ingressa penates,
exi, rumpe moram, mora sit brevis hic et ad horam!
alter fortassis pretio te transtulit assis,
vilis et extremus neque noscens, unde dolemus.   20
ut solet absque mare turtur gemebunda volare,
quae semel orba pari nec amat neque curat amari,
sic vagor et revolo recubans miser in lare solo,
qui mutare dolo latus assuetum mihi nolo

turturis in morem, cui dat natura pudorem,   25
quod, simul uxorem tulerit mors saeva priorem,
non sit iucundum thalamum temptare secundum.
sed tu mendosa rides me flente dolosa,
sola nec accumbis levibus par facta columbis,
quis calor in lumbis mutare facit thalamum bis.   30

LAURENCE OF DURHAM

d. 1154

178   *Durham Castle*

CONSURGIT in ardua tellus,
et saxosa pedes et salebrosa latus;
undique declivis praeruptaque summovet hostem,
    ludit et hostiles flumine cincta manus.
flumen eam ferri praeceps obit instar equini;   5
    circinat excelsum vallis aquosa locum—
quod tamen ille locus, locus arduus, insula non est,
    hoc dirimens fluvii cornua collis agit;
cumque sit accessu satis asper, et arduus idem
    sit locus ascensu, nil agit hostis ibi.   10
non aries, nec ei ballista potest adhiberi,
    nec Balearis eo fulmina funda iacit. . . .
nam latus omne loci nullo quassabile ferro,
    nec patet unde suo possit ab hoste quati.
flumen obest, praecepsque volans in valle profunda   15
    obstat, et hostiles arcet abinde pedes.
adde quod aeriae lato sibi limite ripae
    distant, et iaculis vim via longa rapit.
quolibet acta ruant tormenta furore, tepescunt
    et tenues ictus vix dare fessa queunt.   20

at solidi suprema loci praelarga serenat
   planities: aequum terra cacumen habet;
collis vero plagam supereminet ad borealem,
   caetera planitie celsus amoenat apex.
ecce! quibus natura modis rem munit habetis,   25
   et dictum Petro iam satis esse puto.

PETER THE VENERABLE

d. 1155

179   *Hymn for the Nativity*

CAELUM, gaude, terra, plaude;
  nemo mutus sit a laude:
ad antiquam originem
redit homo per virginem.

   Virgo Deum est enixa,   5
unde vetus perit rixa:
perit vetus discordia,
succedit pax et gloria.

   Tunc de caeno surgit reus
cum in feno iacet Deus;   10
tunc vile celat stabulum
caelestis escae pabulum.

   Nutrit virgo creatorem
ex se factum redemptorem;
latet in pueritia   15
divina sapientia.

   Lac stillant matris ubera,
lac fundunt nati viscera,
dum gratiae dulcedinem
per assumptum dat hominem.   20

Ergo dulci melodia
personemus, o Maria,
religiosis vocibus
et clamosis affectibus:

Salve, virgo benedicta,   25
quae fugasti maledicta;
salve, mater altissimi,
agni sponsa mitissimi.

Tu serpentem evicisti,
cuius caput contrivisti   30
cum Deus ex te genitus
eius fuit interitus.

Tu caelorum imperatrix,
tu terrarum reparatrix,
ad quam suspirant homines,   35
quam nequam tremunt daemones.

Tu fenestra, porta, vellus,
aula, domus, templum, tellus,
virginitatis lilium
et rosa per martyrium;   40

Hortus clausus, fons hortorum
sordes lavans peccatorum,
inquinatos purificans
et mortuos vivificans;

Dominatrix angelorum,   45
spes post Deum saeculorum,
regis reclinatorium
et deitatis solium;

Stella fulgens orientis
umbras fugans occidentis,   50

aurora solis praevia
et dies noctis nescia;

Parens nostri tu parentis
et genetrix nos gignentis,
piae matris fiducia
natos patri concilia.   55

Ora, mater, Deum natum
nostrum solvat ut reatum,
et post concessam veniam
det gratiam et gloriam.   60

GUIDO OF BAZOCHES

fl. 1160

180   *Poem for the Feast of the Staff*

A DEST dies
    optata, socii.
quidquid agant
    et velint alii,
nos choream   5
    ducamus gaudii.
        pro baculo
    exsultet hodie
        clerus cum populo.

Hoc omnibus   10
    unum negotium
nobis instat
    et negat otium,
laetitiae
    dans exercitium.   15
        pro baculo etc.

O quam felix
  cuius ad gaudia
conveniunt
  de tota Francia   20
referentes
  ei praeconia.
    pro baculo, etc.

Decet ergo
  baculi baiulum,   25
tantae iure
  laudis ad cumulum
bene gestis
  ut emat aemulum.
    pro baculo, etc.   30

Novum dandi
  genus inventitat:
petentibus
  ita subventitat,
quod petentes   35
  dando praeventitat.
    pro baculo, etc.

Dator ille
  non debet negligi,
pro se dona   40
  qui magis colligi
quam donando
  se facit diligi.
    pro baculo, etc.

Cantilenam 45
  dilectis sociis
Guido mittit
  hanc de Basociis,
interesse
  promptus his gaudiis, 50
nisi procul
  esset in studiis.
  pro baculo
exsultet hodie
  clerus cum populo. 55

'MARCUS VALERIUS'

c. 1160–80

181   *Ladon et Cidnus Pastores*

Ladon. Cidne, sub algenti recubas dum molliter umbra
  nec nova mutato perquiris pascua colle,
  segnis et exesis miserum pecus afficis herbis,
  nos patimur solem et nullo requiescimus antro
  dum fastiditi mutamus gramina campi, 5
  et pudet has saturas non semper cernere fetas;
  at tu lascivis victus dum pasceris umbris,
  heu macie siccantur oves, heu decipis agnos.

Cidnus. Non, ut rere, Ladon, mihi parcens otia capto:
  non ita sum felix ut sim mihi carus, et istam, 10
  quam mala dilacerant, cupio palpare iuvencam.
  nam mihi si qua mei, credas, modo cura maneret,
  esset prima gregis: scis tu, nec fallere possum,
  ut fuerim solitus rabido sub sole per agros
  currere et irrigui frigus perquirere fontis, 15

261

quo pecus aut totas possem recreare capellas,
scis bene, tuque meo requiesti saepe labore.

Ladon. Novi equidem, tantoque magis nunc miror, inerti
    quod sub fronde iaces, socios dum currere cernas
    pastores, pecorisque tui nos cura remordet.   20
    en ego praeteriens miseros hac, heu scelus, hora
    inclusos querulis dimisi matribus agnos;
    hunc quoque, quem cernis, tenuem exhaustumque nec
        ipsos
    edere balatus consumpta voce valentem
    ipse ferens manibus, modo vivat, ad ubera duco.   25

Cidnus. O utinam, ut credis, solite mea membra domaret
    communis de sole calor quamque arguis esset
    vera quies aestusque meos haec pelleret umbra!
    sed ferit interno non simplex flamma calore,
    (heu nescis) totoque obsedit pectore mentem,   30
    nec mihi cura gregis superest nec cura salutis.

ANONYMOUS

c. 1160

182   *A Woodland Adventure*

SURGENS Manerius summo diluculo
    assumsit pharetram cum arcu aureo,
canesque copulans nexu binario
silvas aggreditur venandi studio.
transcurrit nemora saltusque peragrat,   5
ramorum sexdecim gaudens cervum levat;
quem cum persequitur dies transierat,
nec saevam bestiam consequi poterat.

fessis consociis lassisque canibus
dispersos revocat illos clamoribus   10
sumensque buccinam resumptis viribus
tonos emiserat totis nemoribus.
ad cuius sonitum herilis filia
tota contremuit itura patria,
quam cernens iuvenis adiit properans.   15
vidit et loquitur, sensit os osculans,
et sibi consulens et regis filiae
extremum Veneris concessit lineae.

THE ARCHPOET

d. *c.* 1165

*183 His Confession, to the Arch-chancellor,
Rainald of Dassel*

AESTUANS intrinsecus   ira vehementi
in amaritudine   loquor meae menti:
factus de materia   levis elementi
folio sum similis   de quo ludunt venti.

Cum sit enim proprium   viro sapienti   5
supra petram ponere   sedem fundamenti,
stultus ego comparor   fluvio labenti
sub eodem aëre   nunquam permanenti.

Feror ego veluti   sine nauta navis,
ut per vias aëris   vaga fertur avis.   10
non me tenent vincula,   non me tenet clavis,
quaero mei similes   et adiungor pravis.

Mihi cordis gravitas   res videtur gravis,
iocus est amabilis   dulciorque favis.
quidquid Venus imperat,   labor est suavis,   15
quae nunquam in cordibus   habitat ignavis.

Via lata gradior   more iuventutis,
implico me vitiis,   immemor virtutis,
voluptatis avidus   magis quam salutis,
mortuus in anima   curam gero cutis.   20

Praesul discretissime,   veniam te precor:
morte bona morior,   dulci nece necor,
meum pectus sauciat   puellarum decor,
et quas tactu nequeo,   saltem corde moechor.

Res est arduissima   vincere naturam,   25
in aspectu virginis   mentem esse puram;
iuvenes non possumus   legem sequi duram
leviumque corporum   non habere curam.

Quis in igne positus   igne non uratur?
quis Papiae demorans   castus habeatur,   30
ubi Venus digito   iuvenes venatur,
oculis illaqueat,   facie praedatur?

Si ponas Hippolytum   hodie Papiae,
non erit Hippolytus   in sequenti die:
Veneris in thalamos   ducunt omnes viae,   35
non est in tot turribus   turris Alethiae.

Secundo redarguor   etiam de ludo,
sed cum ludus corpore   me dimittat nudo,
frigidus exterius,   mentis aestu sudo,
tunc versus et carmina   meliora cudo.   40

Tertio capitulo   memoro tabernam,
illam nullo tempore   sprevi neque spernam,
donec sanctos angelos   venientes cernam,
cantantes pro mortuis   'requiem aeternam'.

Meum est propositum   in taberna mori,   45
ut sint vina proxima   morientis ori.
tunc cantabunt laetius   angelorum chori:
'sit Deus propitius   huĩc potatori!'

Poculis accenditur   animi lucerna,
cor imbutum nectare   volat ad superna.   50
mihi sapit dulcius   vinum de taberna,
quam quod aqua miscuit   praesulis pincerna.

Ecce meae proditor   pravitatis fui,
de qua me redarguunt   servientes tui.
sed eorum nullus est   accusator sui,   55
quamvis velint ludere   saeculoque frui.

Iam nunc in praesentia   praesulis beati
secundum dominici   regulam mandati
mittat in me lapidem,   neque parcat vati,
cuius non est animus   conscius peccati.   60

Sum locutus contra me,   quicquid de me novi,
et virus evomui,   quod tam diu fovi.
vita vetus displicet,   mores placent novi;
homo videt faciem,   sed cor patet Iovi.

Iam virtutes diligo,   vitiis irascor,   65
renovatus animo   spiritu renascor,
quasimodo genitus   novo lacte pascor,
ne sit meum amplius   vanitatis vas cor.

Electe Coloniae,   parce poentitenti,
fac misericordiam   veniam petenti   70
et da poenitentiam   culpam confitenti!
feram quicquid iusseris   animo libenti.

Parcit enim subditis   leo rex ferarum
et est erga subditos   immemor irarum;
et vos idem facite,   principes terrarum!   75
quod caret dulcedine   nimis est amarum.

184   *He Begs for Warm Clothing*

'OMNIA tempus habent', et ego breve postulo tempus.
  ut possim paucos praesens tibi reddere versus,
Electo sacro, praesens in tegmine macro,
virgineo more non haec loquor absque rubore.

Vive, vir immense! tibi concedit regimen se,   5
consilio cuius regitur validaque manu ius;
pontificum flos es, et maximus inter eos es.
incolumis vivas, plus Nestore consilii vas!

Vir pie, vir iuste, precor, ut moveam precibus te,
vir ratione vigens, dat honorem tota tibi gens;   10
amplecti minimos magni solet esse viri mos:
cor miseris flecte, quoniam probitas decet haec te!

Pauperie plenos solita pietate fove nos
et Transmontanos, vir Transmontane, iuva nos!
nulla mihi certe de vita spes nisi per te.   15

Frigore sive fame tolletur spiritus a me,
asperitas brumae necat horriferumque gelu me,
continuam tussim patior, tanquam phtisicus sim,
sentio per pulsum quod non a morte procul sum.

Esse probant inopes nos corpore cum reliquo pes;   20
unde verecundo vultu tibi verba precum do,
in tali veste non sto sine fronte penes te:
liber ab interitu sis et memor esto mei tu!

185   He cannot write of the Deeds of
Barbarossa

ARCHICANCELLARIE,   vir discretae mentis,
   cuius cor non agitur   levitatis ventis
aut morem transgreditur   viri sapientis,
non est in me forsitan   id quod de me sentis.

Audi preces, domine,   veniam petentis,   5
exaudi suspiria   gemitusque flentis
et opus impositum   ferre non valentis;
quod probare potero   multis argumentis.

Tuus in perpetuum   servus et poeta
ibo, si praeceperis,   etiam trans freta   10
et, quodcumque iusseris,   scribam mente laeta,
sed angusti temporis   me coartat meta.

Vis, ut infra circulum   parvae septimanae
bella scribam fortia   breviter et nane,
quae vix in quinquennio   scriberes, Lucane,   15
vel tu, vatum maxime,   Maro Mantuane.

Vir virorum optime,   parce tuo vati,
qui se totum subicit   tuae voluntati!
precor, cum non audeam   opus tantum pati,
ut rigorem temperes   ardui mandati.   20

Nosti quod in homine   non sit eius via:
prophetiae spiritus   fugit ab Helya,
Helyseum deserit   saepe prophetia,
nec me semper sequitur   mea poetria.

Aliquando facio   versus mille cito   25
et tunc nulli cederem   versuum perito;
sed post tempus modicum   cerebro sopito
versus a me fugiunt   carminis oblito.

Quae semel emittitur   nescit vox reverti.
scripta sua corrigunt   etiam diserti.   30
versus volunt corrigi   denuoque verti,
ne risum segnities   pariat inerti.

Loca vitant publica   quidam poetarum
et secretas eligunt   sedes latebrarum,
student, instant, vigilant   nec laborant parum   35
et vix tandem reddere   possunt opus clarum.

Ieiunant et abstinent   poetarum chori,
vitant rixas publicas   et tumultus fori
et, ut opus faciant   quod non possit mori,
moriuntur studio   subditi labori.   40

Unicuique proprium   dat natura munus:
ego nunquam potui   scribere ieiunus.
me ieiunum vincere   posset puer unus:
sitim et ieiunium   odi quasi funus.

Unicuique proprium   dat natura donum: 45
ego versus faciens   bibo vinum bonum
et quod habent purius   dolia cauponum.
tale vinum generat   copiam sermonum.

Tales versus facio   quale vinum bibo,
nihil possum facere   nisi sumpto cibo,   50
nihil valent penitus   quae ieiunus scribo.
Nasonem post calices   carmine praeibo.

Mihi nunquam spiritus   prophetiae datur,
nisi prius fuerit   venter bene satur.
dum in arce cerebri   Bacchus dominatur,   55
in me Phoebus irruit   et miranda fatur.

Scribere non valeo   pauper et mendicus,
quae gessit in Latio   Caesar Fridericus,
qualiter subactus est   Tuscus inimicus,
praeter te, qui Caesaris   integer amicus.   60

Poeta pauperior   omnibus poetis,
nihil prorsus habeo   nisi quod videtis.
unde saepe lugeo,   quando vos ridetis.
nec me meo vitio   pauperem putetis!

186   *Under the Figure of Jonah he asks his Patron for Forgiveness*

ECCE Ionas tuus plorat,
culpam suam non ignorat,
pro qua cetus eum vorat,
veniam vult et implorat,
ut a peste, qua laborat,   5
solvas eum; quem honorat,
tremit, colit et adorat.

Si remittas hunc reatum
et si ceto des mandatum,

cetus, cuius os est latum, 10
more suo dans hiatum
vomet vatem decalvatum
et ad portum destinatum
feret fame tenuatum,
ut sit rursus vates vatum 15
scribens opus tibi gratum.
te divinae mentis fatum
ad hoc iussit esse natum,
ut decore probitatum
et exemplis largitatum 20
reparares mundi statum.

Hunc reatum si remittas,
inter enses et sagittas
tutus ibo, quo me mittas,
hederarum ferens vittas. 25

Non timebo Ninivitas
neque gentes infronitas.
vincam vita patrum vitas
vitans ea quae tu vitas,
poetrias inauditas 30
scribam tibi, si me ditas.

Ut iam loquar manifeste,
paupertatis premor peste
stultus ego, qui penes te
nummis, equis, victu, veste 35
dies omnes duxi feste,
nunc insanus plus Oreste
male vivens et moleste,
trutannizans inhoneste

omne festum duco maeste.   40
res non eget ista teste.

187   *Give to him that asketh*

HANC commendo   vobis praecipue,
   haec est via   vitae perpetuae,
quod salvator   ostendens congrue
dixit: 'omni   petenti tribue !'

Scitis ista,   neque vos doceo,   5
sed quod scitis   facere moneo.
pro me loqui   iam tandem debeo;
non sum puer,   aetatem habeo.

Vitam meam   vobis enucleo,
paupertatem   meam non taceo: 10
sic sum pauper   et sic indigeo,
quod tam siti   quam fame pereo.

Non sum nequam,   nullum decipio,
uno tantum   laboro vitio;
nam libenter   semper accipio   15
et plus mihi   quam fratri cupio.

Si vendatur   propter denarium
indumentum,   quod porto, varium,
grande mihi   fiet opprobrium,
malo diu   pati ieiunium.   20

Largissimus   largorum omnium
praesul dedit   hoc mihi pallium,
magis habens   in caelis praemium
quam Martinus,   qui dedit medium.

Nunc est opus,   ut vestra copia   25
sublevetur   vatis inopia,
dent nobiles   dona nobilia,
aurum, vestes   et his similia.

Ne pauperi   sit excusatio:
det quadrantem   gazophylacio!   30
haec viduae   fuit oblatio,
quam divina   commendat ratio.

Viri digni   fama perpetua,
prece vestra   complector genua;
ne recedam   hinc manu vacua   35
fiat pro me   collecta mutua!

Mea vobis   patet intentio,
vos gravari   sermone sentio;
unde finem   sermonis facio,
quem sic finit   brevis oratio.   40

Praestet vobis   creator Eloy
caritatis   lechitum olei,
spei vinum,   frumentum fidei
et post mortem   ad vitam provehi!

Nobis vero   mundo fruentibus,   45
vinum bonum   saepe bibentibus,
sine vino   deficientibus
nummos multos   pro largis sumptibus!
                    Amen.

c. 1175

188   *The Beauty of Helen*

PAUPERAT artificis Naturae dona venustas
    Tyndaridis, formae flosculus, oris honor.
humanam faciem fastidit forma, decoris
    prodiga, siderea gratuitate nitens.
nescia forma paris, odii praeconia, laudes   5
    iudicis invidiae promeruisse potest.
auro respondet coma, non replicata magistro
    nodo, descensu liberiore iacet;
dispensare iubar humeris permissa decorem
    explicat et melius dispatiata placet.   10
pagina frontis habet quasi verba faventis, inescat
    visus, nequitiae nescia, labe carens.
nigra supercilia via lactea separat, arcus
    dividui prohibent luxuriare pilos.
stellis praeradiant oculi Venerisque ministri   15
    esse favorali simplicitate monent.
candori socio rubor interfusus in ore
    militat, a roseo flore tributa petens.
non hospes colit ora color, nec purpura vultus
    languescit, niveo disputat ore rubor.   20
linea procedit naris non ausa iacere
    aut inconsulto luxuriare gradu.
oris honor rosei suspirat ad oscula, risu
    succincta modico lege labella tument.
pendula ne fluitent, modico succincta tumore   25
    plena Dioneo melle labella rubent.
dentes contendunt ebori, serieque retenta
    ordinis esse pares in statione student.

colla polita nivem certant superare, tumorem
increpat et lateri parca mamilla sedet.   30

ANONYMOUS

c. 1180

189   *A Circle of Death*

FORTE nemus lustrabat homo, fera forte redibat
plena, latens anguis forte iacebat humi.
in pecudem pariter iaculum cum cuspide misit
rusticus, agnovit missa sagitta manum.
hasta feram sternit, anguem fera comprimit; anguis   5
tabem fundit; ea tabe necatur homo.
ossa vorando, locum calcando, vomendo venenum,
vir iaculo, pede sus, vipera tabe nocet.
saucia, contrita, sparsus, telo, pede, viru
bestia, vipera, vir, sternitur, aret, obit.   10

ARNULF OF LISIEUX

d. 1184

190   *Ad iuvenem et puellam affectuosius*
            se invicem intuentes

OCCURRUNT blando sibi lumina vestra favore,
et voto arrident intima corda pari:
alterno facies sibi dant responsa rubore:
et tener affectum prodit utrinque pudor.
mutua discurrens ultro citroque voluntas   5
lascivum mentes foedus inire facit.
alternis radiis oculorum flamma refulget,
perplexusque oculos foederat intuitus.

274

ipsae animae proprias quasi permutasse videntur
  sedes, inque novis degere corporibus.   10
complexus tacitos animorum gratia nectit,
  corporeisque parat nexibus auspicium:
procedet felix duplicato copula nexu,
  concurrentque suis corpora spiritibus.
utilis optatos dabit expectatio fructus,   15
  et laetos parient anxia vota dies.

WALTER OF CHÂTILLON

d. after 1184

191   *The Glory of Alexander*

NUNQUAM tam celebri iactatrix Roma triumpho
  victorem mirata suum tam divite luxu
excepit: seu cum fuso sub Leucade Caesar
Antonio sexti mutavit nomina mensis,
lactandasque dedit hydris Cleopatra papillas;   5
seu post Emathias acies cum sanguine Magni
iam satur irrupuit Tarpeiam Iulius arcem.
et merito, nam si regum miranda recordans
laudibus et titulis cures attollere iustis,
sive fide recolas quam raro milite contra   10
victores mundi, tenero sub flore iuventae,
quanta sit aggressus Macedo, quam tempore parvo
totus Alexandri genibus se fuderit orbis,
tota ducum series, vel quos Hispana poesis
grandiloquo modulata stylo, vel Claudius altis   15
versibus insignit, respectu principis huius
plebs erit, ut pigeat Lucanum carmine tanto

Caesareum cecinisse melos, Romaeque ruinam,
et Macedum clarus succumbat Honorius armis.

192   *The Poet has a Daughter born to him*

VERNA redit temperies
  prata depingens floribus,
telluris superficies
nostris arridet moribus,
quibus amor est requies,   5
cybus esurientibus.

Duo quasi contraria
miscent vires effectuum:
augendo seminaria
reddit natura mutuum,   10
ex discordi concordia
prodit fetura fetuum.

Letentur ergo ceteri,
quibus Cupido faverit,
sed cum de plaga veteri   15
male michi contigerit,
vita solius miseri
amore quassa deperit.

Ille nefastus merito
dies vocari debuit,   20
qui sub nature debito
natam michi constituit,
dies, qui me tam subito
relativum instituit.

276

Cresce tamen, puellula,   25
patris futura baculus;
in senectute querula,
dum caligabit oculus,
mente ministrans sedula
plus proderis quam masculus.   30

193   *The Lover in Winter*

IMPORTUNA Veneri
redit brume glacies,
redit equo celeri
Iovis intemperies:
cicatrice veteri   5
squalet mea facies:
amor est in pectore,
nullo frigens frigore.

Iam cutis contrahitur,
dum flammis exerceor;   10
nox insomnis agitur
et in die torqueor;
si sic diu vivitur,
graviora vereor:
amor est in pectore,   15
nullo frigens frigore.

Tu qui colla superum,
Cupido, suppeditas,
cur tuis me miserum
facibus sollicitas?   20

277

non te fugat asperum
frigoris asperitas:
amor est in pectore,
nullo frigens frigore.

Elementa vicibus   25
qualitates variant,
dum nunc pigrant nivibus,
nunc calorem sentiant;
sed mea singultibus
colla semper inhiant: 30
amor est in pectore,
nullo frigens frigore.

194   *Pastourelles*

(*a*) *Declinante frigore*

DECLINANTE frigore,
picto terre corpore
tellus sibi credita
multo reddit fenore.
eo surgens tempore   5
nocte iam emerita
resedi sub arbore.

Desub ulmo patula
manat unda garrula,
ver ministrat gramine   10
fontibus umbracula,
qui per loca singula
profluunt aspergine
virgultorum pendula.

Dum concentus avium   15
et susurri fontium
garriente rivulo
per convexa montium
removerent tedium,
vidi sinu patulo   20
venire Glycerium.

Clamis multiphario
nitens artificio
dependebat vertice
cotulata vario.   25
vestis erat Tyrio
colorata murice
opere plumario.

Frons illius adzima,
labia tenerrima.   30
'ades,' inquam, 'omnium
michi dilectissima,
cor meum et anima,
cuius forme lilium
mea pascit intima.   35

In te semper oscito,
vix ardorem domito;
a me quicquid agitur,
lego sive scriptito,
crucior et merito,   40
ni frui conceditur,
quod constanter optito.'

Ad hec illa frangitur,
humi sedit igitur,

et sub fronde tenera,   45
dum vix moram patitur,
subici compellitur.
sed quis nescit cetera?
predicatus vincitur.

195   (*b*) *Sole regente*

SOLE regente lora
poli per altiora,
quedam satis decora
virguncula
sub ulmo patula   5
consederat, nam dederat
arbor umbracula.

Quam solam ut attendi
sub arbore, descendi
et Veneris ostendi   10
mox iacula,
dum noto singula,
cesariem et faciem,
pectus et oscula.

'Quid,' inquam, 'absque pari   15
placet hic spaciari,
Dyones apta lari
puellula?
nos nulla vincula,
si pateris, a Veneris   20
disiungent copula.'

Virgo decenter satis
subintulit illatis:
'hec, precor, obmittatis
ridicula;   25
sum adhuc parvula,
non nubilis nec habilis
ad hec opuscula.

Hora meridiana
transit, vide Tytana.   30
mater est inhumana.
iam pabula
spernit ovicula.
regrediar, ne feriar
materna virgula.'   35

'Signa, puella, poli
considerare noli.
restant immensa soli
curricula;
placebit morula,   40
ni temere vis spernere
mea munuscula.'

'Muneribus oblatis
me flecti ne credatis,
non frangam castitatis   45
repagula.
non hec me fistula
decipiet nec exiet
a nobis fabula.'

Quam mire simulantem   50
ovesque congregantem

281

pressi nil reluctantem
sub pennula,
flores et herbula
praebent cubicula.   55

196   *Pericula Romanae Curiae*

P ROPTER Sion non tacebo,
    set ruinas Rome flebo,
quousque iustitia
rursus nobis oriatur
et ut lampas accendatur   5
iustus in ecclesia.

Sedet vilis et in luto
princeps, facta sub tributo;
quod solebam dicere,
Romam esse derelictam,   10
desolatam et afflictam,
expertus sum opere.

Vidi, vidi caput mundi,
instar maris et profundi
vorax guttur Siculi;   15
ibi mundi bitalassus,
ibi sorbet aurum Crassus
et argentum seculi.

Ibi latrat Scilla rapax
et Caribdis auri capax   20
potius quam navium;
fit concursus galearum
et conflictus piratarum,
id est cardinalium.

Sirtes insunt huic profundo 25
et Sirenes toti mundo
minantes naufragium;
os humanum foris patet,
in occulto cordis latet
informe demonium. 30

Habes iuxta rationem
bitalassum per Franconem,
quod ne credas frivolum:
ibi duplex mare fervet,
a quo non est qui reservet 35
sibi valens obolum.

Ibi venti colliduntur,
ibi panni submerguntur,
bissus, ostrum, purpure;
ibi mundus sepelitur, 40
immo totus deglutitur
in Franconis gutture.

Franco nulli miseretur,
nullum sexum reveretur,
nulli parcit sanguini; 45
omnes illi dona ferunt,
illuc enim ascenderunt
tribus, tribus Domini.

Canes Scille possunt dici
veritatis inimici, 50
advocati curie,
qui latrando falsa fingunt,
mergunt simul et confringunt
carinam pecunie.

Iste probat se legistam,   55
ille vero decretistam
inducens Gelasium;
ad probandum questionem
hic intendit actionem
regundorum finium.   60

Nunc rem sermo prosequatur:
hic Caribdis debachatur,
id est cancellaria;
ibi nemo gratus gratis
neque datur absque datis   65
Gratiani gratia.

Plumbum, quod hic informatur,
super aurum dominatur
et massam argenteam;
equitatis fantasia   70
sedet teste Zacharia
super bullam plumbeam.

Qui sunt Sirtes vel Sirenes?
qui sermone blando lenes
attrahunt bizantium;   75
spem pretendunt lenitatis,
set procella parcitatis
supinant marsupium.

Dulci cantu blandiuntur
ut Sirenes et loquuntur   80
primo quedam dulcia:
'frare, ben je te cognosco,
certe nichil a te posco,
nam tu es de Francia.

Terra vestra bene cepit   85
et benigne nos recepit
in portu concilii.
nostri estis, nostri—cuius?
sacrosancte sedis huius
speciales filii.   90

Nos peccata relaxamus
et laxatos collocamus
sedibus ethereis.
nos habemus Petri leges
ad ligandos omnes reges   95
in manicis ferreis.'

Ita dicunt cardinales,
ita solent dii carnales
in primis allicere.
sic instillant fel draconis,   100
et in fine lectionis
cogunt bursam vomere.

Cardinales, ut predixi,
novo iure crucifixi
vendunt patrimonium;   105
Petrus foris, intus Nero,
intus lupi, foris vero
sicut agni ovium.

Tales regunt Petri navem,
tales habent eius clavem,   110
ligandi potentiam;
hi nos docent, set indocti,
hi nos docent et nox nocti
indicat scientiam.

In galea sedet una   115
mundi lues inportuna,
camelos deglutiens;
involuta canopeo
cuncta vorat sicut leo
rapiens et rugiens.   120

Hic piratus principatur
et Pilatus appellatur,
sedens in insidiis;
ventre grosso, lota cute,
grande monstrum nec virtute   125
redemptum a vitiis.

Maris huius non est dea
Thetis, mater Achillea,
de qua sepe legimus,
immo mater sterlingorum,   130
sancta soror loculorum,
quam nos bursam dicimus.

Hec dum pregnat, ductor ratis
epulatur cum piratis
et amicos reperit;   135
set si bursa detumescit,
surgunt venti, mare crescit
et carina deperit.

Tunc occurrunt cautes rati,
donec omnes sunt privati   140
tam nummis quam vestibus;
tunc securus it viator,
quia nudus et cantator
fit coram latronibus.

Qui sunt cautes? ianitores,   145
per quos, licet seviores
tigribus et beluis,
intrat dives ere plenus,
pauper autem et egenus
pellitur a ianuis.   150

Quod si verum placet scribi,
duo tantum portus ibi,
due tantum insule,
ad quas licet applicari
et iacturam reparari   155
confracte navicule.

Petrus enim Papiensis,
qui electus est Meldensis,
portus recte dicitur,
nam cum mare fluctus tollit,   160
ipse solus mare mollit
et ad ipsum fugitur.

Est et ibi maior portus,
fetus ager, florens hortus,
pietatis balsamum: 165
Alexander ille meus,
meus, inquam, cui det Deus
paradisi thalamum.

Ille fovet litteratos;
cunctos malis incurvatos,   170
si posset, erigeret;
verus esset cultor Dei,
nisi latus Helisei
Giezi corrumperet.

Set ne rursus in hoc mari   175
me contingat naufragari,
dictis finem faciam,
quia, dum securus eo,
ne submergar, ori meo
posui custodiam.   180

197   *De clericis*

LICET eger cum egrotis
   et ignotus cum ignotis,
fungar tamen vice cotis,
ius usurpans sacerdotis.
   flete, Syon filie: 5
   presides ecclesie
   imitantur hodie
   Christum a remotis.

Si privata degens vita
vel sacerdos vel levita   10
sibi dari vult petita
ac incedit via trita,
   previa fit pactio
   Symonis auspicio,
   cui succedit datio,   15
   et sic fit Giezita.

Iacet ordo clericalis
in respectu laicalis,
sponsa Christi fit mercalis,
generosa generalis;   20

veneunt altaria,
venit eucharistia
cum sit nugatoria
gratia venalis.

Donum Dei non donatur,   25
nisi gratis conferatur;
quod qui vendit vel mercatur,
lepra Syri vulneratur.
    quem sic ambit ambitus,
    idolorum servitus,   30
    templo sancti spiritus
    non compaginatur.

Si quis tenet hunc tenorem,
frustra dicit se pastorem
nec se regit ut rectorem,   35
renum mersus in ardorem.
    hec est enim alia
    sanguisuge filia,
    quam venalis curia
    duxit in uxorem.   40

In diebus iuventutis
timent annos senectutis,
ne fortuna destitutis
desit eis splendor cutis.
    et dum querunt medium,   45
    vergunt in contrarium,
    fallit enim vitium
    specie virtutis.

Ut iam loquar inamenum,
sanctum crisma datur venum,　　　　　50
iuvenantur corda senum
nec refrenant motus renum.
　　senes et decrepiti
　　quasi modo geniti
　　nectaris illiciti　　　　　55
　　hauriunt venenum.

Ergo nemo vivit purus:
castitatis perit murus,
commendatur Epicurus
nec spectatur moriturus.　　　　　60
　　grata sunt convivia;
　　auro vel pecunia
　　cuncta facit pervia
　　pontifex futurus.

198　　　*Satire against the Curia*

MISSUS sum in vineam　　circa horam nonam,
suam quisque nititur　　vendere personam;
ergo quia cursitant　　omnes ad coronam:
semper ego auditor tantum, nunquamne reponam?

Rithmis dum lascivio,　　versus dum propino,　　5
rodit forsan aliquis　　dente me canino,
quia nec afflatus sum　　pneumate divino
neque labra prolui　　fonte caballino.

Licet autem proferam　　verba parum culta
et a mente prodeant　　satis inconsulta,　　10
licet enigmatica　　non sint vel occulta,
est quodam prodire tenus, si non datur ultra.

Cur sequi vestigia   veterum refutem,
adipisci rimulis   corporis salutem,
impleri divitiis   et curare cutem?   15
quod decuit magnos, cur michi turpe putem?

Qui virtutes appetit,   labitur in imum,
querens sapientiam   irruit in limum;
imitemur igitur   hec dicentem mimum:
o cives, cives, querenda pecunia primum.   20

Hec est, que in sinodis   confidendo tonat,
in electionibus   prima grande sonat;
intronizat presules,   dites impersonat:
et genus et formam regina pecunia donat.

Adora pecuniam,   qui deos adoras: 25
cur struis armaria,   cur libros honoras?
longas fac Parisius   vel Athenis moras:
si nichil attuleris, ibis, Homere, foras.

Disputet philosophus   vacuo cratere,
sciat, quia minus est   scire quam habere;   30
nam si pauper fueris,   foras expellere,
ipse licet venias musis comitatus, Homere.

Sciat artes aliquis,   sit auctorum plenus,
quid prodest si vixerit   pauper et egenus?
illinc cogit nuditas   vacuumque penus,   35
hinc usura vorax avidumque in tempore fenus.

Si Ioseph in vinculis   Christum prefigurat,
si tot plagis Pharao   durum cor indurat,
si filiis Israel   exitus obturat:
quid valet hec genesis, si paupertas iecur urat?   40

Quid ad rem, si populus   sitit ante flumen,
si montis ascenderit   Moÿses cacumen
et si archam federis   obumbravit numen?
malo saginatas carnes quam triste legumen.

Illud est, cur odiens   studium repellam   45
paupertatem fugiens   vitamque misellam;
quis ferret vigilias   frigidamque cellam?
tutius est iacuisse thoro, tenuisse puellam.

Quidam de scientia   tantum gloriantur
et de pede Socratis   semper cornicantur   50
et dicunt, quod opes his   qui philosophantur
non bene conveniunt nec in una sede morantur.

Idcirco divitias   forsan non amatis,
ut eternam postmodum   vitam capiatis.
heü mentes perdite!   numquid ignoratis,   55
quod semper multum nocuit differre paratis?

Si pauper Diogenes   fuit huius sortis,
si Socrates legitur   sic fuisse fortis,
Iuvenalis extitit   magister cohortis
marmoreisque satur iacuit Lucanus in hortis.   60

Heu quid confert pauperi   nobilis propago?
quid Tityrus patula   recubans sub fago?
ego magis approbo   rem de qua nunc ago;
nam sine divitiis vita est quasi mortis imago.

Semper habet comitem   paupertas merorem,   65
perdit fructum Veneris   et amoris florem,
quia iuxta nobilem   versificatorem
non habet unde suum paupertas pascat amorem.

Adde quod superbia   sequitur doctores:
inflati scientia   respuunt minores;   70
ergo sic impletum est   quod dicunt auctores:
inquinat egregios adiuncta superbia mores.

Sit pauper de nobili   genere gigantum,
sciat quantum currat sol   et Saturnus quantum,
per se solus habeat   totum fame cantum: 75
gloria quantalibet quid erit si gloria tantum?

Audi, qui de Socrate   disputas et scribis:
miser, vaca potius   potibus et cibis;
quod si dives fieri   noles vel nequibis,
inter utrumque tene, medio tutissimus ibis.   80

199   *His Song of Repentance*

HACTENUS inmerito
    militavi creaturae,
    cum ex evi debito
lusi satis immature;
    sed nunc, quia cogito   5
legem carnis moriturae,
    creatori milito,
renovatus novo iure,

    Iuventutis levia
    redimo per seria.   10

    Quinta pars relinquitur
intervalli iubilei,
    necdum quicquam oritur
quod inclinet aurem Dei;

293

nil egi, nil agitur   15
quod relaxet vincla rei:
  defecerunt igitur
sicut fumus dies mei.

  Iuventutis levia
redimo per seria.   20

  Vanitates varias
vito vitae praecedentis,
  fugiens delicias;
fugit par iuventa ventis.
  cum carnis blandicias   25
ut sentinam mundi sentis,
  clipeum obicias
contra blandimenta mentis.

  Iuventutis levia
redimo per seria.   30

  Clipeus est ratio,
qua, pacienter et expresse
  probans, palam facio
bona mundi nichil esse
  in tam brevi spacio;   35
cum nos mori sit necesse,
  nulla prodest satio,
nisi Christus sit in messe.

  Iuventutis levia
redimo per seria.   40

  Ad radicem arboris
imminente iam securi,

non sunt sani pectoris
qui de pena sunt securi:
    post decursum temporis,   45
restant ignes quibus uri
    constat fenum corporis,
cuius actus sunt impuri.

    Iuventutis levia
    redimo per seria.   50

200   *His Song in his Last Sickness*

VERSA est in luctum
  cythara Waltheri,
non quia se ductum
extra gregem cleri
vel eiectum doleat   5
aut abiecti lugeat
vilitatem morbi,
sed quia considerat,
quod finis accelerat
improvisus orbi.   10
    Libet intueri
    iudices ecclesie,
    quorum status hodie
    peior est quam heri.

Umbra cum videmus   15
valles operiri,
proximo debemus
noctem experiri;
sed cum montes videris
et colles cum ceteris   20

rebus obscurari,
nec fallis nec falleris,
si mundo tunc asseris
noctem dominari.

Per convalles nota   25
laicos exleges,
notos turpi nota
principes et reges,
quos pari iudicio
luxus et ambitio   30
quasi nox obscurat,
quos celestis ulcio
bisacuto gladio
perdere maturat.

Restat, ut per montes   35
figurate notes
scripturarum fontes:
Christi sacerdotes
colles dicti mystice,
eo quod in vertice   40
Syon constituti
mundo sunt pro speculo,
si legis oraculo
vellent non abuti.

Iubent nostri colles   45
dari cunctis fenum
et preferri molles
sanctitati senum;
fit hereditarium
Dei sanctuarium,   50

et ad Christi dotes
preponuntur hodie
expertes scientie
presulum nepotes.
    Si rem bene notes,   55
    succedunt in vicium
    et in beneficium
    terreni nepotes.

Veniat in brevi,
Iesu bone Deus,   60
finis huius evi,
annus iubileus!
moriar, ne videam
Antichristi frameam,
cuius precessores   65
iam non sani dogmatis
stant in monte crismatis
censuum censores.

BERTER OF ORLEANS

c. 1187

201   *Call to Crusaders*

IUXTA Threnos Ieremiae,
vere Syon lugent viae
quod sollempni non sit die
    qui sepulcrum visitet
    vel casum resuscitet   5
    huius prophetiae.

Lignum crucis   signum ducis
  sequitur exercitus;
quod non cessit,   sed praecessit
  in vi sancti spiritus.   10

Contra quod propheta scribit
quod de Syon lex exibit,
numquid ibi lex peribit,
  nec habebit vindicem,
    ubi Christus calicem   15
      passionis bibit?
Lignum etc.

Ad portandum onus Tyri
nunc deberent fortes viri
vires suas experiri   20
  qui certant cotidie
    laudibus militiae
      gratis insigniri.
Lignum etc.

Sed ad pugnam congressuris   25
est athletis opus duris,
non mollibus Epicuris;
  non enim qui pluribus
    cutem curat sumptibus
      emit Deum pluris.   30
Lignum etc.

Novi rursum Philistaei,
cruce capta, crucis rei
receperunt archam Dei,

298

archam novi foederis,   35
rem figurae veteris
    post figuram rei.
Lignum etc.

Sed cum constet quod sint isti
praecursores Antichristi   40
quibus Christus vult resisti,
    quid qui non resisterit
    respondere poterit
        in adventu Christi?
Lignum etc.   45

Crucis spretor crucem premit,
sub quo fides pressa gemit.
in vindictam qui non fremit?
    quanti fidem aestimat,
    tanti crucem redimat,   50
        si quem crux redemit.
Lignum etc.

Quibus minus est argenti,
si fideles sint inventi,
pura fide sint contenti.   55
    satis est dominicum
    corpus ad viaticum
        fidem defendenti.
Lignum etc.

Christus, tradens se tortori,   60
mutuavit peccatori.
si, peccator, non vis mori

propter pro te mortuum
male solvis mutuum
    tuo creditori.   65
Lignum etc.

Sane potest indignari
cui declinas inclinari,
dum in crucis torculari,
    pro te factus hostia,   70
    tibi tendit brachia,
    nec vis amplexari.
Lignum etc.

Cum attendas ad quid tendo,
crucem tollas, et vovendo   75
dicas: 'illi me commendo
    qui corpus et animam
    expendit in victimam
      pro me moriendo.'
Lignum etc.   80

ANONYMOUS

12th cent.

202   *Love in Summer*

HYEMALE tempus, vale,
  estas redit cum leticia,
cum calore   cum decore:
haec estatis sunt indicia.

Terra floret,   sicut solet;   5
  revirescunt lilia,
rosae flores   dant odores,
  canunt alitilia.

De terre gremio
rerum praegnacio   10
    progreditur
et in partum solvitur
vivifico calore.

Nata recentius
lenis Favonius   15
    sic recreat,
ne flos novus pereat
Threicio rigore.

Herbis adhuc teneris
eblanditur etheris   20
    temperies;
ridet terre facies
multiplici colore.

Omnis arbor foliis
decoratur aliis,   25
    et merula,
pennis fulgens, aurula
dulci gaudet canore.

Herba florem,   flos humorem,
humor floris,   ros humoris   30
  generat materiam
sementivam,   redivivam;
reddunt culta   fruge multa
  et promittunt copiam.

Fronde sub arborea   35
Filomena, Terea
dum meminit,   non desinit,—

301

sic imperat natura—
　　recenter conqueri
de veteri　　iactura.　　　　　　　　　40

Mens effertur letior,
oblectatu glorior,
dum iaceo　　gramineo
sub arbore frondosa
　　riparum margine　　　　　　　45
cum virgine　　formosa.

　　Vere suo
adolescens mutuo
respondeat amori;
　　creber erit,　　　　　　　　50
ne defessus cesserit
Venereo labori.

Veneris　　in asperis
castris nolo militem,
qui iuvente limitem　　　　　　55
transierit,　　perdiderit
　　calorem.

Rideo,　　dum video
virum longi temporis,
qui ad annos Nestoris　　　　　60
progreditur　　et sequitur
　　amorem.

ANONYMOUS

203 *Apocalypse of Golias*

(The Vision of Pythagoras)

A TAURO torrida lampade Cynthii
  fundente iacula ferventis radii,
umbrosas nemoris latebras adii,
explorans gratiam lenis Favonii.

Aestivae medio diei tempore,   5
  frondosa recubans sub Iovis arbore,
astantis video formam Pythagorae:
Deus scit, nescio, utrum in corpore.

Ipsam Pythagorae formam inspicio,
  inscriptam artium schemate vario.   10
an extra corpus sic haec revelatio,
utrum in corpore, Deus scit, nescio.

In fronte micuit ars astrologica;
  dentium seriem regit grammatica;
in lingua pulcrius vernat rhetorica;   15
concussis aestuat in labiis logica.

Est arithmetica digitis socia;
  in cava musica ludit arteria;
pallens in oculis stat geometria;
quaelibet artium vernat vi propria.   20

Est ante ratio totius ethicae;
  in tergo scriptae sunt artes mechanicae;
qui totum explicans corpus pro codice,
volam exposuit, et dixit 'respice.'

303

Manus aperuit secreta dexterae;   25
   cumque prospexeram cepique legere,
   inscriptum repperi fusco charactere:
   'dux ego praevius, et tu me sequere.'

Cito praelabitur quem sequi ceperam,
   et dicto citius in terram alteram   30
   simul divolvimur, qua multa videram
   inter prodigia plebem innumeram.

Dum miror, dubius quae sint haec agmina,
   per frontes singulas traducens lumina,
   vidi quorumlibet inscripta nomina,   35
   tanquam in silice vel plumbi lamina.

Hic Priscianus est dans palmis verbera;
   est Aristotiles verberans aëra;
   verborum Tullius vi mulcet aspera;
   fert Ptolomeus se totum in sidera.   40

Tractat Boetius numerabilia;
   metitur Euclides locorum spacia;
   frequens Pythagoras circa fabrilia
   trahit a malleis vocum primordia.

ANONYMOUS

12th cent.

204   *Love in Winter*

ROSAM et candens lilium
   iam clausit terre gremium
   aquilone spirante:
   qui turbinoso flamine

304

privavit aves carmine   5
   nimbo cooperante;
quorum vigor et rigor
   instaurat me tristari;
non in flore set amore
   iocundor puellari.   10

Nulla testatur racio
quod detur comparacio
   virginibus ad florem.
nam quos Cupido vicerit,
curare flos non poterit,   15
   set virgo per amorem.
unde quia tu pia
   meam portas salutem,
tibi digne do benigne
   paratam servitutem.   20

Nam solam te desidero,
spem puram a te defero,
   quam nollem devitare.
te diligo pre ceteris;
annexu pie Veneris   25
   me solvere dignare.
Cithareaque dea
   iam agit in me curam;
ex hac causa sine pausa
   leni meam lesuram.   30

Decoris tui claritas,
simul tua benignitas,
   flos est michi vernalis.
simul tua benignitas

perducit ad solacia: 35
    nox perit yiemalis.
speciose iam rose
    ridebunt in rosetis,
nam et aves cantus suaves
    dictabunt in tiletis.   40

Quis me scribebat
Ch. nomen habebat.

ANONYMOUS

12th cent.

205   *The Nun's Lament*

PLANGIT nonna fletibus
    inenarrabilibus,
condolens gemitibus,
dicens socialibus:
    'heu misella!   5
nihil est deterius
    tali vita;
cum enim sim petulans
    et lasciva,

Sono tintinnabulum,   10
repeto psalterium,
gratum linquo somnium
cum dormire cuperem,
    heu misella!
pernoctando vigilo   15
    cum non vellem:
iuvenem amplecterer
    quam libenter!' . . .

206   *The Prose of the Ass*

ORIENTIS partibus
adventavit Asinus,
pulcher et fortissimus,
sarcinis aptissimus.
    hez, Sire Asnes, car chantez,   5
    belle bouche rechignez,
    vous aurez du foin assez
    et de l'avoine a plantez.

Lentus erat pedibus,
nisi foret baculus   10
et eum in clunibus
pungeret aculeus.
    hez, Sire Asnes, etc.

Hic in collibus Sichen
iam nutritus sub Ruben,   15
transiit per Iordanem,
saliit in Bethleem.
    hez, Sire Asnes, etc.

Ecce magnis auribus
subiugalis filius   20
asinus egregius
asinorum dominus.
    hez, Sire Asnes, etc.

Saltu vincit hinnulos,
dammas et capreolos,   25
super dromedarios
velox Madianeos.
    hez, Sire Asnes, etc.

Aurum de Arabia,
thus et myrrham de Saba   30
tulit in ecclesia
virtus asinaria.
    hez, Sire Asnes, etc.

Dum trahi vehicula
multa cum sarcinula,   35
illius mandibula
dura terit pabula.
    hez, Sire Asnes, etc.

Cum aristis hordeum
comedit et carduum;   40
triticum e palea
segregat in area.
    hez, Sire Asnes, etc.

Amen dicas, Asine,
Iam satur de gramine,   45
amen, amen, itera,
aspernare vetera.
    hez va, hez va! hez va hez!
    bialx Sire Asnes, car allez:
    belle bouche, car chantez.   50

207   *Song for the Feast of Fools*

GREGIS pastor Tityrus,
asinorum dominus,
noster est episcopus.
eia, eia, eia,
vocant nos ad gaudia   5
Tityri cibaria.

Ad honorem Tityri
festum colant baculi
satrapae et asini.
eia, eia, eia,   10
vocant nos ad gaudia
Tityri cibaria.

Applaudamus Tityro
cum melodis, organo,
cum chordis et tympano.   15
eia, eia, eia,
vocant nos ad gaudia
Tityri cibaria.

Veneremur Tityrum,
qui nos propter baculum   20
invitat ad epulum.
eia, eia, eia,
vocant nos ad gaudia
Tityri cibaria.

12th cent.

208   *A Mystic Pastourelle*

Christil.   CREBRO da mihi basia,
          cingant me quoque brachia
      cuius pascar ad ubera.

      Amica iam egredere,
      mecum cuba meridie   5
      sub tegumento vineae.

Maidens. Hortum perflate, zephyri,
      hortum odoris optimi.

Christ.   Requiesces in vinea,
      gradieris per balsama,   10
      ubi fluunt aromata.

Mary.   Dilecte mi, quem elegi,
      similis esto leoni,
      fortis in umbra Libani.

      Veni, dilecte mi, veni;   15
      iam aromata messui.

Maidens. Bonae speciei virgo
      nobis adest de Libano
      tota fluens cinnamomo.

      Vestes habet coccineas;   20
      ecce praecedet alias
      obfuscatque pulcherrimas.

Mary. Qui places animae meae,
ubi pascis meridie?
ubi te quaeram hodie? 25

Dum te sponsum desidero,
erraturam me timeo
sola vagans in heremo.

Christ. Si ignoras, pulcherrima,
nostra sequi vestigia, 30
vade carpendo lilia,
rosas et flores alios:
si indagare quaeris nos,
ecce sum inter acanthos.

Mary. Adiuro vos, o virgines, 35
per balsama et per flores
et per cervos salientes,
indicate, quem diligo
si vidistis in heremo,
quia amore langueo. 40

Maidens. Qualis est dilectus tibi,
quia nos sic adiurasti?
nulla hic est forma viri.

Christ. Procede, formosissima;
loca sunt hic uberrima; 45
quem quaeris, adsum in ulva.

Mary. Fuge, dilecte mi, fuge,
assimilare capreae;
conveniamus vespere.

311

Fuge, iam fuge, caprea,   50
mea dilexit ubera,
qui pascitur per lilia.

Maidens. Parvulas vulpes capite
vellentes saepes vineae,
ingredi sic prohibite.   55

ANONYMOUS

209 *Altercatio Phyllidis et Florae*

(a) The Contest

ANNI parte florida, celo puriore,
   picto terre gremio vario colore,
dum fugaret sidera nuntius Aurore,
liquit somnus oculos Phyllidis et Flore.

Placuit virginibus ire spatiatum,   5
nam soporem reicit pectus sauciatum;
equis ergo passibus exeunt in pratum,
ut et locus faciat ludum esse gratum.

Eunt ambe virgines et ambe regine:
Phyllis coma libera, Flora torto crine.   10
non sunt forme virginum, sed forme divine,
et respondent facies luci matutine.

Nec stirpe nec facie nec ornatu viles
et annos et animos habent iuveniles;
sed sunt parum impares et parum hostiles, 15
nam huic placet clericus, et huic placet miles.

Non eis distantia corporis aut oris,
omnia communia sunt intus et foris;
sunt unius habitus et unius moris:
sola differentia modus est amoris.   20

Susurrabat modicum ventus tempestivus,
locus erat viridi gramine festivus,
et in ipso gramine defluebat rivus
vivus atque garrulo murmure lascivus.

Ad augmentum decoris et caloris minus   25
fuit secus rivulum spatiosa pinus,
venustata folio, late pandens sinus;
nec intrare poterat calor peregrinus.

Consedere virgines; herba sedem dedit.
Phyllis iuxta rivulum, Flora longe sedit;   30
et dum sedit utraque et in sese redit,
amor corda vulnerat et utramque ledit.

Amor est interius latens et occultus
et corde certissimos elicit singultus;
pallor genas inficit, alternantur vultus,   35
et in verecundia pudor est sepultus.

Phyllis in suspirio Floram deprehendit,
et hanc de consimili Flora reprehendit;
altera sic alteri mutuo rependit,
tandem morbum detegit et vulnus ostendit.   40

Ille sermo mutuus multum habet more,
et est quidem series tota de amore;
amor est in animis, amor est in ore.
tandem Phyllis incipit et arridet Flore.

'Miles', inquit, 'inclite, mea cura, Paris,   45
ubi modo militas et ubi moraris?
o vita militie, vita singularis,
sola digna gaudiis Dionei laris!'

Dum puella militem recolit amicum,
Flora ridens oculos iacit in obliquum   50
et in risu loquitur verbum inimicum:
'amas', inquit, 'poteras dicere, mendicum.

Sed quid Alcibiades agit, mea cura,
res creata dignior omni creatura,
quem beavit omnibus gratiis natura?   55
o sola felicia clericorum iura!'

Floram Phyllis arguit de sermone duro
et sermone loquitur Floram commoturo;
nam 'ecce virgunculam', inquit, 'corde puro
cuius pectus nobile servit Epicuro!   60

Surge, surge, misera de furore fedo!
solum esse clericum Epicurum credo;
nichil elegantie clerico concedo,
cuius implet latera moles et pinguedo.

A castris Cupidinis cor habet remotum,   65
qui somnum desiderat et cibum et potum.
o puella nobilis, omnibus est notum,
quod est longe militis ab hoc voto votum.'

(*b*) *Flora Extols her Clerk against Phyllis' Knight*

'MEUS est in purpura, tuus in lorica;
tuus est in prelio, meus in lectica,
ubi gesta principum relegit antiqua;
scribit, querit, cogitat totum de amica.

Quid Dione valeat, quid amoris deus,　　　　5
primus novit clericus et instruxit meus;
factus est per clericum miles Cythereus
his est et huiusmodi tuus sermo reus.'

(c) *The Judgement is given by Cupid*

INTER hec aspicitur Cytheree natus:
　vultus est sidereus, vertex est pennatus;
arcum leva possidet et sagittas latus:
satis potest conici potens et elatus.

Sceptro puer nititur floribus perplexo;　　　5
stillat odor nectaris de capillo pexo.
tres assistunt Gratie digito connexo
et Amoris calicem tenent genu flexo.

Appropinquant virgines et adorant tute
deum venerabili cinctum iuventute;　　　　10
gloriantur numinis in tanta virtute:
quas deus considerans prevenit salute.

Causam vie postulat; aperitur causa;
et laudatur utraque tantum pondus ausa.
ad utramque loquitur: 'modo parum pausa,　15
donec res iudicio reseretur clausa!'

Deus erat; virgines norunt deum esse.
retractari singula non fuit necesse.
equos suos deserunt et quiescunt fesse.
Amor suis imperat, iudicent expresse.　　　20

Amor habet iudices, Amor habet iura:
sunt Amoris iudices Usus et Natura.
illis tota data est curie censura,
quoniam preterita sciunt et futura.

Eunt et iusticie ventilant vigorem,   25
ventilatum retrahunt curie rigorem:
secundum scientiam et secundum morem
ad amorem clericum dicunt aptiorem.

Comprobavit curia dictionem iuris
et teneri voluit etiam futuris.   30
parum ergo precavent rebus nocituris,
que sequuntur militem et fatentur pluris.

ANONYMOUS

12th cent.

210   *Contest of the Rose and the Violet*

D UM grandem materiam mente meditarer
      ruminando sepius hanc et tediarer,
surgens hortum subii, ut solaciarer,
sationes virides cernens recrearer.

Duo cordis oculi astiterunt flores   5
floribus pre ceteris visu pulchriores,
cum decore dispares nec unicolores,
pares at mirabiles spirabant odores.

Dum certatim redolent, certant redolentes,
commendare merita sua cupientes,   10
de virtute propria multa disserentes,
erant alter alteri sese preferentes.

Horum cum subsisterem raptus ex odore,
est locuta viola prono precans ore,
'super sedem sedeas iudicantis more,   15
litem nostram dirimas iudex in honore.'

316

The Poet Reconciles them

ESTIS flores nobiles, flores generosi,
amabiles omnibus, cunctis pretiosi;
non debetis fieri contumeliosi,
esse nec ad invicem velitis exosi.　　　　　20

Inter flores alios estis meliores,
dignitate propria cunctis digniores
et cum pulcritudine multo pulcriores.
non vocetis socias servas, sed sorores.

CARMINA BURANA

211　　*Cur suspectum me tenet domina?*

CUR suspectum me tenet domina?
cur tam torva sunt in me lumina?
　　tort a vers mei ma dama.

Testor celum celique numina,
que veretur non novi crimina.　　　　　5
　　tort, etc.

Celum prius candebit messibus,
feret aer ulmos cum vitibus,
　　tort, etc.

Dabit mare feras venantibus,　　　　　10
quam Sodome me iungam civibus.
　　tort, etc.

Licet multa tyrannus spondeat,
et me gravis paupertas urgeat,
　　tort, etc.　　　　　15

Non sum tamen, cui plus placeat
id quod prosit quam quod conveniat.
   tort, etc.

Naturali contentus Venere
non didici pati sed agere.   20
   tort, etc.

Malo mundus et pauper vivere
quam pollutus dives existere.
   tort, etc.

Pura semper ab hac infamia   25
nostra fuit Briciavvia.
   tort, etc.

Ha peream, quam per me patria
sordis huius sumat inicia!
   tort, etc.   30

212   *Spring Song*

FLORET tellus floribus,
   variis coloribus,
floret et cum gramine.
faveant amoribus
iuvenes cum moribus   5
vario solamine.

Venus assit omnibus
ad eam clamantibus,
assit cum Cupidine;
assit iam iuvenibus   10
iuvamen poscentibus,
ut prosint his domine.

Venus que est et erat,
tela sua proferat
in amantes puellas.　　　　　　　　15
que amantes munerat,
iuvenes non conterat
nec pulchras domicellas.

213　　　　　　*Si linguis angelicis*

SI linguis angelicis loquar et humanis,
non valeret exprimi palma nec inanis,
per quam recte preferor cunctis Christianis,
tamen invidentibus emulis profanis.

Pange lingua igitur causas et causatum;　　　5
nomen tamen domine serva palliatum,
ut non sit in populo illud divulgatum,
quod sécretum gentibus extat et celatum.

In virgultu florido stabam et ameno
vertens hec in pectore: 'quid facturus ero?　10
dubito, quod semina in arena sero;
mundi florem diligens ecce iam despero.

Si despero merito nullus admiretur,
nam per quandam vetulam rosa prohibetur,
ut non amet aliquem, atque non ametur,　　15
quam Pluto subripere, flagito, dignetur!'

Cumque meo animo verterem predicta,
optans anum raperet fulminis sagitta,
ecce retrospiciens, sata post relicta,
audias quid viderim, dum morarer ita.　　　20

319

Vidi florem floridum, vidi florum florem,
vidi rosam Madii, cunctis pulchriorem,
vidi stellam splendidam cunctis clariorem,
per quam ego degeram lapsus in amorem.

Cum vidissem itaque quod semper optavi,   25
tunc ineffabiliter mecum exultavi,
surgensque velociter ad hanc properavi,
hisque retro poplite flexo salutavi:

'Ave formosissima, gemma pretiosa,
ave decus virginum, virgo gloriosa,   30
ave lumen luminum, ave mundi rosa,
Blanziflor et Helena, Venus generosa.'

Tunc respondit inquiens stella matutina:
'ille qui terrestria regit et divina,
dans in herba violas et rosas in spina,   35
tibi salus, gloria sit et medicina.'

214   *O comes amoris, dolor*

O COMES amoris, dolor,
  cuius mala male solor,
    an habes remedium?
dolor urget me, nec mirum,
quem a predilecta dirum,   5
    en, vocat exilium,
cuius laus est singularis,
pro qua non curasset Paris
Helene consortium.

Sed quid queror me remotum   10
illi fore, que devotum
   me fastidit hominem,
cuius nomen tam verendum,
quod nec michi presumendum
   est, ut eam nominem?   15
ob quam causam mei mali
me frequenter vultu tali
   respicit, quo neminem.

Ergo solus solam amo,
cuius captus sum ab hamo,   20
   nec vicem reciprocat.
quam enutrit vallis quedam,
quam ut paradisum credam,
   in qua pius collocat
hanc creator creaturam   25
vultu claram mente puram,
   quam cor meum invocat.

Gaude, vallis insignita,
vallis rosis redimita,
   vallis flos convallium.   30
inter valles vallis una,
quam collaudat sol et luna,
   dulcis cantus avium.
te collaudat philomena,
vallis dulcis et amena,   35
   mestis dans solacium.

215 *Sic mea fata canendo solor*

SIC mea fata canendo solor,
ut nece proxima facit olor.
blandus haeret meo corde dolor,
roseus effugit ore color.
    cura crescente,   5
    labore vigente,
    vigore labente,
    miser morior.
tam male pectora multat amor,
a morior a morior a morior,   10
dum quod amem cogor et non amor!

216 *Dum Dianae vitrea*

DUM Dianae vitrea
sero lampas oritur,
et a fratris rosea
luce dum succenditur,
dulcis aura zephyri   5
spirans omnes etheri
nubes tollit;
sic emollit
vi chordarum pectora,
et inmutat   10
cor quod nutat
ad amoris pignora.

Laetum iubar Hesperi
gratiorem
dat humorem   15
roris soporiferi

mortalium generi.

O quam felix est antidotum soporis,
quod curarum tempestates sedat et doloris!
dum surrepit clausis oculorum poris,   20
ipsum gaudio aequiperat dulcedini amoris.

Morpheus in mentem
trahit impellentem
ventum lenem segetes maturas,
murmura rivorum per harenas puras,   25
circulares ambitus molendinorum,
qui furantur somno lumen oculorum.

Post blanda Veneris commercia
lassatur cerebri substantia.
hinc caligant mira novitate   30
oculi nantes in palpebrarum rate.
hei quam felix transitus
amoris ad soporem!
sed suavior regressus
ad amorem. . . .   35

Fronde sub arboris amena,
dum querens canit philomena,
suave est quiescere;
suavius ludere
in gramine   40
cum virgine
speciosa.

si variarum odor herbarum
spiraverit,
si dederit   45
  torum rosa,
dulciter soporis alimonia
post Veneris defessa commercia
captatur
dum lassis instillatur.   50

O in quantis
animus amantis
variatur vacillantis!
ut vaga ratis per aequora,
dum caret anchora,   55
fluctuat inter spem metumque dubia
sic Veneris militia.

217   *A Pastoral Adventure*

LUCIS orto sidere
   exit virgo propere
    facie vernali,
oves iussa regere
    baculo pastorali.   5

Sol effundens radium
dat calorem nimium.
    virgo speciosa
solem vitat noxium
    sub arbore frondosa.   10

Dum procedo paululum,
linguae solvo vinculum:
   'salve, rege digna!
audi, quaeso, servulum,
   esto mihi benigna!'   15

'Cur salutas virginem,
quae non novit hominem
   ex quo fuit nata?
sciat Deus! neminem
   inveni per haec prata.'   20

Forte lupus aderat,
quem fames expulerat
   gutturis avari.
ove rapta properat,
   cupiens saturari.   25

Dum puella cerneret,
quod sic ovem perderet,
   pleno clamat ore:
'siquis ovem redderet,
   me gaudeat uxore!'   30

Mox ut vocem audio,
denudato gladio
   lupus immolatur,
ovis ab exitio
   redempta reportatur.   35

218 *Another Pastoral Adventure*

VERE dulci mediante,
  non in Maio, paulo ante,
luce solis radiante,
virgo vultu elegante
fronde stabat sub vernante   5
  canens cum cicuta.

Illuc veni fato dante.
nympha non est formae tantae,
aequipollens eius plantae!
quae me viso festinante   10
grege fugit cum balante,
  metu dissoluta.

Clamans tendit ad ovile.
hanc sequendo precor: 'sile!
nihil timeas hostile!'   15
preces spernit, et monile,
quod ostendi, tenet vile
  virgo, sic locuta:

'Munus vestrum', inquit, 'nolo,
quia pleni estis dolo!'   20
et se sic defendit colo.
comprehensam ieci solo;
clarior non est sub polo
  vilibus induta!

Satis illi fuit grave,   25
mihi gratum et suave.
'quid fecisti', inquit, 'prave!

326

vae vae tibi! tamen ave!
ne reveles ulli cave,
    ut sim domi tuta!   30

Si senserit meus pater
vel Martinus maior frater,
erit mihi dies ater;
vel si sciret mea mater,
cum sit angue peior quater,   35
    virgis sum tributa!'

219   *Stetit puella*

STETIT puella rufa tunica;
  siquis eam tetigit,
tunica crepuit.
eia.
stetit puella, tamquam rosula   5
facie splenduit,
et os eius floruit.
eia.

220   *Pastourelle*

EXIIT diluculo
  rustica puella
cum grege, cum baculo,
cum lana novella.

Sunt in grege parvulo   5
ovis et asella,
vitula cum vitulo,
caper et capella.

Conspexit in caespite
scholarem sedere: 10
quid tu facis, domine?
veni mecum ludere.

221   *Ubi amor, ibi miseria*

DULCE solum   natalis patriae,
    domus ioci,   thalamus gratiae,
vos relinquam   aut cras aut hodie,
periturus   amoris rabie.

Vale tellus,   valete socii,   5
quos benigno   favore colui,
et me dulcis   consortem studii
deplangite,   qui vobis perii!

Igne novo   Veneris saucia
mens, quae prius   non novit talia,   10
nunc fatetur   vera proverbia:
'ubi amor,   ibi miseria.'

Quot sunt apes   in Hyblae vallibus,
quot vestitur   Dodona frondibus
et quot natant   pisces aequoribus,   15
tot abundat   amor doloribus.

222   *The Faithless Woman*

RUMOR letalis
   me crebro vulnerat
meisque malis
dolores aggerat;

me male multat   5
vox tui criminis,
quae iam resultat
in mundi terminis.

Invida fama
tibi novercatur;   10
cautius ama
ne comperiatur.

Quod agis, age tenebris;
procul a famae palpebris.
laetatur amor latebris   15
et dulcibus illecebris
et murmure iocoso.

Nulla notavit
te turpis fabula
dum nos ligavit   20
amoris copula;
sed frigescente
nostro cupidine
sordes repente
funebri crimine.   25

Fama.laetata
novis hymenaeis,
irrevocata
ruit in plateis.

Patet lupanar omnium   30
pudoris, en, palatium;
nam virginale lilium
marcet a tactu vilium
commercio probroso.

Nunc plango florem   35
aetatis tenere,
nitidiorem
Veneris sidere—
tunc columbinam
mentis dulcedinem,   40
nunc serpentinam
amaritudinem.

Verbo rogantes
removes hostili;
munera dantes   45
foves in cubili.

Illos abire praecipis
a quibus nihil accipis;
caecos claudosque recipis;
viros illustres decipis   50
cum melle venenoso.

223   *Betrayed*

HUC usque, me miseram!
rem bene celaveram,
et amavi callide.

Res mea tándem patuit,
nam venter intumuit,   5
partus instat gravide.

Hinc mater me verberat,
hinc pater improperat,
ambo tractant aspere.

330

Sola domi sedeo,   10
egredi non audeo,
nec in palam ludere.

Cum foris egredior,
a cunctis inspicior,
quasi monstrum fuerim.   15

Cum vident hunc uterum,
alter pulsat alterum,
silent dum transierim.

Semper pulsant cubito,
me designant digito,   20
ac si mirum fecerim.

Nutibus me indicant,
dignam rogo iudicant,
quod semel peccaverim.

Quid percurram singula?   25
ego sum in fabula,
et in ore omnium.

Ex eo vim patior,
iam dolore morior,
semper sum in lacrimis.   30

Hoc dolorem cumulat,
quod amicus exulat
propter illud paululum.

Ob patris saevitiam
recessit in Franciam   35
a finibus ultimis.

sum in tristitia
de eius absentia
in doloris cumulum.

POEMS FROM THE RIPOLL COLLECTION

224   (1) *Quomodo primum amavit*

APRILIS tempore, quo nemus frondibus
et pratum roseis ornatur floribus,
iuventus tenera fervet amoribus.

Fervet amoribus iuventus tenera,
pie cum concinit omnis avicula   5
et cantat dulciter silvestris merula.

Amor tunc militat cum matre Venere,
arcum eburneum non cessat flectere,
ut matris valeat regnum extendere.

Venatu rediens eodem tempore,   10
sol cum descenderet vergente cardine,
errantes catulos coepi requirere.

Quos circumspiciens nusquam reperio,
unde non modicum sed satis doleo,
non cessans igitur perditos quaerito.   15

Illos dum quaerito, filius Veneris,
in arcu residens, ad instar numinis,
inquit: 'quo properas, dilecte iuvenis?

Dianae pharetrae fractae sunt denuo,
arcus Cupidinis sumetur amodo: 20
laborem, itaque, dimittas moneo.

Dimittas moneo laborem itaque;
non est conveniens hoc tali tempore:
Veneri potius debemus ludere.

Ignoras forsitan ludos Cupidinis?   25
sed valde dedecet si talis iuvenis
non ludit saepius in aula Veneris.

si semel luderis in eius curia
non eam deseres ulla penuria,
illi sed servies mente continua.'   30

Ad cuius monitus totus contremui,
velut exterritus ad terram cecidi;
sic novis ignibus statim incalui.

225   (2) *Ubi primum vidi amicam*

MAIO mense dum per pratum
      pulchris floribus ornatum,
irem forte spatiatum,
vidi quiddam mihi gratum.

Vidi quippe Cytheream   5
Venerem, amoris deam,
atque virginum choream,
quae tunc sequebatur eam.

Inter quas erat Cupido,
arcus cuius reformido,   10
saepe qui dicebat 'io!'
vocem quam amantum scio.

333

Ipsa flores colligebat,
quibus calathos replebat;
chorus virginum canebat 15
modis mille, quod decebat.

Postquam vidi tales actus,
penitus perterrefactus
ipsa dulcedine cantus
ab amore fui captus. 20

Ibi virginem honestam,
generosam et modestam
adamavi, quam suspectam
nulli puto nec molestam.

Oculi sunt relucentes, 25
nivei sunt eius dentes,
nec papillae sunt tumentes
sed sunt quasi nix candentes.

Frons ipsius candens; gula,
manus, pedes atque crura 30
candescentes sicut luna,
carent vetustatis ruga.

Hanc amavi, hanc amabo,
dulciter hanc conservabo,
huic soli me donabo 35
pro qua saepius dictabo.

Eius nomen, si quis quaerit,
dicam, quia pulchrum erit:
I in ordine praecedit,
V post sibi iunctum venit. 40

D post tertium ponetur,
quartus locus I donetur,
T in fine reservetur:
totum nomen sic habetur.

Huius longa si sit vita,   45
mea erit, credas ita;
finietur sed si cita,
moriar hac pro amica.

226   (3) *Laudes amicae*

SIDUS clarum
  puellarum,
flos et decus omnium,
rosa veris,
quae videris   5
clarior quam lilium;

Tui forma
me de norma
regulari proiicit.
tuus visus   10
atque risus
Veneri me subicit.

Pro te deae
Cythereae
libens porto vincula,   15
et alati
sui nati
corde fero spicula.

335

Ut in lignis
ardet ignis   20
siccis cum subducitur,
sic mens mea
pro te, dea,
fervet et comburitur.

Dic, quis durus,   25
quis tam purus,
carens omni crimine,
esse potest,
quem non dotes
tuae possint flectere?   30

Vivat Cato,
Dei dato
qui sic fuit rigidus,
in amore
tuo flore   35
captus erit fervidus.

Fore suum
crinem tuum
Venus ipsa cuperet,
si videret;   40
et doleret
suum quod exuperet.

Frons et gula
sine ruga
et visus angelicus   45
te coelestem,
non terrestrem,
denotant hominibus.

Tibi dentes
sunt candentes,   50
pulchre sedent labia,
quae siquando
ore tango
mellea dant suavia.

Et tuarum   55
papillarum
forma satis parvula
non tumescit,
sed albescit,
nive magis candida.   60

Quodquod manus,
venter planus
et statura gracilis
te sic formant
et coornant   65
quod nimis es habilis.

Nitent crura—
sed quid plura?
deas pulcritudine
et coelestes   70
et terrestres
superas et genere.

Et idcirco,
pia virgo,
nulli sit mirabile,   75
si mens mea
pro te, dea,
laesa sit a Venere.

Quare precor,
mundi decor, 80
te satis summopere,
ut amoris,
non doloris,
causa sis hoc pectore.

227 (4) *De somnio*

SI vera somnia forent, quae somnio,
magno perenniter replerer gaudio.
Aprilis tempore, dum solus dormio,
in prato viridi, iam satis florido,
virgo pulcherrima, vultu sidereo 5
et proles sanguine processa regio,
ante me visa est, quae suo pallio
auram mihi facit cum magno studio.
auram dum ventilat, interdum dulcia
ore mellifluo iungebat basia, 10
et latus lateri iunxisset pariter,
sed primum timuit ne ferrem graviter.
tandem sic loquitur, monitu Veneris:
'ad te devenio, dilecte iuvenis,
face Cupidinis succensa pectore; 15
mente te diligo cum toto corpore.
ni me dilexeris sicut te diligo,
credas quod moriar dolore nimio.
quare te deprecor, o decus iuvenum,
ut non me negligas, sed des solatium. 20
nec iuste poteris nunc me negligere,
quippe sum regio progressa sanguine.
aurum et pallia, vestes purpureas,

338

renones griseos et pelles varias
plures tibi dabo, si gratus fueris,   25
et ut te diligo sic me dilexeris.
si pulchram faciem quaeris et splendidam,
hic sum, me teneas, quia te diligam:
cum nullus pulcrior te sit in seculo,
ut pulchram habeas amicam cupio.'   30
his verbis virginis commotus ilico,
ipsam amplexibus duris circumligo.
genas deosculans, papillas palpito,
post illud dulcius secretum compleo.
inferre igitur possum quod nimium   35
felix ipse forem et plus quam nimium,
illam si virginem tenerem vigilans,
quam prato tenui dum fui somnians.

228   (5) *De aestate*

REDIT aestas cunctis grata,
   viret herba iam per prata;
nemus frondibus ornatur,
sic per frondes renovatur.
bruma vilis, nebulosa,   5
erat nobis taediosa.
cum Aprilis redit gratus
floribus circumstipatus,
Philomena cantilena
replet nemoris amoena,   10
et puellae per plateas
intricatas dant choreas.
omnis ergo adolescens
in amore sit fervescens,

quaerat cum quo delectetur   15
et, ut amet, sic ametur.
et amicum virgo decens
talem quaerat, qui sit recens
atque velit modo pari
tam amare quam amari.   20
iuvenis et virgo pulchra
in obscuro premant fulcra,
et vicissim per connexus
dulces sibi dent amplexus.
osculetur os, maxillam,   25
iuvenis dum tenet illam;
tangat pectus et papillam
satis aptam et pauxillam.
femur femori iungatur,
fructus Veneris sumatur,   30
tunc omnino cesset clamor:
adimplebitur sic amor.

POEMS FROM THE ARUNDEL COLLECTION

12th cent.

229   (1) *To Florula in Springtime*

DUM rutilans Pegasei
choruscat aurum velleris,
auricomi favor dei
    risum serenat etheris.
leta suos Dionei   5
    salutat aura syderis;
    castra densantur Veneris,
volant tela Cytherei.

Felicibus stipendiis
suos Venus remunerat, 10
dum lusibus et basiis
medetur his, quos vulnerat.

Fastidiens rex Iunonem,
non imperat lascivie;
suam Ianus Argionem 15
bina miratur facie.
et causatur in Plutonem
Ceres de raptu filie;
usum Mavors milicie
suam vertit ad Dionem. 20
Felicibus, etc.

Miscet Venus venenata
felle felici pocula,
melle puer toxicata
torquet alatus iacula. 25
corda sanant sauciata
lusus, amplexus, oscula.
his me bearas, Florula,
michi totum me furata.
Felicibus, etc. 30

Nobis yemps ver amenum
nullo fuscata nubilo,
dum faveret sors ad plenum;
sed nobis nunc flat aquilo.
dum erumpit in venenum 35
sinistro livor sibilo,
fame dampnatur iubilo
nostre sortis ver serenum.
Felicibus, etc.

Vivat amor in ydea,   40
    ne divulgetur opere.
vivam tuus, vive mea,
    nec properemus temere!
dabit adhuc Cytherea
    videre, loqui, ludere: 45
    nos pari iungat federe
relacio Dionea.
    Felicibus, etc.

230   (2) *To Flora*

PLAUDIT humus, Boree
    fugam ridens exulis.
pullulant arboree
    nodis come patulis.
gaudet Rea coronari   5
    novis frontem flosculis,
olim gemens carcerari
    nivis sevis vinculis.

Felix morbus, qui sanari
nescit sine morbo pari!   10

    Ethera Favonius
    induit a vinculis.
    ornat mundum Cyprius
    sacris dive copulis.
castra Venus renovari   15
    novis ovat populis
et tenellas copulari
    blandis mentes stimulis.

Felix, etc.

Tuum, Venus, haurio   20
  venis ignem bibulis.
tuis, Flora, sicio
  favum de labellulis.
Flora, flore singulari
  preminens puellulis,   25
solum sola me solari
  soles in periculis.

  Felix, etc.

Rapit nobis ludere
  dictis livor emulis,   30
nos obliquis ledere
  gaudens lingue iaculis.
nolo volens absentari,
  votis uror pendulis.
fugi, timens te notari   35
  nigris fame titulis.

  Felix, etc.

In discessu dulcibus
  non fruebar osculis;
salutabas nutibus   40
  pene loquens garrulis.
fas non erat pauca fari:
  fuere pro verbulis,
quas, heu, vidi derivari
  lacrimas ex oculis.   45

Felix, etc.

231   (3) *Love in Springtime*

DIONEI sideris
        favor elucescit
et amantum teneris
        votis allubescit.
dum assistit non remota   5
        sibi stacione,
celsiore fulget rota
        filius Latone,
cuius aura gratiam
        spondet non minorem.   10
dum salutat Maiam,
his introcedens medius
                Mercurius
devotus obtemperat
        et aggerat   15
                favorem.

Renitenti pallio
        Cybele vestita
flore comam vario
        vernat redimita.   20
ridet aula Iovialis,
        ether expolitur;
senectutis Saturnalis
        torpor sepelitur,
dum respirat tenere   25
        gratus odor florum.
florentis in ubere
campi canora residet
        nec invidet

talia sororibus   30
nec sedibus
sororum.

Exulat pars acrior
anni renascentis.
spirat aura gratior   35
veris blandientis.
rose rubor suis audet
nodis explicari,
aquilonem sibi gaudet
iam non novercari;   40
anni triste senium
ver infans excludit.
aquilonis ocium
terre depingit faciem;
temperiem   45
dans aura Veneriis
imperiis
alludit.

232   (4) *Love and Reason*

VACILLANTIS trutine
libramine
mens suspensa fluctuat
et estuat
in tumultus anxios,   5
dum se vertit et bipertit
motus in contrarios.

O langueo;
causam languoris video
    nec caveo,   10
videns et prudens pereo.

Me vacare studio
    vult ratio;
sed dum amor alteram
    vult operam,   15
in diversa rapior.
ratione cum Dione
    dimicante crucior.
        O langueo, etc.

Sicut in arbore   20
frons tremula, navicula
    levis in equore,
    dum caret anchore
subsidio, contrario
flatu concussa fluitat: 25
        sic agitat,
sic turbine sollicitat
        me dubio
hinc amor, inde ratio.
        O langueo, etc.   30

Sub libra pondero,
quid melius, et dubius
    mecum delibero.
    nunc menti refero
delicias venerias;
que mea michi Florula

det oscula;
qui risus, que labellula,
que facies,
frons, naris aut cesaries.   40
O langueo, etc.

His invitat et irritat
amor me blandiciis;
sed aliis
ratio sollicitat   45
et excitat me studiis.
O langueo, etc.

Nam solari me scolari
cogitat exilio.
sed, ratio,   50
procul abi! vinceris
sub Veneris imperio.
O langueo, etc.

ANONYMOUS

c. 1200

233 *Dulcis Iesu memoria*

D ULCIS Iesu memoria
dans vera cordi gaudia:
sed super mel et omnia
eius dulcis praesentia.

Nil canitur suavius,   5
auditur nil iucundius,
nil cogitatur dulcius
quam Iesus Dei filius.

347

Iesu spes paenitentibus,
quam pius es petentibus,
quam bonus te quaerentibus—
sed quid invenientibus!

10

Iesus dulcedo cordium,
fons veri, lumen mentium,
excedit omne gaudium
et omne desiderium.

15

Nec lingua potest dicere,
nec littera exprimere;
expertus novit tenere
quid sit Iesum diligere.

20

Iesum quaeram in lectulo,
clauso cordis cubiculo;
privatim et in populo
quaeram amore sedulo.

Cum Maria diluculo
Iesum quaeram in tumulo,
cordis clamore querulo,
mente quaeram, non oculo.

25

Tumbam perfundam fletibus,
locum replens gemitibus,
Iesu provolvar pedibus
strictis haerens amplexibus.

30

Iesu rex admirabilis
et triumphator nobilis,
dulcedo ineffabilis,
totus desiderabilis.

35

Mane nobiscum, Domine,
mane novum cum lumine,
pulsa noctis caligine,
mundum replens dulcedine.   40

Amor Iesu dulcissimus
et vere suavissimus,
plus millies gratissimus
quam dicere sufficimus.

Experti recognoscite,   45
amorem pium pascite;
Iesum ardenter quaerite,
quaerendo inardescite.

Iesu auctor clementiae,
totius spes laetitiae,   50
dulcoris fons et gratiae,
verae cordis deliciae.

Cum digne loqui nequeam,
de te tamen non sileam;
amor facit ut audeam,   55
cum solum de te gaudeam.

Tua, Iesu, dilectio,
grata mentis refectio,
replet sine fastidio,
dans famem desiderio.   60

Qui te gustant esuriunt;
qui bibunt adhuc sitiunt;
desiderare nesciunt
nisi Iesum quem sentiunt.

Quem tuus amor debriat   65
novit quid Iesus sapiat:
felix gustus quem satiat,
non est quod ultra cupiat.

Iesus decus angelicum,
in aure dulce canticum,   70
in ore mel mirificum,
cordi pigmentum caelicum.

Desiderate millies,
mi Iesu, quando venies?
quando me laetum facies?   75
me de te quando saties?

Amor tuus continuus,
mihi languor assiduus,
mihi Iesus mellifluus
fructus vitae perpetuus.   80

Iesu, summa benignitas,
mira cordis iucunditas,
incomprehensa bonitas,
tua me stringit caritas.

Bonum mihi diligere   85
Iesum, nil ultra quaerere;
mihi prorsus deficere
ut illi queam vivere.

Iesu mi dilectissime,
spes suspirantis animae,   90
te quaerunt piae lacrimae,
et clamor mentis intimae.

Quocumque loco fuero
meum Iesum desidero;
quam laetus cum invenero,　　　　95
quam felix cum tenuero.

Tunc amplexus, tunc oscula,
quae vincunt mellis pocula,
tunc felix Christi copula:
sed in his parva morula.　　　　100

Iam quod quaesivi video,
quod concupivi teneo;
amore Iesu langueo
et corde totus ardeo.

Hic amor ardet dulciter,　　　　105
dulcescit mirabiliter,
sapit delectabiliter,
delectat et feliciter.

Hic amor missus caelitus
haeret mihi medullitus,　　　　110
mentem incendit penitus;
hoc delectatur spiritus.

O beatum incendium,
o ardens desiderium,
o dulce refrigerium　　　　115
amare Dei filium.

Iesus cum sic diligitur,
hic amor non extinguitur;
nec tepescit nec moritur,
plus crescit et accenditur.　　　　120

Iesu flos matris virginis,
amor nostrae dulcedinis,
tibi laus, honor numinis,
regnum beatitudinis.

Iesu sole serenior,   125
et balsamo suavior,
omni dulcore dulcior,
prae cunctis amabilior.

Cuius amor sic afficit,
cuius odor me reficit,   130
Iesus, in quem mens deficit,
solus amanti sufficit.

Tu mentis delectatio,
amoris consummatio;
tu mea gloriatio,   135
Iesu, mundi salvatio.

Mi dilecte, revertere,
consors paternae dexterae:
hostem vicisti prospere,
iam caeli regno fruere.   140

Sequar quocunque ieris;
mihi tolli non poteris,
cum meum cor abstuleris,
Iesu, laus nostri generis.

Portas vestras attollite,   145
caeli cives occurrite,
triumphatori dicite:
'salve Iesu, rex inclite.'

Rex virtutum, rex gloriae,
rex insignis victoriae,   150
Iesu largitor gratiae,
honor caelestis curiae.

Te caeli chorus praedicat
et tuas laudes replicat:
Iesus orbem laetificat,   155
et nos Deo pacificat.

Iesus in pace imperat
quae omnem sensum superat:
hanc semper mens desiderat
et illo frui properat.   160

Iesus ad patrem rediit,
regnum caeleste subiit;
cor meum a me transiit:
post Iesum simul abiit.

Iam prosequamur laudibus   165
Iesum, hymnis et precibus,
ut nos donet caelestibus
cum ipso frui sedibus.

ANONYMOUS

Before 1200

234   *Love in Winter*

DE ramis cadunt folia,
  nam viror totus periit;
iam calor liquit omnia
    et abiit;
nam signa caeli ultima   5
    sol petiit.

Iam nocet frigus teneris,
et avis bruma laeditur,
et philomena ceteris
  conqueritur,   10
quod illis ignis aetheris
  adimitur.

Nec lympha caret alveus,
nec prata virent herbida;
sol nostra fugit aureus   15
  confinia;
est inde dies niveus,
  nox frigida.

Modo frigescit quicquid est,
sed solus ego caleo;   20
immo sic mihi cordi est
  quod ardeo;
hic ignis tamen virgo est,
  qua langueo.

Nutritur ignis osculo   25
et leni tactu virginis;
in suo lucet oculo
  lux luminis,
nec est in toto saeculo
  plus numinis.   30

Ignis graecus extinguitur
cum vino iam acerrimo;
sed iste non extinguitur
  miserrimo;
immo fomento alitur   35
  uberrimo.

c. 1200

Two 'Dido' Laments

235   (a) O decus, O Libyae

O DECUS, o Libyae regnum, Carthaginis urbem!
o lacerandas fratris opes, o Punica regna!

O duces Phrygios,
o dulces advenas,
quos tanto tempore   5
dispersos aequore
iam hiems septima
     iactaverat
     ob odium
         Iunonis,   10
Scyllea rabies,
Cyclopum sanies,
Celaeno pessima
     traduxerat
     ad solium   15
         Didonis;

Qui me crudelibus
exercent odiis,
arentis Libyae
post casum Phrygiae   20
quos regno naufragos
     exceperam!
     me miseram!
         quid feci,

quae meis aemulis,   25
ignotis populis
et genti barbarae,
    Sidonios
    ac Tyrios
       subieci!   30

    Achi dolant!
    achi dolant!
       iam volant
    carbasa!
iam nulla spes Didonis!   35
vae Tyriis colonis!
plangite, Sidonii,
quod in ore gladii
    deperii
per amorem Phrygii   40
    praedonis!

Aeneas, hospes Phrygius,
Iarbas, hostis Tyrius,
multo me temptant crimine,
sed vario discrimine.   45
nam sitientis Libyae
regina spreta linquitur,
et thalamos Laviniae
Troianus hospes sequitur!
    quid agam misera?   50
    Dido regnat altera!
    hai, vixi nimium!
    mors agat cetera!

Deserta siti regio
me gravi cingit proelio,   55

356

fratris me terret feritas
et Numadum crudelitas.
insultant hoc proverbio:
'Dido se fecit Helenam:
regina nostra gremio   60
Troianum fovit advenam!'
   gravis conditio,
  furiosa ratio,
    si mala perferam
    pro beneficio!   65

    Anna vides,
    quae sit fides
deceptoris perfidi?
    fraude ficta
    me relicta   70
regna fugit Punica!
    nil sorori
    nisi mori,
soror, restat, unica.

    Saevit Scylla,   75
    nec tranquilla
se promittunt aequora;
    solvit ratem
    tempestatem
nec exhorret Phrygius.   80
    dulcis soror,
    ut quid moror,
aut quid cessat gladius?

Fulget sidus Orionis,
saevit hiems Aquilonis,   85

357

Scylla regnat aequore.
tempestatis tempore,
  Palinure,
   non secure
classem solvis litore!   90

Solvit ratem dux Troianus;
solvat ensem nostra manus
 in iacturam sanguinis!
vale, flos Carthaginis!
   haec, Aenea,   95
    fer trophaea,
causa tanti criminis!

O dulcis anima,
vitae spes unica!
   Phlegethontis, 100
   Acherontis
    latebras
   ac tenebras
   mox adeas
    horroris,   105
  nec Pyrois
  te circulus
   moretur!
Aeneam sequere,
  nec desere   110
suaves illecebras
  amoris,
nec dulces nodos Veneris
  perdideris;
sed nostri conscia   115

sis nuntia
    doloris!

ANONYMOUS

236   (*b*) *Anna soror ut quid mori*

ANNA soror   ut quid mori
   tandem moror?   cui dolori
   reservor misera?
  o ha nimis aspera
    vitae conditio!   5
    mortis dilatio
    mihi mors altera.

Ut exponat   me tormentis,
vela donat   ille ventis;
   non horret maria.   10
  o ha fides Phrygia,
   o fides hospitis,
   quae sic pro meritis
   rependit odia!

Abit ille,   quaerens Scyllae   15
se vel Charybdi tradere.
aquiloni   quam Didoni
magis elegit credere.
festinat classem solvere
      cum foedere;   20
nec datae memor dexterae
     dat temere
vela fidemque ventis.

Hospes abi: quid elabi
furtive fugam rapere?   25
quid laboras? Dido moras
nullas festinat nectere;
sub brumae tamen sidere
        vult parcere
tibi prolique tenerae   30
        nec tradere
vos Nerei tormentis.

Quid, Aenea,   natum dea
    te iactas Cypride?
        ha perfide,   35
genus quid iactitas?
    vultus quos astruit
    illa redarguit
    mentis atrocitas.
parentem serenissimo   40
vultu promittis Cypridem;
sed matrem tibi tigridem
teste fateris animo.

Sed querelis   his crudelis
    hospes non flectitur.   45
        quid igitur,
    quid restat, miserae?
    quid agam, misera?
    mors agat cetera.
    mors mihi vivere.   50
mors vitae claudat orbitam,
mors mali tollat cumulos.
insignes ferat titulos,
qui sic delusit hospitam.

An expectem destrui   55
        quae statui
urbis novae moenia?
        nos odia
dirae cingunt Libies.
hinc Yarbas aemulus   60
Numadumque populus,
inde fratris rabies
nos odiis   et proeliis   infestat.

Meos quoque Tyrios
        iam dubios   65
iam offensos video;
        displiceo
meis ipsis civibus.
urbe tota canitur:
    'Dido spreta linquitur   70
suis ab hospitibus;
de Phrygio   suffragio   nil restat.'

Ipsa me perdidi:
quid Phryges arguo?
maerori subdidi   75
vitam perpetuo.
heu me miseram:
igni credideram;
nunc uri metuo.

Quanta sit sentio   80
mihi conditio
supplicii,   ni gladii
    fruar obsequio.

o luce clarior,
Anna pars animae,   85
his quibus crucior
me malis adime.
quousque patiar?
ne semper moriar,
me semel perime.   90

ANONYMOUS

c. 1200

237   *Nunc est bibendum*

IAM lucis orto sidere
statim oportet bibere:
bibamus nunc egregie
et rebibamus hodie.

Quicumque vult esse frater,   5
bibat semel, bis, ter, quater:
bibat semel et secundo,
donec nihil sit in fundo.

Bibat ille, bibat illa,
bibat servus et ancilla,   10
bibat hera, bibat herus:
ad bibendum nemo serus.

Potatoribus pro cunctis,
pro captivis et defunctis,
pro imperatore et papa,   15
bibo vinum sine aqua.

Haec est fides potatica,
sociorum spes unica:
qui bene non potaverit,
salvus esse non poterit.   20

Longissima potatio
sit nobis salutatio:
et duret ista ratio
per infinita secula.
                              Amen.

ANONYMOUS

c. 1200

238   *'Some Secrets may the Poet Tell'*

NATURAE thalamos intrans reseransque poeta
cuilibet intentus meruit reperire quod audis.
dormivit visusque fuit sibi per nemus ire.
nox succedebat claro tenebrosa diei;
solus erat nigrumque nemus totumque fremebat   5
occursu sonitu varia cum voce ferarum.
talibus attonitus dubiusque quid esset agendum,
visa forte domo veteri pervenit ad illam.
in medio nemoris plano circumdata parvo
visa fuit vetus illa domus quasi sola relicta.   10
ad quam perveniens modicum quasi luminis intus
vidit et in medio quasi nudae virginis instar.
laetus in aspectu recipi se postulat intus.
altus erat paries in eoque foramina parva.
clauserat ostiolum mulier clausumque tenebat.   15
advenere ferae circumvallare volentes
saepta domus stantemque foris iam paene vorantes.
hinc magis ille timens petit ut queat intus latere.

363

illa carens pannis dorsum vertebat ad illum,
crinibus et palmis nitens velare pudenda,   20
cumque preces oculosque viri tolerare nequiret,
talia verba dedit vix intellecta precanti.
'sta procul et noli mihi plus inferre pudorem.
in mea te secreta fui vix passa venire,
debuerasque mihi deferre fidemque perenni   25
custodire piae matri dominaeque tenore.
tu vero quare me vilem non timuisti
reddere meque, velud meretricis nomine dignam,
quae de me scisti diffundens prostituisti?
non igitur patiar quod de prope iam videas me,   30
sed procul abiectum mortique ferisque relinquam.'
anxius auditis et visis evigilavit
ille poeta timens didicitque quod omnia non sint
omnibus ut sciri possint prorsus referenda,
quodque tegi natura iubet paucis et honestis   35
est exponendum ne vili sordeat aure.
iudicium reperit durum qui iudicat omnes.
increpet os proprium merito male quemque locutum.

PETER OF BLOIS

d. c. 1200

239   *His Farewell to the World*

> DUM iuventus floruit,
>   licuit et libuit
> facere, quod placuit,
>   iuxta voluntatem
> currere, peragere   5
>   carnis voluptatem.

Amodo sic agere,
vivere tam libere,
talem vitam ducere
   viri vetat aetas: 10
perimit et eximit
   leges assuetas.

Aetas illa monuit,
docŭit, consuluit,
sic et aetas annuit: 15
   'nihil est exclusum!'
omnia cum venia
   contulit ad usum.

Volo resipiscere,
linquere, corrigere   20
quod commisi temere;
   deinceps intendam
seriis, pro vitiis
   virtutes rependam.

ALAN OF LILLE

d. 1203

240   *Lady Nature's Garden*

EST locus a nostro secretus climate tractu
  longo, nostrorum ridens fermenta locorum.
iste potest solus quicquid loca cetera possunt;
quod minus in reliquis melius suppletur in uno;
quid praelarga manus Naturae possit et in quo   5
gratius effundat dotes, largitur in isto.
in quo pubescens tenera lanugine florum,
sideribus stellata suis, succensa rosarum

murice terra novum contendit pingere caelum.
non ibi nascentis expirat gratia floris,   10
nascendo moriens: neque enim rosa mane puella
vespere languet anus; sed vultu semper eodem
gaudens, aeterni iuvenescit munere veris.
hunc florem non urit hiems, non decoquit aestas:
non ibi bacchantis Boreae furit ira, nec illic   15
fulminat aura Noti, nec spicula grandinis instant.
quicquid depascit oculos, vel inebriat aures,
seducit gustus, nares suspendit odore,
demulcet tactum, retinet locus iste locorum.
iste parit, nullo vexatus vomere, quicquid   20
militat adversus morbos, nostramque renodat
instantis morbi proscripta peste salutem.
non rerum vulgus, verum miracula gignens
sponte, nec externo tellus adiuta colono,
Naturae contenta manu Zephyrique favore,   25
parturit, et tanta natorum prole superbit,
flore novo gaudens, folio crinita virenti.
non demorsa situ, non iram passa securis,
non deiecta solo, sparsis non devia ramis,
ambit silva locum, muri mentita figuram.   30
non florum praedatur opes foliique capillum
tondet hiems, teneram florum depasta iuventam.
exilium patitur arbor quaecumque tributum
germinis et fructum Naturae solvere nescit,
cuius mercari fructu meliore favorem   35
contendens, aliasque suo praecellere dono,
quaelibet et semper de partu cogitat arbos.
Syrenes nemorum, cytharistae veris, in illum
convenere locum, mellitaque carmina sparsim
commentantur aves, dum gutturis organa pulsant.   40

pangunt ore lyram, dum cantus imbibit istos
auditus, dulces effert sonus auribus escas.
in medio lacrimatur humus, fletuque beato
producens lacrimas, fontem sudore perenni
parturit, et dulces potus singultat aquarum.   45
exuit ingentes faeces argenteus amnis,
ad puri remeans elementi iura, nitore
fulgurat in proprio, peregrina faece solutus.
praegnantis gremium telluris inebriat iste
potus, et ad partus invitat vota parentis.   50
arboribus similes tellus non invida potus
donat, et affectum pariendi suggerit illis.

241   *Ode to Nature*

O DEI proles, genetrixque rerum,
    vinculum mundi, stabilisque nexus,
gemma terrenis, speculum caducis,
        lucifer orbis,

Pax, amor, virtus, regimen, potestas,   5
ordo, lex, finis, via, lux, origo,
vita, laus, splendor, species, figura,
        regula mundi,

Quae, tuis mundum moderans habenis,
cuncta concordi stabilita nodo   10
nectis, et pacis glutino maritas
        caelica terris.

Quae noys puras recolens ideas,
singulas rerum species monetas,
rem togans forma, chlamydemque formae   15
        pollice formas.

Cui favet caelum, famulatur aer,
quam colit tellus, veneratur unda,
cui velut mundi dominae tributum
    singula solvunt.   20

Quae diem nocti vicibus catenans,
cereum solis tribuis diei,
lucido lunae speculo soporans
    nubila noctis.

Quae polum stellis variis inauras,   25
aetheris nostri solium serenans;
siderum gemmis, varioque caelum
    milite complens.

Quae novis caeli faciem figuris
protheans mutas, animumque vulgus   30
aeris nostri regione donans,
    legeque stringis,

Cuius ad nutum iuvenescit orbis,
silva crispatur folii capillo,
et sua florum tunicata veste   35
    terra superbit.

Quae minas ponti sepelis et auges,
syncopans cursum pelagi furoris,
ne soli tractum tumulare possit
    aequoris aestus.   40

242   *Omnis caro fenum*

OMNIS mundi creatura
 quasi liber et pictura
nobis est in speculum;
nostrae vitae, nostrae mortis,
nostri status, nostrae sortis   5
fidele signaculum.

Nostrum statum pingit rosa,
nostri status decens glosa,
nostrae vitae lectio:
quae dum primo mane floret,   10
defloratus flos effloret,
vespertino senio.

Ergo spirans flos expirat,
in pallorem dum delirat,
oriendo moriens.   15
simul vetus et novella,
simul senex et puella,
rosa marcet oriens.

Sic aetatis ver humanae
iuventutis primo mane   20
reflorescit paululum.
mane tamen hoc excludit
vitae vesper, dum concludit
vitale crepusculum.

Cuius decor dum perorat   25
eius decus mox deflorat

aetas, in qua defluit.
fit flos fenum, gemma lutum,
homo cinis, dum tributum
huic morti tribuit.   30

NIGEL LONGCHAMP

d. c. 1205

243 *The Ass who wanted a Longer Tail*

AURIBUS immensis quondam donatus asellus
    institit ut caudam posset habere parem.
cauda suo capiti quia se conferre nequibat,
    altius ingemuit de brevitate sua,
non quia longa satis non esset ad utilitatem.   5
    ante tamen quam sic apocopata foret,
consuluit medicos, quia quod natura nequibat,
    artis ab officio posse putabat eos.

Responsio Galieni

Cui Galienus ait: 'satis est bipedalis asello
    cauda; quid ulterius poscis, inepte, tibi?   10
sufficit ista tibi, nam quo productior esset,
    sordidior fieret proximiorque luto.
hac nisi contentus fueris, dum forte requiris
    prolongare nimis, abbreviabis eam.
quod natura dedit non sit tibi vile, sed illud   15
    inter divitias amplius esse puta.
crede mihi, vetus est tibi cauda salubrior ista
    natibus innata quam foret illa nova.'. . .

d. c. 1209

244 *The Hermaphrodite*

UXOR Thyresiae dum pleno ventre tumeret,
   numina consuluit quid velit esse tumor.
Phoebus ait: vir erit; Venus inquit: femina fiet;
   inquit Neptunus: imo puella puer.
respondit verbis res, concipit illa, puerque   5
   femina, vir, neutrum—nascitur omne simul.
ille vel illa fuit, res nescio quae duo solus:
   neuter, uterque, puer, femina, plura, nihil.
necdum florentes puer iste reliquerat annos
   cum de morte sua consulit ipse deos.   10
praedixit Venus hunc laqueis occumbere, telo
   Mars, Neptunus aquis; singula pondus habent.
hospes aquae pinus fuit, ascendit puer, ensis
   labitur incauto, labitur ipse super.
ramo praeda fuit pes, pectus perfodit ensis,   15
   unda caput mergit, ter perit unus homo.
causa necis tria sunt, et ramus, et ensis, et unda:
   quem tenet ille ligat; hic necat, illa premit.
pes pendens, latus effossum, mersum caput, haeret
   ramo, mucrone pungitur, amne necat.   20
corrigiam, pectus, caput, hamo, cuspide, fluctu,
   ramus, mucro, lacus, alligat, intrat, agit.

c. 1210

245   *How to describe Feminine Beauty*

PRAEFORMET capiti naturae circinus orbem;
     crinibus irrutilet color auri; lilia vernent
in specula frontis; vaccinia nigra coaequet
forma supercilii; geminos intersecet arcus
lactea forma viae; castiget regula nasi   5
ductum, ne citra sistat vel transeat aequum.
excubiae frontis radient utrimque gemelli
luce smaragdinea, vel sideris instar, ocelli.
aemula sit facies aurorae nec rubicundae
nec nitidae; sed utroque simul neutroque colore.   10
splendeat os forma spatii brevis, et quasi cycli
dimidii. tamquam praegnantia labra tumore
surgant, sed modico; rutilent ignita, sed igne
mansueto. dentes niveos compaginet ordo,
omnes unius staturae. thuris et oris   15
sit pariter conditus odor; mentumque polito
marmore plus poliat natura potentior arte.
succuba sit capiti pretiosa colore columna
lactea, quae speculum vultus supportet in altum.
ex cristallino procedat gutture quidam   20
splendor, qui possit oculos referire videntis
et cor furari. quadam se lege coaptent—
ne iaceant quasi descendant, nec stent quasi surgant,
sed recti sedeant humeri placeantque lacerti
forma tam gracili quam longa deliciosi.   25
confluat in tenues digitos substantia mollis
et macra, forma teres et lactea, linea longa

et directa: decor manuum se iactet in illis.
pectus, imago nivis, quasi quasdam collaterales
gemmas virgineas producat utrimque papillas.   30

JOSEPH OF EXETER

d. c. 1210

246   De Bello Troiano: The Death of
Protesilaus

ACRIUS incumbunt Phrygii, contra ira furentes
et pudor Argolicos armat, nunc littora perdunt,
nunc dubium lucrantur humum: bibit unda cruorem
alternum : at Phrygio Graecus sociare superbit.
emicat immodicus animi, metuensque priorem   5
solus in extremum iamiam proruperat agmen
turbidus Hysiphides: populum vaga turba secutum
non unam saevire manum creditque pavetque:
ceu Mars ipse premit: acies praevectus utraque
liquerat, ardebatque arces calcare, relicti   10
contemptor belli, sed anhelo fervidus Hector
obiicitur: 'quonam usque? hic terminus', inquit et ensem
nudat atrox, conumque nihil tutante pyropo
in pectus consedit ebur: mox intonat orsis,
'quisquis es, i felix, reliquisque superbior umbris, 15
Hectorea mactate manu': ruit unicus ille,
Laodamia, tuus, fidaeque oblitus amantis
non timidas in bella preces, non mollia iussa
pertulerat: primos teneri respectus amoris
cessit ad armorum fremitus: at nescia fati   20
Hemonis absentem suspirat moesta maritum,
et non sensuros vultus premit, oscula figens
cerea, difficilesque deos in vota fatigat.

nequicquam, iacet ille quidem, lapsusque iugales
impedit, et curru non agnoscente fatiscit.   25

GIRALDUS CAMBRENSIS

d. *c.* 1223

247   *'What a Piece of Work is a Man!'*

NATURAE secreta videt, rerumque tenores
     cogitat et causas ingeniosus homo:
astrorum cursus, solis lunaeque stupendes
     defectus, Phoebes ignibus unde vices;
fulmina quid pariat, quae causa tonitrua gignat,   5
     unde vigor penetrans tantus, et unde fragor;
cur fluat Oceanus et refluat, unde colore
     tam vario pluvias Iris in orbe notet;
unde tremat tellus, quis motus in aere ventum
     procreet, et variae temporis unde vices.   10
sic terras habitat, sic caelum pectore gestat,
     incola terrarum corpore, mente poli.
quod trahit ex terra corruptio terminat, et quod
     contrahit a caeli parte perenne manet.
vertitur in terram quod terrae est, spirat ad astra   15
     spiritus, et proprium quaerit utrumque suum.

248   *De subito amore*

FONS erat irriguus, cui fecerat arbutus umbram,
     florens fronde, virens caespite, clarus aquis.
venerat huc virgo viridi sub tegmine sola,
     ingenuum tepida tinguere corpus aqua.
nam sol aestivus terras torrebat, et unda   5
     naturam poterat dedidicisse suam.

fors assum cupiens aestum vitare sub umbra,
    et delectari murmure dulcis aquae,
lumina paulatim virides penetrantia frondes
    quo cecidi casus in mea damna tulit.   10
hanc video visamque noto; collaudo notatam,
    iudicioque placent singula quaeque meo.
nuda sedet, niveusque nitor radiosus in undis
    fulget, et umbrosum non sinit esse locum.
non aliter Cypris, non luderet ipse Diana,   15
    non Nais sacri fontis amoena colens.
surgit ut Eois cum sol emergit ab undis:
    ut premit astra dies, sic premit illa diem.

STEPHEN LANGTON

d. 1228

249   *Veni, sancte spiritus*

VENI, sancte spiritus
  et emitte caelitus
    lucis tuae radium;

Veni, pater pauperum,
veni, dator munerum,   5
    veni, lumen cordium.

Consolator optime,
dulcis hospes animae,
    dulce refrigerium;

In labore requies,   10
in aestu temperies,
    in fletu solacium.

O lux beatissima,
reple cordis intima
   tuorum fidelium;   15

Sine tuo numine
nihil est in lumine,
   nihil est innoxium.

Lava quod est sordidum,
riga quod est aridum,   20
   sana quod est saucium;

Flecte quod est rigidum,
fove quod est frigidum,
   rege quod est devium.

Da tuis fidelibus   25
in te confidentibus
   sacrum septenarium;

Da virtutis meritum,
da salutis exitum,
   da perenne gaudium.   30

PHILIP THE CHANCELLOR

d. 1236

250   *Song for a Bishop*

CHRISTUS assistens pontifex
formam scripsit pontificum,
quibus praefecit unicum,
ut pauperum sit opifex;
in quo virtutum normula,   5
in quo vivendi regula:

monstrat, satis inspecta,
quod ceteris praemineat,
quasi qui viam doceat
    Zaccheus super tecta.   10

Non potuit inficere
Ioseph Venus Aegyptia,
nec hunc potest involvere
involvens omnes curia;
Martham dat sorti regiae,   15
Mariam regi gloriae
    totus intendens ei;
utraque fert insignia:
magnus in domo regia,
    maior in domo Dei.   20

Formam misericordiae
pie praescripsit ceteris,
ut subveniret miseris
in hac valle miseriae;
intrans urbem scholarium   25
sic pauper sanctuarium
    muneribus praevenit,
quod Sortes, Plato, Tullius,
tota clamat Parisius:
    benedictus qui venit.   30

Desit clausa sub modio
lucerna sanctuarii,
processit de Nemosio
columna sacerdotii;
Francorum vigil oculus,   35

affectu pio sedulus,
   totus intendens eo,
quod census reddat dispari:
   quae Caesaris sunt Caesari,
   et quae sunt Dei Deo.   40

Three Hymns on St. Mary Magdalene

251   *For Vespers*

PANGE, lingua, Magdalenae
   lacrimas et gaudium,
sonent voces laude plenae
   de concentu cordium,
ut concordet philomenae   5
   turturis suspirium.

Iesum quaerens convivarum
   turbas non erubuit,
pedes unxit, lacrimarum
   fluvio quos abluit,   10
crine tersit et culparum
   lavacrum promeruit.

Suum lavit mundatorem,
   rivo fons immaduit,
pium fudit fons liquorem   15
   et in ipsum refluit,
caelum terrae dedit rorem,
   terra caelum compluit.

In praedulci mixtione
   nardum ferens pisticum   20
in unguenti fusione
   typum gessit mysticum,

ut sanetur unctione,
  unxit aegra medicum.

Pie Christus hanc respexit   25
  speciali gratia,
quia multum hunc dilexit,
  dimittuntur omnia.
Christi, quando resurrexit,
  facta est praenuntia.   30

Gloria et honor Deo,
  qui paschalis hostia,
agnus mente, pugna leo,
  victor die tertia
resurrexit cum tropaeo   35
  mortis ferens spolia.

252   *For the Nocturn*

A ESTIMAVIT hortulanum
   et hoc sane credidit,
seminabat enim granum,
  quod in mentem cecidit,
linguam movit et non manum,   5
  lingua Iesum indidit.

Non agnovit figurali
  latentem imagine,
mentis agrum spiritali
  excolentem semine,   10
sed cum eam speciali
  designavit nomine.

379

Haec a Iesu Iesum quaerit,
  sublatum conqueritur,
Iesum intus mente gerit,   15
  Iesus praesens quaeritur,
mentem colit, mentem serit
  Iesus, nec percipitur.

Iesu bone, Iesu pie,
  quid te monstrans latitas?   20
quid occultas te Mariae,
  mentem cuius habitas?
intus plena vero die
  nescit ubi veritas.

O quam mire, Iesu, ludis,   25
  a quibus diligeris!
quando ludis, non illudis,
  nec fallis nec falleris,
sic includis quod excludis,
  notus non agnosceris.   30

Gloria et honor tibi,
  spes, vita, lux animae,
per quem sperat se proscribi
  libro mortis pessimae;
praestent sibi nos conscribi   35
  peccatricis lacrimae.

253   *For Lauds*

O MARIA, noli flere,
  iam non quaeras alium;
hortulanus hic est vere
  et colonus mentium,

intra mentis hortum quaere 5
   mentis operarium.

Unde planctus et lamentum?
   quid mentem non erigis?
quid revolvis monumentum?
   tecum est quem diligis; 10
Iesum quaeris, et inventum
   habes nec intelligis.

Unde gemis, unde ploras?
   verum habes gaudium;
latet in te, quod ignoras, 15
   doloris solacium;
intus habes, quaeris foras
   languoris remedium.

Iam non miror, si nescisti
   magistrum, dum seminat; 20
semen, quod est verbum Christi
   te magis illuminat,
et *Rabboni* respondisti,
   dum *Mariam* nominat.

Pedes Christi quae lavisti 25
   fonte lota gratiae,
quem ab ipso recepisti
   funde rorem veniae;
resurgentis, quem vidisti,
   fac consortes gloriae. 30

Gloria et honor Deo,
   cuius praefert gratia

invitanti pharisaeo
  Mariae suspiria,
cenam vitae qui dat reo   35
  gratiae post prandia.

254   *On the Roman Curia*

BULLA fulminante,
  sub iudice tonante
reo appellante,
sententia gravante
veritas opprimitur,   5
distrahitur
et venditur,
iustitia prostante;
itur et recurritur
ad curiam, nec ante   10
quid consequitur,
quam exuitur quadrante.

Si quaeris praebendas,
frustra vitam commendas,
mores non praetendas,   15
ne iudicem offendas.
frustra tuis litteris
inniteris,
moraberis
per plurimas calendas;   20
tandem expectaveris
a ceteris ferendas,
paris ponderis
pretio nisi contendas.

Papae ianitores   25
Cerbero surdiores,
in spe vana plores,
iam, etiamsi fores
quem audiit, Orpheus,
Pluto deus   30
Tartareus;
non ideo perores,
malleus argenteus
ni feriat ad fores,
ubi Proteus   35
variat mille colores.

Iupiter dum orat
Danen, frustra laborat,
sed eam deflorat,
auro dum se colorat;
auro nil potentius,   40
nil gratius,
nec Tullius
facundius perorat,
sed hos urit acrius,   45
quos amplius honorat,
nihil iustius,
calidum Crassus dum vorat.

255   *Planctus Christi de malis praesulibus*

QUID ultra tibi facere,
     vinea mea, potui?
quid potes mihi reddere,
     qui pro te caedi, conspui
     et crucifigi volui?   5

383

et tu pro tanto munere
baptismi fracto foedere
  praesumis vice mutui
me rursus crucifigere
  et habere ostentui.   10

Existimasti temere
  et me et mundo perfrui;
non possunt mihi vivere,
  qui non sunt mundo mortui;
  at tu, quas sperni docui,   15
non cessas opes quaerere
relicto Christo paupere,
  et quam signari volui
paupertatis caractere,
  mundano vacas luxui.   20

Verum a sanctuario
  procedit haec malitia,
et a cleri contagio
  monstra creantur omnia,
  qui diffluit luxuria   25
turpique marcet otio
in apparatu regio,
  facitque mutatoria
de meo patrimonio,
  qui sto nudus ad ostia.   30

Quid quod ipsa religio
  crucem fert in angaria,
et cum datur occasio,
  recurrit cum laetitia
  ad pepones et allia?   35

simulato negotio,
a plangentis officio
    redit ad saecularia
qui derelicto pallio
    fugerat ab Aegyptia.   40

Quasi non ministerium
    creditum sit pastoribus,
sed regnum ad imperium,
    nondum praecinctis renibus
    vacuisque lampadibus   45
usurpant sacerdotium
pensantque lanae pretium
    et non curant de ovibus,
de quorum sanguis ovium
    est requirendus manibus.   50

Meum ire vicarium
    meis deceret passibus,
meumque patrimonium
    meis dare pauperibus,
    non ignavis parentibus;   55
at in ovile ovium
non ingressi per ostium,
    sed vel vi vel muneribus,
quaesitis per flagitium
    abutuntur honoribus.   60

256 *The Virgin's Complaint to the Cross*

Virgo.   CRUX, de te volo conqueri:
quid est quod in te repperi
fructum tibi non debitum?

fructus quem virgo peperi
nil debet Adae veteri
   fructum gustanti vetitum.   5
intacti fructus uteri
tuus non debet fieri,
   culpae non habens meritum.

Cur pendet qui non meruit?   10
quid est quod te non horruit,
   cum sis reis patibulum?
cur solvit quod non rapuit?
cur ei qui non nocuit
   es poenale piaculum?   15
ei qui vitam tribuit
mortique nihil debuit
   mortis propinas poculum?

Te reorum suppliciis,
te culparum flagitiis   20
   ordinavit iustitia:
cur ergo iustum impiis,
cur virtutem cum vitiis
   sociavit nequitia?
redditur poena praemiis,   25
offensa beneficiis,
   honori contumelia.

Reis in te pendentibus,
homicidis, latronibus
   inflicta maledictio.   30
iusto pleno virtutibus,
ornato charismatibus,
   debetur benedictio.

ergo quid ad te pertinet?
cur vita mortem sustinet? 35
  habitus fit privatio?

Crux.   Virgo, tibi respondeo,
tibi cui totum debeo
  meorum decus palmitum;
de tuo flore fulgeo, 40
de tuo fructu gaudeo
  redditura depositum.
dulce pondus sustineo,
dulcem fructum possideo,
  mundo non tibi genitum. 45

Quodsi mortem non meruit,
quid, si mori disposuit,
  ut morte mortem tolleret?
lignum ligno opposuit,
solvit quod nunquam rapuit 50
  ut debitores liberet.
in Adam vita corruit,
quam secundus restituit,
  ut vita mortem superet.

Ulmus uvam non peperit: 55
quid tamen viti deperit,
  quod ulmus uvam sustinet?
fructum tuum non genui
sed oblatum non respui,
  ne poena culpam terminet. 60
a te mortalem habui,
immortalem restitui,
  ut mors in vitam germinet.

Tu vitis, uva filius:
quid uvae competentius   65
   quam torcular, quo premitur?
cur pressura fit durius,
nisi quia iucundius
   vinum sincerum bibitur?
quid uva pressa dulcius?   70
quid Christo passo gratius,
   in cuius morte vivitur?

Multi se iustos reputant,
filium a te postulant
   et ad me non respiciunt.   75
sed postquam tibi creditus
est apud me depositus,
   extra me non inveniunt.
quaerant in meo stipite,
sugant de meo palmite   80
   fructum tuum quem sitiunt.

Respondeas hypocritis:
filium meum quaeritis
   quem cruci dudum tradidi.
iam non pendet ad ubera;   85
pendet in cruce, verbera
   corporis monstrans lividi.
eum in cruce quaerite,
guttas cruentas bibite,
   aemulatores perfidi.   90

257   *Altercatio cordis et oculi*

QUISQUIS cordis et oculi
   non sentit in se iurgia,
non novit qui sint stimuli,
   quae culpae seminaria,
causam nescit periculi,   5
   cur alternent convicia,
cur procaces et aemuli
   replicent in se vitia.

Cor sic affatur oculum:
   te peccati principium,   10
te fomitem, te stimulum,
   te voco mortis nuntium;
tu, domus meae ianitor,
   hosti non claudis ostium,
familiaris proditor   15
   admittis adversarium.

Nonne fenestra diceris,
   qua mors intrat ad animam?
nonne quod vides sequeris
   ut bos ductus ad victimam?   20
cur non saltem, quas ingeris,
   sordes lavas per lacrimam?
aut quare non erueris
   mentem fermentans azymam?

Cordi respondet oculus: 25
   iniuste de me quereris,
servus sum tibi sedulus,
   exsequor quidquid iusseris;

389

nonne tu mihi praecipis
    sicut et membris ceteris?   30
non ego, tu te decipis:
    nuntius sum, quo miseris.

Cur damnatur apertio
    corpori necessaria,
sine cuius obsequio   35
    cuncta languent officia?
si quae fiat irreptio,
    cum sim fenestra vitrea,
si, quod recepi, nuntio,
    quae putatur iniuria?   40

Addo, quod nullo pulvere
    quem immittam pollueris,
nullum malum te laedere
    potest, nisi consenseris.
de corde mala prodeunt,   45
    nihil invitum pateris;
virtutes non intereunt,
    nisi culpam commiseris.

Dum sic uterque disputat
    soluto pacis osculo,   50
ratio litem amputat
    definitivo calculo;
reum utrumque reputat,
    sed non pari periculo,
nam cordi causam imputat,   55
    occasionem oculo.

258   *Repent!*

NITIMUR in vetitum
    et negata cupimus,
carne contra spiritum
    luctante succumbimus,
redimus ad vomitum   5
    et retro respicimus,
quod erat abolitum,
    libro mortis scribimus,
in peiorem exitum
    error est novissimus.   10

Qui plangit nec deserit
    maiori se subiicit,
ut qui, quod promiserit,
    in solvendo deficit,
ut qui plantas inserit,   15
    transferens nil proficit,
sic, qui mente conterit
    et promissum abiicit,
ut mater, quae peperit,
    et partum interficit.   20

Sera parsimonia
    est in fundo loculi,
sera poenitentia,
    cum clauduntur oculi,
talis est ut vitia   25
    fatentis latrunculi,
cum instant stipendia
    timore patibuli,

quaerit male conscia
  mens fugam latibuli.   30

Virgines introitum
  sero quaerunt fatuae,
clauduntur post perditum
equum sero ianuae.
festines ad exitum,   35
  praeveniri metue:
in inferno positum
  tamquam oves pascuae
tritum et commolitum
  mors pascet assidue.   40

Quid ergo, miserrime,
  quid dices, quid facies?
censetur, cum ultime
  venerit illa dies,
cum paschalis victimae   45
  vulnera conspicies;
tunc inanes lacrimae,
  tunc nihil proficies,
passiones animae
  foetor, ignis, glacies.   50

THOMAS OF CELANO

d. *c.* 1255

259   *Dies irae, dies illa*

DIES irae, dies illa,
  solvet saeclum in favilla,
teste David cum Sibylla.

Quantus tremor est futurus,
quando iudex est venturus,   5
cuncta stricte discussurus!

Tuba mirum sparget sonum
per sepulchra regionum,
coget omnes ante thronum.

Mors stupebit et natura,   10
cum resurget creatura
iudicanti responsura.

Liber scriptus proferetur,
in quo totum continetur,
unde mundus iudicetur.   15

Iudex ergo cum censebit,
quidquid latet apparebit:
nil inultum remanebit.

Quid sum miser tunc dicturus,
quem patronum rogaturus,   20
dum vix iustus sit securus?

Rex tremendae maiestatis,
qui salvandos salvas gratis,
salva me, fons pietatis!

Recordare, Iesu pie,   25
quod sum causa tuae viae;
ne me perdas illa die.

Quaerens me sedisti lassus;
redemisti, crucem passus;
tantus labor non sit cassus.   30

Iuste iudex ultionis,
donum fac remissionis
ante diem rationis.

Ingemisco tanquam reus,
culpa rubet vultus meus: 35
supplicanti parce, Deus.

Qui Mariam absolvisti
et latronem exaudisti,
mihi quoque spem dedisti.

Preces meae non sunt dignae,   40
sed tu, bonus, fac benigne,
ne perenni cremer igne.

Inter oves locum praesta
et ab haedis me sequestra
statuens in parte dextra.   45

Confutatis maledictis,
flammis acribus addictis,
voca me cum benedictis.

Oro supplex et acclinis,
cor contritum quasi cinis: 50
gere curam mei finis.

ST. BONAVENTURA

d. 1274

260   *From the Office of the Holy Cross*

IN passione Domini,
qua datur salus homini,
sit nostrum refrigerium
et cordis desiderium.

Portemus in memoria   5
et poenas et opprobria
Christi, coronam spineam,
crucem, clavos et lanceam.

Et plagas sacratissimas,
omni laude dignissimas,   10
acetum, fel, arundinem,
mortis amaritudinem.

Haec omnia nos satient
et dulciter inebrient,
nos repleant virtutibus   15
et gloriosis fructibus.

Te crucifixum colimus
et toto corde poscimus,
ut nos sanctorum coetibus
coniungas in caelestibus.   20

Laus, honor Christo vendito
et sine causa prodito,
passo mortem pro populo
in aspero patibulo.

261 From the *Laudismus de Sancta Cruce*

RECORDARE sanctae crucis,
   qui perfectam vitam ducis,
   delectare iugiter;
sanctae crucis recordare,
et in ipsa meditare   5
   insatiabiliter.

Stes in cruce Christo duce,
donec vivas in hac luce
   moto procul taedio,
non quiescas nec tepescas,   10
in hoc crescas et calescas
   cordis desiderio.

Ama crucem, mundi lucem,
et habebis Christum ducem
   per aeterna saecula;   15
cruce corpus circumcinge,
hanc constringe, manu pinge
   consignando singula.

Cor in cruce, crux in corde
sit, cum corde sine sorde,   20
   quae tranquillum faciat;
lingua crux efficiatur,
crucem promat et loquatur
   et nunquam deficiat.

Crux in corde, crux in ore   25
quodam intimo sapore
   det tibi dulcedinem,
crux in membris dominetur
et ubique situetur
   intra totum hominem.   30

Cor a cruce sorbeatur
et in illam rapiatur
   amoris incendio,
dissipata carnis rixa
mens sit tota crucifixa   35
   spiritali gaudio.

Specialem fer amorem
et praecipuum honorem
   cruci salutiferae,
cum fervore medullarum   40
nisu virium tuarum
   velis hanc diligere.

In praeclara cruce stude
et in ipsam te reclude
   magna cum laetitia;   45
Christo sis confixus cruci,
ut tu valeas perduci
   secum ad caelestia.

Quaere crucem, quaere clavos,
quaere manus, pedes cavos,
   quaere fossam lateris;   50
ibi plaude, ibi gaude
sine fraude summa laude,
   quantumcunque poteris.

Istud pactum non sit fractum,   55
crux praecedat omnem actum,
   ut succedant prospera;
crux est optima medela,
contra zabulorum tela
   valde salutifera.   60

d. 1274

262   *Sequence for Corpus Christi*

LAUDA, Sion, salvatorem,
 lauda ducem et pastorem
in hymnis et canticis:
quantum potes, tantum aude,
quia maior omni laude,   5
    nec laudare sufficis.

Laudis thema specialis
panis vivus et vitalis
    hodie proponitur,
quem in sacrae mensa cenae   10
turbae fratrum duodenae
    datum non ambigitur.

Sit laus plena, sit sonora,
sit iucunda, sit decora
    mentis iubilatio;   15
dies enim sollemnis agitur,
in qua mensae prima recolitur
    huius institutio.

In hac mensa novi regis
novum pascha novae legis   20
    phase vetus terminat;
vetustatem novitas,
umbram fugat veritas,
    noctem lux eliminat.

398

Quod in cena Christus gessit,   25
faciendum hoc expressit
  in sui memoriam;
docti sacris institutis
panem, vinum in salutis
  consecramus hostiam.   30

Dogma datur Christianis
quod in carnem transit panis
  et vinum in sanguinem:
quod non capis, quod non vides
animosa firmat fides   35
  praeter rerum ordinem.

Sub diversis speciebus,
signis tantum et non rebus,
  latent res eximiae;
caro cibus, sanguis potus,   40
manet tamen Christus totus
  sub utraque specie.

A sumente non concisus,
non confractus, non divisus,
  integer accipitur;   45
sumit unus, sumunt mille,
quantum isti, tantum ille,
  nec sumptus consumitur.

Sumunt boni, sumunt mali,
sorte tamen inaequali   50
  vitae vel interitus:
mors est malis, vita bonis;
vide, paris sumptionis
  quam sit dispar exitus.

Fracto demum sacramento   55
ne vacilles, sed memento
tantum esse sub fragmento
    quantum toto tegitur:
nulla rei fit scissura,
signi tantum fit fractura,   60
qua nec status nec statura
    signati minuitur.

Ecce panis angelorum
factus cibus viatorum,
vere panis filiorum,   65
    non mittendus canibus:
in figuris praesignatur,
cum Isaac immolatur,
agnus paschae deputatur,
    datur manna patribus.   70

Bone pastor, panis vere,
Iesu, nostri miserere,
tu nos pasce, nos tuere,
tu nos bona fac videre
    in terra viventium: 75
tu qui cuncta scis et vales,
qui nos pascis hic mortales,
tu nos ibi commensales,
coheredes et sodales
    fac sanctorum civium.   80

263   *Hymn for Vespers (Corpus Christi)*

PANGE, lingua, gloriosi
   corporis mysterium
sanguinisque pretiosi
   quem in mundi pretium
fructus ventris generosi   5
   rex effudit gentium.

Nobis datus, nobis natus
   ex intacta virgine
et in mundo conversatus
   sparso verbi semine   10
sui moras incolatus
   miro clausit ordine.

In supremae nocte cenae
   recumbens cum fratribus,
observata lege plene   15
   cibis in legalibus
cibum turbae duodenae
   se dat suis manibus.

Verbum caro panem verum
   verbo carnem efficit,   20
fitque sanguis Christi merum
   et, si sensus deficit,
ad firmandum cor sincerum
   sola fides sufficit.

Tantum ergo sacramentum   25
   veneremur cernui,
et antiquum documentum

novo cedat ritui;
praestet fides supplementum
　　sensuum defectui.　　　　　　　　　　30

Genitori genitoque
　　laus et iubilatio,
salus, honor, virtus quoque
　　sit et benedictio,
procedenti ab utroque　　　　　　　　　35
　　compar sit laudatio.

264　　*Hymn for Lauds (Corpus Christi)*

VERBUM supernum prodiens,
　　nec patris linquens dexteram,
ad opus suum exiens
venit ad vitae vesperam.

In mortem a discipulo　　　　　　　　　5
suis tradendus aemulis
prius in vitae ferculo
se tradidit discipulis.

Quibus sub bina specie
carnem dedit et sanguinem,　　　　　　10
ut duplicis substantiae
totum cibaret hominem.

Se nascens dedit socium,
convescens in edulium,
se moriens in pretium,　　　　　　　　15
se regnans dat in praemium.

O salutaris hostia,
quae caeli pandis ostium,
bella premunt hostilia;
da robur, fer auxilium.   20

Uni trinoque Domino
sit sempiterna gloria,
qui vitam sine termino
nobis donet in patria.

265   *Meditation on the Blessed Sacrament*

ADORO devote, latens veritas,
te qui sub his formis vere latitas:
tibi se cor meum totum subicit,
quia te contemplans totum deficit.

Visus, gustus, tactus in te fallitur;   5
sed solus auditus tute creditur.
credo quicquid dixit Dei filius:
nihil veritatis verbo verius.

In cruce latebat sola deitas;
sed hic latet simul et humanitas.   10
ambo tamen credens atque confitens
peto quod petivit latro poenitens.

Plagas, sicut Thomas, non intueor;
meum tamen Deum te confiteor.
fac me tibi semper magis credere,   15
in te spem habere, te diligere.

O memoriale mortis Domini,
panis veram vitam praestans homini,
praesta meae menti de te vivere,
et te illi semper dulce sapere.   20

Pie pelicane, Iesu Domine,
me immundum munda tuo sanguine,
cuius una stilla salvum facere
totum mundum posset omni scelere.

Iesu, quem velatum nunc aspicio,   25
quando fiet illud quod tam cupio,
ut te revelata cernens facie
visu sim beatus tuae gloriae?
                              Amen.

JOHN OF HOWDEN

d. 1275

266   From his *Philomena*

AVE, verbum, ens in principio,
   caro factum pudoris gremio,
fac, quod fragret praesens laudatio
et placeris parvo praeconio.

Et tu, stella maris eximia,   5
mater patris et nati filia,
laude, precor, reple praecordia,
cum sis laudis mira materia.

Virgo, David orta progenie,
dola linguam hanc imperitiae   10
in sonantis lyram placentiae,
et iam psallas manu munditiae.

Proles David, parens eximia,
plectrum plices in laude propria
laudis tuae docens magnalia,   15
quibus caeli resultant atria.

Salutata caelesti nuntio,
gravidaris divino radio;
sed, cum alvus grandescit filio,
laurearis vernanti lilio.   20

Quae conceptu sola non laberis,
partu poena nulla deprimeris,
vim naturae, virgo, transgrederis
natum gignens vi casti foederis.

Natum ligas, mater, funiculo,   25
qui se sinit vinciri vinculo;
et praesepis reponis clanculo
angularem petram in angulo.

Caeli sola regyras circulum,
sole novo serenas saeculum;   30
pectus regi donas in pabulum
lacte fovens recentem flosculum.

Princeps pacis thronum ex ebore
sibi facit de tuo pectore;
unicornis domata robore   35
pium placas amoris pignore.

Uber uber in lactis pabulo
lac propinat lactanti flosculo,
quem cum, mater, honoras osculo,
plus florescis quam flos diluculo.   40

Lacte manans uber virgineum
imbrem flori dat temporaneum;
et flos sugens liquorem lacteum
in nitorem se transfert niveum.

Succus fovens florem dulcedinis   45
succos vincit amaritudinis;
mammam lambens allator luminis
noctem necat nostrae caliginis.

267   ## From the *Quindecim Gaudia*

VIRGO, vincens vernantia
   carnis pudore lilia,
materno laeta gaudio,
da tua loqui gaudia
linguae, quam ligant tristia   5
prae doloris supplicio;
omni digna praeconio,
si tuo stillicidio
perfundas iam praecordia,
laetus hoc refrigerio   10
te canam cum tripudio,
de te sumens solatia. . . .

Virgo, vena clementiae,
munus exilis hostiae,
quod prompsit cor insipiens,   15
placata sumas hodie,
tuae perennis gratiae
participem me faciens.
o stella polum ambiens,
navigantes reficiens,   20

praeluminosa facie
me luminosum faciens,
et noctem hanc excutiens,
ducas ad portum patriae. Amen.

268   The end of his *Quinquaginta Cantica*

Vox fidelium orantium et inducentium Christum sub
figura Ioseph, et terminatur liber

LAUDIS exiguae nunc munus accepta,
et cantico laudis oblatae placeris,
qui tua gratia languenti mederis,
et vota rectificas cordis inepta.

Dante te, Domine, vindicta quiescet,   5
ensis in vomerem te flante transibit;
vita te perdita reperto redibit,
teque vernante gratia reflorescet.

Ioseph inclusum carcere conspexisti,
labia cuius veritas edocebat,   10
opera cuius omnia disponebat
spiritus sapientiae quem dedisti.

Deducis ad lumen tellure demersum;
levatum e pulvere sceptra decorant,
et supplices hominum coetus adorant   15
turbido carceris squalore conspersum.

Quanta coruscas gratia lenitatis,
et quam miranda pietate redundas,
qui superborum ut cervices obtundas.
humiles alis ubere levitatis.   20

Fac tui verbi, Domine, nos sequaces,
nosque respicias de sede caelorum;
unias nos collegio parvulorum,
ut mistici simus secreti capaces,

Quod a prudentum cordibus elongatur,   25
et parvulorum sensibus innotescit,
quorum humilitas ut stella splendescit,
et innocentiae lucerna laudatur.

Nobis horrendum mitiga mundi mare,
et duc ad portum patriae praeminentem;   30
victimam effice nos tibi placentem,
cor tibi nostrum dedicans in altare.

Teres in cantico iam terra resultet,
tibi caelorum agmina modulentur,
et ut novella cantica cumulentur,   35
in laude nunc spiritus omnis exultet.
                Amen.

269   From the *Cythara, on the Passion of Christ*

LIBER vitae, lux superis,
intus et extra scriberis
pennae sculptura ferreae;
rubet membrana litteris,
dum lambit rorem lateris   5
limatae mucro lanceae;
flos marcet carnis niveae,
spineto gentis spineae,

passus iacturam vulneris;
virgae fructus virgineae   10
latet in fundo foveae,
rex squalet umbra carceris.

O qui nos sanas vulnere,
te sub amoris latere
mortis monstrat dilectio   15
cor pelicani gerere,
immo te plus diligere
probrosa probat passio.
nonne spinae rotatio,
sceptralis et illusio,   20
ipsumque genuflectere,
furum associatio,
fel, sputum et illusio
plus sunt quam morti cedere?

Defle, turtur, exequias   25
sponsi, necnon angustias,
singulare supplicium;
spinae morsuras varias,
dirae crucis angarias,
angens sceptri ludibrium,   30
arundinis convicium,
et risus illudentium,
in te profunde sentias;
necis maternae gladium,
per tuae mentis medium   35
compatiens traiicias.

270   From the *Quinquaginta Salutationes*

AVE, stella maris,
     virgo singularis,
vernans lilio;
quae cum salutaris,
veri gravidaris   5
solis radio,
pectus nunc praeconio
reple, quae cum replebaris
dudum Dei filio,
tactus inexperta maris,   10
nos replesti gaudio.

Ave, gignens florem,
cuius ad odorem
vita redditur;
nesciens marcorem,   15
profers praeter morem,
quo prosternitur
qui nos hic persequitur,
et adducit nunc horrorem,
nunc palpans alloquitur;   20
quem cum cernis, per terrorem
territus elabitur.

271   From the *Viola*

MARIA, laus divina,
      virginea regina,
vitis propinas vina,
languenti medicina,

410

tu salus repentina,   5
salvificans piscina,
tu summitas cedrina,
tabula cipressina,
viriditas laurina,
victoria palmina,   10
tu panis officina,
laetificans resina,
tu nux amigdalina,
tu solida carina,
tu stella matutina,   15
simplicitas agnina,
tu frameae vagina,
stabilitas petrina,
lux fulgens berillina,
visio saphirina,   20
scintilla iacinctina,
fenestra cristallina,
serenitas prasina,
tu rosa sine spina,
tu sedes eburnina,   25
puritas turturina,
iuventus aquilina,
facies columbina,
qua rabies lupina,
qua turbida rapina,   30
merguntur in sentina.

272 *The Last Supper*

AMOR facit, o princeps unice,
te cum tuis coenare coelice,
largiturum eis magnifice
corpus sacrum in panis apice.

Amor, sciens pro fructu veteri   5
nos sub mortis tributo fieri,
virginantis te fructum uteri
panem donat, ut vivant posteri.

Amor fructum fallentis arboris
fructu fallit pudici pectoris;   10
pomum purum et instar eboris
pomum premit nocivi nemoris.

Amor, Iesu, sic te mirificat,
quod tuorum pedes mundificat
tua manus, et exemplificat   15
nobis viam quae nos iustificat.

Amor, pius et potens vincere,
tunc iubebat te tuis dicere:
'hoc vobiscum pascha comedere
opto, priusquam fungar funere.'   20

Amor iubet, et dicis dulcius:
'ex hac vite non bibam amplius,
donec bibam vobiscum plenius
regno patris atque sublimius.'

JOHN PECHAM

d. 1292

273   The first part of his *Philomena*

PHILOMENA, praevia temporis amoeni,
quae recessum nuntias imbris atque caeni,
dum demulces animos tuo cantu leni,
avis prudentissima, ad me, quaeso, veni.

Veni, veni, mittam te, quo non possum ire,   5
ut amicum valeas cantu delinire,
tollens eius taedia voce dulcis lyrae,
quem, heu, modo nequeo verbis convenire.

Ergo, pia, suppleas meum imperfectum
salutando dulciter unicum dilectum   10
eique denunties, qualiter affectum
sit cor meum iugiter eius ad prospectum.

Quod si quaerat aliquis, quare te elegi
meum esse nuntium, sciat, quia legi
de te quaedam propria, quae divinae legi   15
coaptata mystice placent summo regi.

Igitur, carissime, audi nunc attente,
nam si cantum volucris huius serves mente,
eius imitatio spiritu docente
te caelestem musicum faciet repente.   20

De hac ave legitur, quod, cum deprehendit
mortem sibi proximam, arborem ascendit
summoque diluculo sursum rostrum tendit
diversisque cantibus totam se impendit.

Cantilenis dulcibus praevenit auroram,   25
sed cum dies rutilat circa primam horam,
elevatur altius vocem in sonoram,
in cantando nesciens pausam sive moram.

Circa vero tertiam quasi modum nescit,
quia semper gaudium cordis eius crescit,   30
fere guttur rumpitur, sic vox invalescit,
et quo cantat amplius, et plus inardescit.

Et cum in meridie sol est in fervore,
tunc disrumpit viscera nimio clamore,
Oci, oci clamitat illa suo more   35
sicque sensim deficit cantus prae labore.

Sic quassatis organis huius philomenae,
rostro tantum palpitans fit exsanguis paene,
sed ad nonam veniens moritur iam plene,
cum totius corporis disrumpuntur venae.   40

Ecce, dilectissime, breviter audisti
factum huius volucris, sed, si meministi,
diximus iam primitus, quia cantus isti
mystice conveniunt legi Iesu Christi.

Restat, ut intellegas esse philomenam   45
animam virtutibus et amore plenam,
quae, dum mente cogitat patriam amoenam,
satis favorabilem texit cantilenam.

Ad augmentum etenim suae sanctae spei
quaedam dies mystica demonstratur ei,   50
porro beneficia, quae de manu Dei
homo consecutus est, horae sunt diei.

Mane vel diluculum hominis est status,
in quo mirabiliter Adam est creatus;
hora prima, quando est Christus incarnatus;   55
tertiam dic spatium eius incolatus;

Sextam, cum a perfidis voluit ligari,
flagellari, conspui, dire cruciari,
a Iudaeis perfidis nequiter tractari,
crucifigi denique, clavis terebrari.   60

Nonam dic, cum moritur, quando consummatus
cursus est certaminis, quando superatus
est omnino zabulus et hinc exturbatus;
vesperam, cum Christus est sepulturae datus.

274   *Hymn on the Trinity*

IN maiestatis solio
tres sedent in triclinio,
nam non est consolatio
perfecta solitario.

Aeternae mentis oculo   5
dum pater in se flectitur,
in lucis suae speculo
imago par exprimitur.

Imaginis consortium
nativus praebet exitus,   10
consorsque spirant gaudium
ingenitus et genitus.

Hoc gaudium est spiritus,
quo patri natus iungitur,
et unum bonum funditus   15
in tribus his concluditur.

In tribus est simplicitas,
quos non distinguit qualitas,
nec obstat tribus unitas,
quam ampliat immensitas.   20

Per solam vim originis
communio fit numinis
nativi ductu germinis
votivique spiraminis.

Ingenito et genito   25
cum spiritu paraclito
honoris simpli debito
psallamus corde dedito.

ANONYMOUS

13th cent.

275   *Easter Song*

FRONDENTIBUS florentibus silvis sentibus,
  congaudet philomena voce plena
praecinentibus populis paschae praesentibus;
signa sunt amoena, mortis perit poena,
surgens die tertia confregit fortis infera.   5
eia surge, lauda, nam alauda,
merula, monedula, cuncta volucria
saecula futura canunt aurea:
fulgida, fructifera consonent omnia,
'Alleluya'.   10
Floret . . . .

ANONYMOUS

276 *Spring*

V ERIS ad imperia
renascuntur omnia,
amoris prooemia
corda premunt saucia
querula melodia   5
gratia praevia,
corda marcentia
media.
vitae vernat flos
intra nos.   10

Suspirat luscinia,
nostra sibi conscia
impetrent suspiria,
quod sequatur venia;
dirige, vitae via,   15
gratia praevia
viae dispendia
gravia.
vitae vernat flos
intra nos.   20

ANONYMOUS

277 *Exhortatio ad poenitentiam*

A D cor tuum revertere,
conditionis miserae
homo, cur spernis vivere?

cur dedicas te vitiis,
cur indulges malitiis, 5
cur excessus non corrigis
nec gressus tuos dirigis
in semitis iustitiae,
sed contra te quotidie
iram Dei exasperas? 10
in te succidi metue
radices ficus fatuae,
cum fructus nullos afferas.

O conditio misera,
considera, quam aspera 15
sit haec vita, mors altera
quae sic immutat statum!
cur non purgas reatum
sine mora,
cum sit hora 20
tibi mortis incognita,
et invita caritas,
quae non proficit,
prorsus aret et deficit
nec efficit 25
beatum.

Si vocatus ad nuptias,
advenias
sine veste nuptiali,
a curia regali 30
expelleris,
et obviam si veneris
sponso lampade vacua,
es quasi virgo fatua.

ergo vide, ne dormias,   35
sed vigilans aperias
    Domino, cum pulsaverit;
    beatus, quem invenerit
    vigilantem, cum venerit.

ANONYMOUS

13th cent.

278   *Cum animadverterem*

CUM animadverterem,
    venerando Venerem
me lavare laterem,
sensi, quod succumberem,
nisi culpam veterem   5
cum animadverterem.

Cum animadvertero,
quae, quanta, quot egero,
recte flere potero,
nisi declinavero,   10
nisi me de cetero
cum animadvertero.

Cum animadverteris,
in quibus deliqueris,
boni nihil operis,   15
nihil, inquam, reperis,
ergo nisi falleris,
cum animadverteris.

Cum animadvertere
te potes in scelere,   20
vertere, revertere,
dum potes, resurgere,
mentis homo liberae,
cum animadvertere.

Cum animadvertitur,   25
dum in carne vivitur,
quid a nobis agitur,
nihil si quis igitur
ratione regitur,
cum animadvertitur.   30

ANONYMOUS

13th cent.

279   *Pugna contra Venerem*

OLIM sudor Herculis
monstra late conterens,
pestes orbis auferens
claris longe titulis
enituit,   5
sed tandem defloruit
fama prius celebris
caecis clausa tenebris
Ioles illecebris
Alcide captivato.   10

Hydra damno capitum
facta locupletior,
omni peste saevior
reddere sollicitum

420

non potuit, 15
    quem puella domuit;
iugo cessit Veneris
vir, qui maior superis
coelum tulit humeris
    Atlante fatigato. 20

Caco tristis halitus
et flammarum vomitus
vel fuga Nesso duplici
    non profuit,
Geryon Hesperius 25
ianitorque Stygius
    uterque forma triplici
    non terruit,
    quem captivum tenuit
puella risu simplici. 30

Iugo cessit tenero,
somno qui letifero
    horti custodem divitis
        implicuit,
frontis Acheloiae 35
cornu dedit copiae,
    apro, leone domitis
        enituit,
Thraces equos imbuit
cruenti caede hospitis. 40

Anthei Libyci
    luctam sustinuit,
casus sophistici
    fraudes cohibuit,

cadere dum vetuit   45
sed qui sic explicuit
    luctae nodosos nexus,
vincitur et vincitur,
dum labitur
    magna Iovis soboles   50
        ad Ioles amplexus.

Tantis floruerat
    laborum titulis,
quem blandis carcerat
    puella vinculis,   55
    et dum lambit osculis,
    nectar huic labellulis
        venerium propinat;
vir solutus otiis
veneriis   60
    laborum memoriam
        et gloriam inclinat.

Sed Alcide fortior
aggredior
pugnam contra Venerem,   65
ut superem
hanc, fugio,
in hoc enim proelio
fugiendo fortius
et melius   70
    pugnatur,
sicque Venus vincitur,
dum fugitur,
    fugatur.

Dulces nodos Veneris   75
et carceris
blandi seras resero,
de cetero
ad alia
dum traducor studia.   80
o Lycori, valeas
et voveas
    quod vovi,
ab amore spiritum
sollicitum   85
    removi.

Amor famae meritum
    deflorat,
amans tempus perditum
    non plorat,   90
sed temere
diffluere
sub Venere
    laborat.

ANONYMOUS

13th cent.

280   *Transit Hebraeus libere*

L UTO carens et latere
  transit Hebraeus libere,
novo novus charactere;
    in sicco mente munda
transit Hebraeus libere   5
    baptismi mundus unda.

423

Servus liber ab opere
transit Hebraeus libere,
culpae recluso carcere;
  in sicco mente munda   10
transit Hebraeus libere
  baptismi mundus unda.

Mare dum videt cedere,
transit Hebraeus libere,
mergens sequentes temere;   15
  in sicco mente munda
transit Hebraeus libere
  baptismi mundus unda.

Agnus occisus vespere,
transit Hebraeus libere,   20
culpae solvit ab onere;
  in sicco mente munda
transit Hebraeus libere
  baptismi mundus unda.

Ioseph cisterna claudere,   25
transit Hebraeus libere,
Christum nequit mors premere;
  in sicco mente munda
transit Hebraeus libere
  baptismi mundus unda.   30

Ergo sepulto scelere,
transit Hebraeus libere,
Christum sequamur opere;
  in sicco mente munda
transit Hebraeus libere   35
  baptismi mundus unda.

Ut cum Christo resurgere,
transit Hebraeus libere,
praestet ad sedem dexterae;
   in sicco mente munda   40
transit Hebraeus libere
   baptismi mundus unda.

ANONYMOUS

13th cent.

281   *Song on the Power of Money*

QUI seminant in loculis
   per dandi frequens mutuum,
   reddituum
gaudebunt de manipulis.
nummus nunquam examinat,   5
quos ordinat,
   non enim servit numini,
   sed homini,
nummus claudit et aperit,
et quod non seminaverit   10
   metit in agro Domini.

Beati, qui esuriunt
   et arcessito Simone
   per mammone
quaestum, praebendas rapiunt.   15
qui dat, est potens omnium
per medium,
   et quia mundus eligit,
   qui porrigit,
cur exclamare dubitem—   20

super plenum et divitem
beatus, qui intelligit.

ANONYMOUS

282   *Beati mundo corde*

Bonum est confidere
   in dominorum Domino,
bonum est spem ponere
   in spei nostrae termino.
qui de regum potentia,   5
non de Dei clementia
   spem concipis,
   te decipis
   et excipis
   ab aula summi principis.   10
quid in opum aggere
   exaggeras peccatum?
   in Deo cogitatum
      tuum iacta,
      prius acta   15
   studeas corrigere,
in labore manuum
et sudore vultuum
   pane tuo vescere.

Carnis ab ergastulo   20
   liber eat spiritus,
ne peccati vinculo
      vinciatur
      et trahatur

ad inferni gemitus,　　　　　　　25
ubi locus flentium,
ubi stridor dentium,
　　ubi poena gehennali
　　affliguntur omnes mali;
　　　　in die novissimo,　　　　30
　　　　in die gravissimo,
quando iudex venerit,
　　ut trituret aream
　　et exstirpet vineam,
quae fructum non fecerit,　　　　35
　　sic granum a palea
　　　　separabit, congregabit
triticum in horrea.

O beati mundo corde,
quos peccati tersa sorde　　　　40
　　vitium non inquinat,
　　scelus non examinat;
nec arguunt peccata,
　　qui Domini mandata
custodiunt et sitiunt;　　　　　45
beati, qui esuriunt
　　et confidunt in Domino,
　　nec cogitant de crastino.
beati, qui non implicant
　　se curis temporalibus,　　　50
qui talentum multiplicant
et verbum Dei praedicant
　　omissis secularibus.

ANONYMOUS

283   *The Lament of Samson*

SAMSON, dux fortissime,
  victor potentissime,
    quid facis in carcere,
      o victor omnium?
    quis te quivit vincere   5
      vel per somnium?
victus es, o victor
  hostium,
captus es, o captor
  omnium,   10
    o victor omnium,
    captus es.

Samson, dux mirabilis,
modo miserabilis,
    quid facis in angulo   15
      taetri carceris?
    te dedit ergastulo
      fraus mulieris;
avulsis oculis
  caecus es,   20
iam tonsis crinibus
  calvus es,
    sed si recreverint,
    salvus es.

Sponsa mihi placuit   25
  alienarum

et amavi virginem
  Philistinarum;
favum mihi reddidit
  rex bestiarum,   30
iunxi caudas vulpium
  plus quam trecentarum,
dissipavi palmites
  tot vinearum
et combussi segetes   35
  agricolarum.

Mille rupi vincula,
propter te, iuvencula,
feci tot miracula,
    post in solitudine   40
    gravi fortitudine
    magna multitudine
constipati veniunt,
capere me cupiunt,
pauci vix effugiunt.   45
    circumdor ab hostibus
    et armis et fustibus,
    instant totis viribus,
    solus ego nisibus
    praevalebam millibus.   50

Mille viros mortibus
  in proelio
meis dedi manibus
  et gladio,
mille viros mortibus   55
  mandibula

tuis dedi morsibus,
  asellula.

Vach tibi Philistiim
sub tributis Nephtalim,   60
  cui sic allophyli
  reputantur nihili,
optimates Ismael
servierunt Israel.

Urbem vallaverant,   65
me quasi vicerant,
  fidenter,
nocte diluculo
surrexi clanculo
  silenter.   70

Post amavi Dalidam,
virginem pulcherrimam,
corpore iuvenculam,
fraudibus vulpeculam.
cum libaret poculum,   75
porrigebat osculum
serviens ad oculum,
seducebat populum.

Dalida dixit:

Dic mihi, carissime,
victorum fortissime,   80
ubi polles viribus
prae cunctis mortalibus?
ubi vires corporis,
ubi robur pectoris?

430

utrum divo numine   85
praevales an carmine?

Si nerveis fustibus
vinciar aut restibus
circumplexis crinibus
    cum linteo,   90
par ero mortalibus,
    sic aio.

Quidquid egit perfida,
temptat arte callida,
sed rumpuntur laquei   95
quasi funes stuppei.
feminae ter restiti,
tandem victus exstiti;
qui vincebam omnia,
victus sum a femina.   100

Proh dolor, proh dolor,
detegor miraculo:
prope rasis crinibus
    rasorio,
par ero mortalibus   105
    calvitio.

Voluptatis praemio
meretricis gremio
iam privatim dormio;
illa mordax vipera,   110
agna prius tenera,
furtim rapit forfices
et clamabat principes:

Philistim, Philistim,
   surgite,   115
clipeos et lanceas
   arripite,
i et e, a et o,
hostem victum teneo.

Idumaei, Gebusei   120
   veniunt,
Gergesaei, Pheresei
   capiunt,
Philistei verberant.

Orbaverunt lumine   125
consecratum numine;
tanto perit fulmine,
qui se credit feminae.

Nolunt mihi
nolunt mihi parcere,   130
crucior, vincior,
morior in carcere.

Perfero ludibria,
risus et opprobria;
sed, si crines creverint,   135
reddam, quidquid fecerint.

Quando festa veniunt,
ludere me faciunt;
   crines creverunt,
   vires venerunt.   140

Dies festus aderat
et senatus sederat;
  more dicunt solito:
  nobis ludos facito,
    plaude.   145

Ludens ludebam,
lugebam lugens,
columnam arripui,
totam domum subrui;
fere tria milia   150
observabant atria.
pro tali victoria
Samson sit in gloria.

ANONYMOUS

13th cent.

284   *Vanitas vanitatum*

CUR mundus militat sub vana gloria,
  cuius prosperitas est transitoria?
tam cito labitur eius potentia,
quam vasa figuli, quae sunt fragilia.

Plus fides litteris scriptis in glacie   5
quam mundi fragilis vanae fallaciae;
fallax in praemiis, virtutis specie,
qui nunquam habuit tempus fiduciae.

Credendum magis est viris fallacibus,
quam mundi miseris prosperitatibus,   10
falsis insaniis et vanitatibus
falsisque studiis et voluptatibus.

Quam breve festum est haec mundi gloria!
ut umbra hominis sic eius gaudia,
quae semper subtrahunt aeterna praemia,   15
et ducunt hominem ad dura devia.

O esca vermium! o massa pulveris!
o ros, o vanitas, cur sic extolleris?
ignorans penitus, utrum cras vixeris,
fac bonum omnibus, quamdiu poteris.   20

Haec carnis gloria, quae tanti penditur,
sacris in litteris flos feni dicitur;
ut leve folium quod vento rapitur,
sic vita hominis luci subtrahitur.

Nil tuum dixeris quod potes perdere,   25
quod mundus tribuit intendit rapere:
superna cogita, cor sit in aethere,
felix qui potuit mundum contemnere!

Dic, ubi Salomon, olim tam nobilis,
vel ubi Samson est, dux invincibilis,   30
vel pulcher Absalon, vultu mirabilis,
vel dulcis Ionathas, multum amabilis?

Quo Caesar abiit, celsus imperio,
vel Dives splendidus, totus in prandio?
dic, ubi Tullius, clarus eloquio,   35
vel Aristoteles, summus ingenio?

Tot clari proceres, tot rerum spatia,
tot ora praesulum, tot regna fortia,
tot mundi principes, tanta potentia,
in ictu oculi clauduntur omnia.   40

ANONYMOUS

285
Stabat mater

STABAT mater dolorosa
iuxta crucem lacrimosa,
  dum pendebat filius;
cuius animam gementem
contristantem et dolentem   5
  pertransivit gladius.

O quam tristis et afflicta
fuit illa benedicta
  mater unigeniti!
quae maerebat et dolebat,
et tremebat, cum videbat   10
  nati poenas incliti.

Quis est homo qui non fleret
matrem Christi si videret
  in tanto supplicio?
quis non posset contristari,   15
piam matrem contemplari
  dolentem cum filio?

Pro peccatis suae gentis
Iesum vidit in tormentis,   20
  et flagellis subditum,
vidit suum dulcem natum
morientem, desolatum,
  cum emisit spiritum.

Eia, mater, fons amoris,   25
me sentire vim doloris
   fac, ut tecum lugeam;
fac ut ardeat cor meum
in amando Christum Deum,
   ut sibi complaceam.   30

Sancta mater, illud agas,
crucifixi fige plagas
   cordi meo valide;
tui nati vulnerati,
tam dignati pro me pati,   35
   poenas mecum divide.

Fac me vere tecum flere,
crucifixo condolere,
   donec ego vixero.
iuxta crucem tecum stare,   40
te libenter sociare
   in planctu desidero.

Virgo virginum praeclara,
mihi iam non sis amara;
   fac me tecum plangere,   45
fac, ut portem Christi mortem,
passionis eius sortem
   et plagas recolere.

Fac me plagis vulnerari
cruce hac inebriari   50
   ob amorem filii;
inflammatus et accensus
per te, virgo, sim defensus
   in die iudicii.

Fac me cruce custodiri,   55
morte Christi praemuniri,
    confoveri gratia;
quando corpus morietur,
fac ut animae donetur
    paradisi gloria.   60

ANONYMOUS

c. 1300

286 *Why there is a Weather-cock on the*
Church Tower

MULTI sunt presbyteri qui ignorant, quare
super domum Domini gallus solet stare;
quod propono breviter vobis propalare.
si vultis benevolas aures mihi dare.

Gallus est mirabilis Dei creatura,   5
et sic bonus presbyter eius fit figura,
qui praeest ecclesiae animarum cura,
stans pro suis subditis contra nocitura.

Supra crucem positus gallus contra ventum
caput diligentius erigit extentum;   10
sic plebanus, ubi scit praedonis adventum,
illi se obiiciat pro grege bidentum.

Videmus, quod piger est gallus aliquando
sive levis nimium contra ventum stando;
sic multi presbyteri quasi dormitando   15
locum dant diabolo, praedoni nefando.

Gallus regit plurimam turbam gallinarum,
et sollicitudinem magnam habet harum;
sic plebanus, capiens curam animarum,
doceat et faciat quod sit Deo carum.　　　　20

Gallus granum colligens convocat uxores
et illud distribuit ante cariores;
tales discat presbyter pietatis mores,
dando suis subditis scripturarum flores.

Gallus tempus praecinens horae nocturnalis　　25
primitus a propriis se castigat alis;
castigando primum se pastor fiat talis,
tunc dicendo subvenit subditorum malis.

Quasi rex in capite gallus coronatur,
in pede calcaribus ut miles armatur,　　　　30
quanto plus fit senior pennis deauratur,
in nocte dum concinit, leo conturbatur;

Sic pastor, qui bene scit populo praeesse,
pigros cum calcaribus monet indefesse,
confortando debiles verbi Dei messe,　　　　35
post laborem aureus ut rex debet esse.

Solet leo tremere de galli canore,
et fugit diabolus solito de more
gallus cum cantaverit, sed magis ab ore
albi galli: reor hoc in figura fore.　　　　40

Castitas albedine solet figurari,
et plebani maxime solent honorari
illi qui luxuria nolunt inquinari;
ab his credo citius daemones fugari.

Gallus suas feminas solet verberare   45
has, quas cum extraneo novit ambulare;
sic sacerdos subditos debet castigare,
contra legem Domini qui solent peccare.

Basiliscus nascitur ovis de gallorum;
sic crescit diabolus ex presbyterorum   50
magna negligentia, qui de subditorum
non curant sceleribus nec de spe caelorum.

Pullos solet ducere gallus mutilatus
et a mulieribus per hoc fit amatus;
sic pro caeli gloria presbyter castratus   55
Deo et hominibus per hoc erit gratus.

Gallus nunquam negligit tempus vespertinum,
tunc cum suis subditis volat ad supinum,
ut in nocte media tempus matutinum
servis Dei praecinat ad opus divinum;   60

Sic et bonus presbyter, respuens terrena,
ducat suos subditos ex inferni poena,
praebens iter caelicum caeli per amoena
ut, cum Christus venerit, turba sit serena.

Haec nobis sufficiant de gallo notata   65
et in audientium corde sint locata
tenaci memoria, quasi nux muscata
plus reddit aromata, bene masticata.

Imitator galli sis, sapiens plebane,
vivendo sollicite, consurgendo mane;   70
lege, stude, praedica, horas tuas cane,
et sic in caelestibus corde, mente mane.

after 1300

287   *Ave, verum corpus*

AVE, verum corpus natum
    ex Maria virgine,
vere passum, immolatum
    in cruce pro homine;
cuius latus perforatum   5
    vero fluxit sanguine,
esto nobis praegustatum
    mortis in examine.
        o dulcis! o pie!
        o fili Mariae!   10

c. 1300

288   *New Year's Day*

TUTA canit Michael
        gaudia.
natus est rex Israel.
        eia, eia,
        anni novi   5
        nova novi
        gaudia.

In excelsis canitur
        gloria,
terris pax indicitur.   10
        eia, eia, etc.

440

ANONYMOUS

Nostra nobis redditur
patria,
in qua bene vivitur.
eia, eia, etc.   15

Devitemus igitur
vitia
per quae virtus moritur.
eia, eia, etc.

Sua spargat castitas   20
lilia:
peperit virginitas.
eia, eia, etc.

ANONYMOUS

c. 1300

289   *The Assumption*

CANTET omnis creatura:
sua refert nobis iura,
sua refert nobis iura
virginis assumptio.
o, o   5
Domino
concinat haec contio.

Cantet omnis creatura:
sua refert nobis iura.
cibi potusque mensura   10
    sit in hoc sollemnio.
        o, o, etc.

Christo regi demus tura:
sua refert nobis iura.
pio corde, mente pura,   15
    puro desiderio.
        o, o, etc.

Dedit suum ius Natura:
sua refert nobis iura.
rerum factor fit factura   20
    virginis in gremio.
        o, o, etc.

RICHARD ROLLE OF HAMPOLE

d. 1349

290   *Canticum Amoris de Beata Virgine*

ZELO tui langueo.   virgo speciosa.
  sistens in suspirio   mens est amorosa:
diu dare distulit,   diva generosa,
quod cordis concupiit   musa non exosa.

Salve, salus miseri   mei et medela.   5
arcet amor operi,   cuius tenent tela;
pectus palma percutit;   clamo cum cautela:
dilecta me diripit,   privans parentela.

Hec dulcis dilectio   mentem obumbravit;
gerens iam indicio,   hanc, urens, amavit.   10
iuvenem ingenue   amor alligavit
et astantem strenue   sibi separavit.

Puella pulcerrima   prostravit ludentem.
fronsque serenissima   facit hunc languentem;
crines auro similes   carpunt conquerentem;   15
gene preamabiles   solantur sedentem;

Erecta supercilia   fulgent floris florum;
ut rosa rubent labia;   os valde decorum;
preclari sunt oculi,   perpleni amorum;
hiis gaudent iuvenculi,   a loris dolorum.   20

Color colli cohibet   me illam amare.
amor intus exhibet   secum habitare.
huius una visio   me posset sanare,
dulcis delectacio   semper saciare.

Splendet eius species   supra modum rerum;   25
tam formosa facies   non est mulierum.
hec devincit lilium,   quamquam sit sincerum;
singulare solium   amor habet verum.

Nive est candidior,   mira margarita,
sole ac lucidior,   pulcra polimita,   30
clara ut carbunculus   nitide nutrita:
hinc geror iuvenculus   in languente vita.

Longitudo laterum,   predecens statura,
manus, pectus, brachium,   generis iunctura:
predico precellere   quod concedunt iura;   35
nam nescitur vivere   talis creatura.

Tam decoram feminam   numquam fecit Deus.
hanc dat amantissimam   canor iubileus;
expugno perfidiam.   dum errat Hebreus
conquirens clemenciam,   hec est amor meus.   40

Luce extat pulcrior   fulgida stellarum,
rosa rubicundior,   decus puellarum:
felix festum fuerit,   non forum ferarum,
ista que habuerit   captum sibi carum.

Miserere misero,   virgo quam amavi: 45
cernere desidero;   leviter portavi.
aufers quod hec offerunt: multas refutavi;
quamvis dulces disserunt,   me tibi servavi.

Tantam pulcritudinem   presto sum placare,
mellisque dulcedinem   vel guttam gustare;   50
dignare, dulcissima,   quod dilexi dare:
est quo ardet anima   amenum amare.

En rigore vulneror   stringentis amoris
et in plaga penetror   dulcore decoris:
digiti sunt graciles   candentis coloris;   55
lucidi, laudabiles   nasus, mentum, auris.

Claret carnis castitas: fervens flos fundaris.
nectat nos nobilitas;   amatrix, amaris.
nivea nigredinem   digne detestaris,
habens altitudinem   summam singularis.   60

Iam laboro languidus: assis medicina;
ex firmaque fervidus   regnantis cortina
carbo cordis caluit,   virgo et regina,
quo vernare valuit   caro columbina.

Vento est velocior   virtus virginalis;   65
sedenti similior   requies regalis;
pulcra placens puero   nulla vivit talis:
apte hanc amavero,   que carebat malis.

Preclara progenies   iure generantis
mellis est millesies   dulcior stillantis;   70
cinamomo redolet   dulcedo durantis:
balsamum hec baiulet   melos et manantis.

Felicem fragranciam   possidet puella,
aromatis instanciam,   ora super mella;
fugat flos fantasmata   subsistentis sella: 75
rimans et almiphona,   non linquas novella.

Nova nitor nectare   auferens obscena,
ut queat consurgere   clara cantilena;
quam, dulcis, non deseras,   dum audis amena;
sed amantem arceas   amoris habena.   80

Tibi, cara, canticum   emitto mansuetus:
melos mulcet musicum: terror est deletus.
concino quod carmine   remanerem letus
pro tua dulcedine,   qua fruor concretus.

Ex splendente specie   solamen suspexi: 85
non neges diligere,   nam ego dilexi.
sufficit quod sedeam,   cernens quo surrexi,
et amatam habeam   in quam cor innexi.

Candet sine macula   flos fecunditatis;
fervet hinc ut facula   canor caritatis.   90
iubilus est iuvenum,   ros atque renatis,
vis et virtus virginum,   concors castitatis.

Lancea letificat   que mentem transfixit;
amantem amplificat: sic dilectrix dicit.
ludam cum hac leviter   ut fides se fixit;   95
nam sonans suaviter   cithara revixit.

Pulcritudo perforat   claustrum cordis mei
et amantem roborat   gemma speciei;
nichil nunc iocundius   restat requiei
quam si carmen canimus   cantus iubilei.   100

Eminente langueo   lucentis decore
et pene deficio: sic artor amore;
mors michi medebitur,   levans a languore,
nec fervor frustrabitur   felix ab honore.

Virtuosa vernula,   lux super solare,   105
amatoris emula   estu obumbrare,
puella est pulcrior   quam possum probare,
ut cantem capacior,   ardet amor a re.

Ipsa excellencius   nichil est creatum,
nec erit fervencius   amans et amatum.   110
nitenti nil editur   quod sit comparatum;
mens inde merebitur   balsamum beatum.

Botrum bonum baiulo   in cordis canore,
et amans evigilo   a sordis sudore.
languens psallit spiritus,   laxat laus labore;   115
nam datur divinitus   quod ardet amore.

Puellaris puritas   hec aromatizans,
fecunda formositas,   scala scaturizans
non valebunt exprimi,   nitor neumatizans;
nam amorem cecini,   nusquam scandalizans.   120

Letum carmen concino,   pondus portans spei,
et amore langueo   resplendentis rei.
celo est serenior   inquisita mei;
omnibus amancior,   sum electus ei.

Non abit quod offero   ab amantis ara;   125
nam sic sanum suffero   in camena clara:
ympnum yperliricum,   virgo, michi para,
et in hoc te concrepem,   super cunctas cara.

Odas habet organum   admixtas amori,
suave psalterium   concentus canori;   130
signum est dulcissonum   deducens decori,
melos et mirificum,   in quo vincor mori.

Puellarem speciem   puto principalem
et scindo segniciem,   sperans specialem;
eius glisco graciam   que nescit equalem,   135
delens et infamiam   et morsum letalem.

Hec est excellencior   supra stellas celi.
manet mens fervencior   tactu tenta teli.
salus sancte subditur: carpat a crudeli;
amans nam imbuitur   ex dulcore meli.   140

Ago dum exilia,   virgo alta, ave!
divina subsellia   et Christi conclave
nititur misterium   sanctum et suave:
cordique dominium   tenet felix, fave!

Salve, supra seraphin   celo sublevata,   145
cum complente cherubin   care coronata,
preclara, persymphona,   alme augmentata,
mira et magnifica,   perfecte prolata.

Prefulgenti virgini   do preconia,
et dignentur inprimi   floris gaudia.   150
amans intus ardeo,   vincens vilia;
zelo tui langueo,   virgo regia.

Virgo decora, pari sine, vivens pure dilexi,
squalentis heremi cupiens et in arvis haberi;
per citharam sonui celicam, subiectus amori.   155
virgo, quam cecini, animam sublima Ricardi.

NOTES

1, p. 1. Ed. E. Ludwig, Leipzig, 1877, i. 30 sq.; Commodianus, who lived in the second half of the third century (though some would place him later), was an African. His poems, meant for the instruction of unlettered audiences, show a knowledge of quantity, but were to be read according to the word-accent. His is fond of acrostichs. This piece is from his *Instructiones*.

2, p. 1. From the *Carmen Apologeticum*, Ludwig, ib. ii. 5.

1 The myth of the Phoenix was taken over from the classical world by the Christians. For the poem of Lactantius on the subject, *Oxford Book of Latin Verse*, No. 310, pp. 362 sqq.

3, p. 2. Ed. C. Schenkl, *Poetae Christiani Minores*, i, *Corpus Script. Eccles. Lat.* xvi. 572 sq. Proba, a Christian lady of high birth, and daughter of a consul, here turns to Christian uses the Virgilian cento, which had been fashionable in the heathen schools. Others followed her example.

23 *Sicyonia baca*, *Georg.* ii. 519, the olive.

4, p. 3. Ed. J. Hümer, *Evangeliorum Libri IV*, *Corpus Script. Eccles. Lat.* xxiv. 143 sq. Iuvencus was a priest from Spain, who composed his 'epic' on the Gospels in the reign of Constantine the Great.

5, p. 4. *Analecta Hymnica*, l, No. 3, pp. 8 sq. Hilary, one of the Western fathers and a defender of the Trinitarian faith, a teacher and theologian, Bishop of Poitiers, wrote hymns for the instruction of his flock. No. 5, in trochaic tetrameters, celebrates the victory of the second Adam over the power of evil.

1 I accept Meyer's reading of *gloriosa* for the *gloria* of the (only) manuscript, which does not preserve the whole of the hymn. The sense then is: 'Let us sing together the glorious strife of Adam's flesh and fallen body (which took place) in the heavenly Adam, through which for the first time Satan was overcome in the new Adam'. 4 *fallax saeculorum*, 'who has deceived men throughout the ages.' 6 'thinks that human hopes offer men no prospect of salvation.' It was believed that

God's purposes of redemption through the Incarnation were hidden from the Devil. The hymn as a whole is concerned with his perplexity at the events which succeed one another. 25 'He beholds a man, be beholds a body which he had recognized as that of Adam' (i.e. completely human).

6, p. 5. The Antiphonary of Bangor (7th cent.) ascribes this hymn to Hilary, and it may well be his. It uses the trochaic tetrameter like No. 5, and has the same didactic purpose. It is alphabetical, as are other hymns by Hilary, and it possesses his obscurity of expression and freedom in his treatment of the metre. There is a good commentary in A. S. Walpole, *Early Latin Hymns*, Cambridge, 1922, pp. 1 sqq.; text, pp. 5 sqq.

1 *fratrum*, the 'brethren', the faithful generally. 4 *legimus*, 'we are accustomed to read of Thee as . . .'. 6 *El*, the name of God. 16 'straightway there is made known to Herod a thing that threatens his authority'. 19 *Nazareth*, indeclinable, locative. 20 *caelitus*, 'by power from heaven'. 21 'those unrecorded and those recorded in scripture'. 25 *mutuari*, Dr. Mason's conjecture for *mutari*; the sense then is: 'he bids water to borrow (the nature of) wine, which was lacking to the water-pots'. 26 'providing drink for the guests when the wedding was short of wine'. 33–34 *ducitur, sistitur*, technical terms of Roman law. 'He is arrested, He is brought to trial.' 49 *trementes*, a nominative or accusative absolute. 'While the soldiers are trembling at the sight of the angel . . . Christ rising, body and soul (*integer*) moves the stone'.
50 *vellus . . . sericum*, a silken fleece. 58 'While they were doubting whether He had come back (from the dead) He enters, the doors being shut.'

7, p. 8. *Damasi Epigrammata*, ed. M. Ihm, Leipzig, 1895, p. 13. Pope Damasus (366–84), of Spanish birth, composed epitaphs, some of which are still to be seen, in whole or in part, in sumptuous lettering in Roman churches.

8, p. 8. Ihm, p. 36.
1 *matris*, the Church.

9, p. 8. *Analecta Hymnica*, l, No. 4, p. 11. Ambrose, Bishop of Milan (374–97), is the creator of Latin hymnody. His verses are in iambic dimeters acatalectic, admirably suited for congregational singing.

1 *conditor*, Christ the Lord. 3 *temporum . . . tempora*, 'the times of the seasons'. 5 *praeco*, the cock. With the theme of this hymn cf. Ambrose, *Hexaëmeron*, v. 24. 9 *hoc*, i.e. by the cock. *lucifer*, the sun. 11 *erronum*, wandering demons. The manuscripts read *errorum*, which (abstract for concrete) can have a similar meaning.

10, p. 10. *Analecta Hymnica*, l, No. 5, pp. 11 sq.
  14 *invidi*, the devil. 15 *secundet*, 'change for the better' (Walpole). 16 *gerendi*, 'grace to act wisely' (Walpole). 17 *mentem*, here, as usually, 'the soul'.
11, p. 11. *Analecta Hymnica*, l, No. 7, p. 13.
  11 *voti reos*, 'bound by our vow' (Walpole).

12, p. 11. *Analecta Hymnica*, l, No. 8, pp. 13 sq.
  1 The first stanza (from Ps. lxxix Vulg.) is usually omitted. 6 *ostende*, 'make manifest that a virgin has given birth'. 15 *vexilla virtutum*, the standards of the Virgin's virtues; cf. Ambrose, *De Institutione Virginis*, 35: 'Maria . . . intemeratae integritatis pium Christo vexillum erexit'. 16 *templo*, i.e. the Virgin's body. 17 *thalamo*, i.e. Mary. 19 *geminae gigas substantiae*: Christ is the giant of Ps. xviii (Vulg.). The giants of Gen. vi. 4 are of twofold nature, as is Christ.

13, p. 14. Ed. A. S. Walpole, *Early Latin Hymns*, pp. 381 sqq. This fine alphabetical hymn has been ascribed, but on no sure evidence, to Hilary. It is mentioned by Bede and is clearly much earlier than his date. I have provisionally assigned it to the early fifth century, but it may be later. There are mistakes in quantity.
  3 *parebit*, 'will appear'. 4 *clarebit*, 'it will be clear' (Walpole). 25 *a sinistris*, 'to those on the left'. 40 *pacis . . . visio*: Jerusalem was interpreted as 'vision of peace'. See below, note on no. 63, p. 462. Sion (the earthly city) as *speculatio* (expectation). 43 *Ydri*, a water-snake and so the devil.

14, p. 16. For the different texts of the *Te Deum*, A. E. Burn, *Niceta of Remesiana*, Cambridge, 1905, pp. 83 sqq. Dom Morin was the first to suggest that Nicetas, Bishop of Remesiana (c. 405) and friend of Paulinus of Nola, was the author of this, the grandest and most famous of all Latin 'psalms' of praise. On the whole subject see A. E. Burn, op. cit., pp. lxxxix sqq.; on the rhythmical prose in which it is written, pp. cix sqq.

15, p. 17. Poems, ed. H. J. Thomson, with translation, 2 vols, *Loeb Classical Library*, London, 1949 and 1953. From this piece, the preface to his *Cathemerinon* (hymns for the daily round), we learn almost all that we know about the life of Prudentius. He was a Spaniard, born in Saragossa of wealthy parents. After a brilliant public career he retired from the world to lead a life of asceticism and devotion and to compose the poems which have made him famous as the first great Christian poet of the Latin West.

8 *toga*: when he assumed the *toga*, he went to the school of rhetoric. 19 *militiae*: this may refer to some civil rank which placed him near the emperor. 24 he was born when Salia was consul, A.D. 348. 37–42 he gives a list of his works.

16, p. 19. *Cathemerinon*, i, *Hymnus ad Galli cantum*; in iambic dimeters. The cock is a symbol of Christ, wakening our souls to life, and the birds chirping under the eaves remind us of the Judge. So sleep is an image of death, and the cock whose crowing puts to flight the demons which haunt us in the darkness is a type of Christ. It was at cock-crow that the Lord returned from the dead.

17, p. 22. *Cathemerinon*, vi. 1–44, *Hymnus ante somnum*; iambic dimeters catalectic.

3 *sermo* = *verbum*; so in Tertullian and in the Old Latin Bible used by Prudentius. But in *Cath.* xi. 18, 23, 24, he uses *verbum*.

18, p. 24. *Cathemerinon*, xii. 125–32, *Hymnus Epiphaniae.*

19, p. 24. *Cathemerinon*, x. 117–72, *Hymnus circa exequias defuncti*; anapaestic dimeter catalectic.

38 *Eleazar* = Lazarus: Luke xvi. 22.

20, p. 26, *Cathemerinon*, ix. 1–33, *Hymnus omnis horae*. This excerpt is in part used as a Christmas hymn: trochaic tetrameters catalectic.

1 *choreis*, 'in trochees'.

21, p. 28. *Peristephanon Liber*, iii. 186–215, *Hymns for Martyrs*; dactylic tetrameter catalectic. This is a description of the Church built over the burial-place of St. Eulalia, a victim of the persecutions of the fourth century. Emerita (Augusta Emerita Lusitaniae) is the present day Mérida. The river Ana is the modern Guadiana. In his admirable *History of Spanish Architecture*, London, 1938, p. 3, Bernard Bevan says: 'At Mérida there is a wayside chapel built of Roman fragments in 1617, to mark the site of St. Eulalia's martyrdom, the portico of which still bears its dedicatory inscription to Mars!' The church or shrine which Prudentius describes may have been a building of modest size. Like the contemporary churches in southern Gaul it clearly shows Eastern influences; see E. Mâle, *La Fin du paganisme en Gaule et les plus anciennes basiliques chrétiennes*, Paris, 1950, pp. 32 sqq. The poet speaks of the gleaming marble, foreign and native, which gave a brightness to the interior. The floor was of mosaic work (*saxa caesa*) like a meadow full of flowers, and the coffered roof, probably of wood, was richly gilded.

22, p. 29. *Apotheosis*, 435–59. The subject of this long hexameter poem is the true doctrine of the Incarnation and the refutation of heretical opinions on the nature of Christ. The passage given here describes the cessation of oracles after the birth of Christ, and the conversion of emperors to the one faith, though Julian the Apostate, who reigned when Prudentius was young, adored the old gods.

23 *incerare*, to place wax tablets with petitions on the knees of Diana.

23, p. 30. Ed. D. C. Lambot, 'Texte complété et amendé du "Psalmus contra partem Donati" de Saint Augustin', *Revue Bénédictine*, xlvii (1935), pp. 312 sqq. This hymn was intended by St. Augustine to instruct his unlearned congregation against the errors of the Donatists. Each strophe begins with a different letter of the alphabet and each line ends on the vowel *e* or *ae*. There is a refrain with an internal rhyme. Elision is generally observed; the lines are of sixteen syllables, divided equally by the caesura, and there is a regular accent falling in each half-line on the penultimate syllable. Wilhelm Meyer may be right in seeing Semitic influences in this specimen of popular poetry.

The reference in the second strophe is to the Donatist schism (called after its leader Donatus). The Donatists accused the Catholics of being either *traditores* (i.e. those who handed over the sacred books to the magistrates during the persecution) or of supporting them. Augustine says that *they* are the real *traditores*. There was, indeed, truth in this accusation; cf. Optatus of Mileve, *De Schismate*, iii. 8 and W. H. C. Frend, *The Donatist Church*, Oxford, 1952, pp. 5 sqq. and 161.

24, p. 31. Ed. W. von Hartel, *Corpus Script. Eccles. Lat.* xxx, pp. 41 sq. St. Paulinus, born in Bordeaux in 353, was educated by the famous rhetorician and poet, Ausonius, who regretted his pupil's retirement from a brilliant career to devote himself, with his wife Therasia, to an ascetic life, first in Spain and then at Nola in Italy. No. 24 is part of the poetical correspondence between Paulinus and his former teacher.

25, p. 32. W. von Hartel, op. cit., p. 194. The tomb of St. Felix was at Nola and it was a place of pilgrimage. Several of Paulinus' poems are concerned with the cult of his patron saint.

12 *acalanthida*, 'goldfinch'.

26, p. 33. W. von Hartel, op. cit., p. 195. This is a continuation of No. 25.

27, p. 33. W. von Hartel, op. cit., p. 238. This is the first Christian epithalamium.

28, p. 34. *Analecta Hymnica*, li, No. 252, pp. 340 sqq.; *Irish Liber Hymnorum*, i. 7 (Henry Bradshaw Soc., 1897). This hymn is probably by Sechnall or Secundinus, who is said to have been St. Patrick's nephew. It may, therefore, be regarded as the oldest Irish Latin hymn. It is alphabetical, with a trochaic rhythm. The use of the present tense throughout is regarded as evidence in favour of its composition during St. Patrick's lifetime.

29, p. 37. *Analecta Hymnica*, xxvii, No. 204, pp. 279 sq. This hymn is of Italian origin, and contains a reminiscence of

St. Ambrose's reference to the drought of 384. It is full of Virgilian echoes. Bede quotes this hymn in his *De arte metrica*, and ascribes it to Ambrose. It is found in Ambrosian hymnaries.

30, p. 39. *Analecta Hymnica*, l, No. 53, pp. 58 sq. Sedulius, perhaps a Roman, educated in the public schools, wrote this alphabetical poem in iambic dimeters, in which accent and ictus tend to fall together; there is also frequent rhyme. It has provided two hymns for the Breviary.

31, p. 42. Ed. J. Hümer, *Corpus Script. Eccles. Lat.* x. 20 sqq. The *Carmen Paschale* of Sedulius is a kind of Christian substitute for the heathen epics. Its subject is the miracles of the Old Testament which foretold the new dispensation, and the miracles of Christ, ending with the Resurrection and Ascension.

32, p. 43. Ed. W. Meyer, 'Die rythmischen Iamben des Auspicius', *Gött. Nachrichten*, 1906, pp. 194 sqq. These rhythmical iambic dimeters are from a poem which Auspicius, Bishop of Toul (*c.* 460) addressed to Arbogast, the Frankish Comes in Trier. There is a strophic arrangement as in Ambrosian hymns and generally a sense pause at the end of each pair of verses. There is much hiatus and an avoidance of elision.

33, p. 45. *Analecta Hymnica*, xxvii, No. 205, p. 281. This hymn is found in Ambrosian hymnaries, and seems to refer to the incursions of barbarian tribes *c.* 453–82. It allows hiatus and there is no elision. On this and similar hymns (e.g. No. 29, p. 37 above), Raby, 'On the date and provenance of some early Latin hymns', *Medium Aevum*, xvi (1947), pp. 1 sqq.

34, p. 47. Ed. F. Vollmer, *Poetae Latini Minores*, v (Leipzig, 1914), pp. 8 sq. Dracontius, trained in the schools of rhetoric, was a lawyer and high official under Gunthamund, the Vandal king in Africa. In prison, he composed his *Satisfactio*, an appeal for pardon, and the *De laudibus Dei* from which Nos. 34 and 35 are taken.

35, p. 48. *Satisfactio*, Vollmer, p. 103.

36, p. 48. *Analecta Hymnica*, li, No. 44, p. 42. This hymn is later than the time of Ambrose, though in the measure which he had made popular for hymns. This and Nos. 37–41 are usually classified as 'Ambrosian', a term which is used of Office hymns generally in the Rule of St. Benedict.

37, p. 49. *Analecta Hymnica*, li, No. 40, p. 38.

2 *principalis*, 'original unity', i.e. 'unity from the beginning'.

38, p. 49. *Analecta Hymnica*, li, No. 84, p. 89. There is much rhyme in this hymn, and accent tends to oust quantity.

16 *splendens* pronounced *isplendens*.   24 *quantocius*, 'straightway'.

39, p. 51. *Analecta Hymnica*, li, No. 22, p. 21. There is some rhyme, and accent is strongly marked.

40, p. 52. *Analecta Hymnica*, li, No. 83, p. 87.

1 *providi*, 'looking forward to'.   2 *stolis*: to be read as a trisyllable (Walpole, p. 350, n. 2). The reference is to the white robes of the newly baptized.   6 The Paschal lamb roasted with fire is a type of Christ.

41, p. 53. *Analecta Hymnica*, li, No. 41, p. 40.

15 *mundi*: probably an adjective, 'pure through abstinence'; or it may mean, 'by abstinence from the world'.

42, p. 54. *Analecta Hymnica*, li, No. 89, pp. 95 sq.

10 *tuos*, 'the captives who were thine own'.   13 *pietas*, 'pity'.

43, p. 55. Ed. W. von Hartel, *Corpus Script. Eccles. Lat.*, vi. 408. Ennodius, of Gallic birth, was trained, probably in Italy, in the schools of rhetoric. His poems exhibit the worst excesses of the rhetorical tradition. He also composed some colourless hymns. He made a successful Bishop of Ticinum. The lines given in No. 43 are from his *Paraenesis didascalia*, a didactic treatise, addressed to two young scholars, in which he sets forth his educational ideal. Here Rhetoric speaks, as queen among the arts.

44, p. 55. Ed. R. Peiper, *Mon. Germ. Hist.*, *Auct. Antiq.* vi. ii. 209. Avitus, of the Gallic aristocracy, succeeded his father as Bishop of Vienne in 490. He was an accomplished versifier. No. 44 is from an 'epic' poem, on Old Testament subjects from the creation to the crossing of the Red Sea.

45, p. 56. Ed. A. P. McKinlay, *Corpus Script. Eccles. Lat.*

lxxii. 124 sqq. Arator, subdeacon under Pope Vigilius, had been formerly a lawyer and official under the Ostrogothic king Athalaric. In 544 he read his 'epic' on the Acts of the Apostles (from which No. 45 is taken) in the Church of S. Pietro in Vincoli in Rome.

46, p. 57. *Analecta Hymnica*, li, No. 262, pp. 358 sqq.; *Irish Liber Hymnorum* (Henry Bradshaw Soc., 1897), i. 206 sqq. Gildas, a sixth-century Romano-Briton, whose *De excidio et conquestu Britanniae*, is written in a strange and difficult speech, as is the *Lorica*, which is associated with his name, though not certainly by him. As its name implies, the *Lorica* is a protection or charm. Gildas was said to have composed it to drive away the demons which assaulted him, and Laidcenn, according to one tradition, brought it into Ireland. The first two parts (invocation of the Trinity and of the angelic host) are given here; the remainder is an enumeration of the parts of of the body for which protection is desired. On this hymn see *Irish Liber Hymnorum*, ii. 242 sqq. and on the metre, ii, xxi sqq. (roughly, a rhythmical trochaic trimeter catalectic).

5–6 *mortalitas huius anni*: perhaps the Plague in Britain, in 547. 19 *agonithetas*, 'champions'. 21 *proretas*, 'steersmen', or, more properly, 'look-out men' (Greek πρωράται). 22 *athletas*: the martyrs are the athletes of God.

47, p. 58. Ed. F. J. H. Jenkinson, *The Hisperica Famina*, Cambridge, 1908, p. 11. This strange composition, in a speech compounded of out-of-the-way words, taken from glossaries or from classical authors, with some Hebraisms and Graecisms, appears to be of Irish origin and to belong to the sixth century. It is poetically conceived, whether, as some have held, it is intended to be verse or no. It is impossible here to go into the problems which it presents. Besides the literature on the subject in Raby, *Secular Latin Poetry*, ii. 359 sq., see P. W. Damon, 'The meaning of the *Hisperica Famina*', *American Journal of Philology*, lxxiv (1953), pp. 398 sqq., and P. Grosjean, 'Confusa caligo', *Celtica*, iii (1955), pp. 35 sqq.

With Fr. Grosjean's kind help I have attempted a version of the piece given here. It is a description of the sunrise. 'The Titanian star sets on fire the Olympian floor. It illuminates the waves of the sea with its warmth. It cleaves the highest sky with its flaming brightness. It climbs the vault of the genial firmament. The heat of Phoebus stifles the white moon. The fiery gleams of the Pleiades cease to display themselves. The touch that flows from the sun destroys the dark colours. The Phaetonian fire brings out the thick foliage (?). It dries up with its glow the drops of dew. Nor does a damp cloud moisten the leafy oaks or (?) a shower spoil (?) the tufts of hay. The pyre with its fiery locks (the sun) dries up the small pools of water, and its ray scorches the circle of the world. The winged assembly makes its pleasing song resound. They murmur their shrill harmonies with open beaks.'

48, p. 59. *Analecta Hymnica*, li, No. 216, pp. 275 sqq.; *Irish Liber Hymnorum*, i. 66 sqq. There is a prose translation in ii. 150 sqq. Instead of attempting a full commentary, I refer the reader to the notes in *Liber Hymnorum*, ii. 142 sqq. It seems likely that it is a reliable tradition which names Columba of Iona (521–97) as the author of this hymn, a majestic if somewhat obscure composition, with its mixture of 'Hisperic' speech with pre-Hieronymian scriptural reminiscences. Thus (verse 1) *vetustus* instead of Jerome's *antiquus* is the reading of the Old Latin, and similarly (line 231) *Virgiliae* is the Old Latin of Job ix. 9, for *Pleiades*. The alphabetical form was a favourite among the Irish.

1 *prosátor*, 'creator'. *crepidine*, 'ground' or 'foundation'. 26 *possibili fatimine*, 'by the word of His power'. 35 *cenodoxiae*, 'vainglory'. 50 *parasito praecipites*, 'cast headlong by the deceiver'. 62 *praesagmine*, 'with prophecy'. 99 'The clouds carry the wintry floods from the fountains of the sea (*pontias*), the three deeper floods (*dodrantibus*) of ocean, to the regions of heaven in azure whirlwinds'. *dodrans*, 'three-fourths', and so of the sea, which was regarded as covering three-fourths of the world. 109–10 'which drain the ebbing and flowing currents of the sea'. 116 *ulcere*, 'torment'. 130 *telli*, 'of this earth'. 136 *dialibus*, 'divine'. 139 *iduma*, 'hand', a Hebraism, ablative. 222 *polyandria*, sepulchres. 233 *Virgilio*, the Pleiades. 235 *Thetis*, 'ocean'. 237 'Vesper circling in fixed orbits returns by her ancient paths, rising in

the evening after two years.'   240 *Vesperugo*, 'Vesper', the
evening star.   241–2 'These, with figurative meanings, are to
be taken as types' (of Christ, who like Orion has gone beneath
the waters, in His death; has risen again, and like Vesper will
come again in glory).

49, p. 68. *Analecta Hymnica*, li, No. 219, p. 286; *Irish Liber
Hymnorum*, i. 88. The preface to the hymn says: 'It is sung
against evening thunder; and whosoever recites it at lying
down and at rising up, is freed from all danger by fire or light-
ning flash, as (also) the nine persons dearest to him of his folk'.
But it is probable that the reference to John the Baptist arises
from the belief that a visitation of fire and plague would come
upon Ireland on the feast of the Decollation of St. John
(*Liber Hymnorum*, ii. 172). Hence the glossator says that
uridine means 'by Fire: or by Yellow Plague'.
   6 *vaga*, cf. Ovid, *Met.* i. 596.   9 *sicera*, 'strong drink'.

50, p. 69. *The Antiphonary of Bangor*, ed. F. E. Warren
(Henry Bradshaw Soc., 2 vols., 1893–5), ii. 28; *Analecta
Hymnica*, li, No. 260, pp. 356 sq.; The *Bangor Antiphonary*
(not really an Antiphonary but a collection of prayers, can-
ticles, and hymns) dates from the seventh century and was
written at the monastery of Bangor in Northern Ireland.
No. 50 is a hymn of Irish origin, celebrating the monastic rule
of Bangor. It shows the Irish love of rhyme, sometimes of two
syllables. The metre is rhythmical iambic dimeter catalectic.
   5 *munther*: an Irish word, meaning 'monastic family'.
11 *nuptiis*: to be read as a dissyllable, and *deliciis* as a trisyllable
in 13.   15–16 for the vine brought from Egypt, Ps. lxxix. 9
(Vulg.).   21–36 these phrases, full of the symbolism usually
applied to the Virgin Mary, are here applied to the monastic
community of Bangor.   31 *caula*, 'sheep-fold'.

51, p. 70. *Bangor Antiphonary*, ii. 44; *Analecta Hymnica*, li,
No. 228, pp. 298 sq. The absence of rhyme in this hymn may
indicate that it is of earlier date than other hymns in this collection. Legend says that it was sung by angels at Mass, when
Sechnall and Patrick were reconciled after a quarrel. The

rubric in the manuscript says that it is used at the communion of priests.

16 *sumant*, 'that they may receive'.

52, p. 71. *Bangor Antiphonary*, ii. 12; *Analecta Hymnica*, li, No. 236, pp. 313 sq.

23 *zabulum*, the Devil.

53, p. 73. Ed. R. Ehwald, *Mon. Germ. Hist.*, *Auct. Antiq.* xv. 524 sq. This lively poem, with its 'Hisperic' flavour, was once ascribed to Aldhelm, but is by some unknown British scholar. It tells of a journey in Cornwall and Devon and an escape from danger in a storm. The poem ends with a thanksgiving for deliverance.

2 *Domnoniam*, Devon.   3 *Cornubiam*, Cornwall.   7 *facta*, 'happenings'.   19 *in saeculo*, 'over the earth'.

54, p. 74. *Analecta Hymnica*, l, No. 66, p. 71. Fortunatus, an Italian, educated at Ravenna, settled in Merovingian Gaul, at Poitiers, where he became the close friend of St. Radegund and of the Abbess Agnes at the convent of the Holy Cross. In 599 he was made Bishop of Poitiers. He stands between the old world and the new, the old world of the classical schools and the new world of medieval emotion and mysticism. His two hymns on the Cross were composed for the reception of a relic of the True Cross sent to the nunnery by the Emperor Justin II and his wife. They are sung in the Roman Church on Maundy Thursday. The *Pange, lingua* is in quantitative trochaic tetrameters catalectic. On the Cross as the tree of salvation, Raby, *Christian-Latin Poetry*, Oxford, 1953, p. 88.

16 *lustra . . . peracta*, perhaps a nominative or accusative absolute.

55, p. 75. *Analecta Hymnica*, l, No. 67, p. 74.

3 *carne*, in the flesh.   16 This is based on the text of Ps. xcvi. 10 in the Old Latin and in Jerome's first revision of it: 'Dicite in gentibus quia dominus regnavit a ligno'. This reading was a Christian addition to the Septuagint.

56, p. 76. *Analecta Hymnica*, l, No. 68, p. 75.

17 *vitis*: Christ is the Vine which is fixed to the Cross and flows with blood-red wine (in the Eucharist).

57, p. 77. *Analecta Hymnica*, l, No. 69, pp. 76 sq. Parts of this poem, of which the first forty verses are here given, were sung as an Easter Processional in the eleventh century and later.

29 *philomena*, the common medieval form for *philomela*.

58, p. 78. Ed. F. Leo, *Fortunati opera poetica*, *Mon. Germ. Hist.*, *Auct. Antiq.* IV. i. 193.

59, p. 79. *Analecta Hymnica*, l, No. 72, pp. 86 sq. This hymn has been ascribed to Fortunatus, notably by Dreves, but Strecker pointed out that manuscript authority is lacking, and that the hymn is more like an imitation of Fortunatus. It is in iambic dimeters with much rhyme.

25 *Eva*: the Virgin Mary is the second Eve, who has restored what was lost by the first Eve.

60, p. 80. Ed. W. Gundlach, *Mon. Germ. Hist.*, *Epist.* iii. 186. St. Columbanus, born at Leinster, educated at Bangor, well read in Latin authors, a famous missionary, founded the monasteries of Luxeuil and Bobbio. He wrote letters in verse and prose. No. 60 in adonics is addressed to his friend Fedolius.

61, p. 82. Ed. K. Strecker, *Poetae Latini Aevi Carolini*, iv. 545 sqq. Theodofrid was a monk of Luxeuil who became Abbot of Corbie in 657. The title of the poem from which these lines are taken is *De Asia et de universi mundi rota*. It is alphabetical and in a rhythm based on the trochaic tetrameter. It is a survey of history from the Creation. Its learning is derived, for the most part, from Isidore of Seville's *Etymologiae*.

2 cf. Isidore, XIV. iii. 1: 'Asia ex nomine cuiusdam mulieris est appellata, quae apud antiquos imperium tenuit orientis'. 6 *Tanai*, the river Don.

62, p. 82. Ed. F. Vollmer, *Mon. Germ. Hist.*, *Auct. Antiq.* xiv. 254. Eugenius, of Visigothic race, became Archbishop of Toledo in 646. One of the last products of the old schools, he was a prolific versifier, much read in England and by the Carolingians. On the nightingale theme in the Middle Ages, Raby, 'Philomena praevia temporis amoeni', in *Mélanges de Ghellinck* (Gembloux, 1951), ii. 435 sqq.

63, p. 83. *Analecta Hymnica*, li, No. 102, p. 110. This anonymous hymn is in rhythmic trochaic tetrameters. Commentary in Walpole, pp. 378 sqq.

1 *pacis visio*: Jerusalem (vision of peace) is generally used in the Middle Ages of the Church in heaven, while Sion was interpreted as *speculatio*, expectation, the Church on earth. Cf. Augustine *In Ps.* l. 22: 'interpretatur enim Sion speculatio, et Ierusalem visio pacis'.

64, p. 84. Ed. R. Ehwald, *Mon. Germ. Hist., Auct. Antiq.* xv. 11 sq. A famous Anglo-Saxon scholar, who imbibed Irish learning under Maeldubh at Malmesbury and continental learning under Hadrian at Canterbury, Aldhelm became Bishop of Sherborne in 705. This poem probably has as its subject the church of SS. Peter and Paul at Malmesbury, which Aldhelm restored.

65, p. 85. Ed. C. Plummer, *Baedae Hist. Eccles.* iv. 20 (*Opera Historica*, i. 247 sq., Oxford, 1896); *Analecta Hymnica*, No. 79, pp. 98 sqq. Bede, known in after years as the Venerable Bede, monk at Jarrow and author of the famous *Ecclesiastical History of the English People*, tells us that he composed a book of hymns in both metrical and rhythmical verse. We cannot be certain that any of these hymns have survived, but No. 65, an alphabetical poem in epanaleptic elegiacs, was inserted as of his own composition in his account of St. Etheldreda of Ely in his *Ecclesiastical History*. In this poem Bede celebrates the virgin martyrs and then goes on to praise his own saint.

43 *Ydros, hydrus*, the water-snake, hence the serpent or devil.

66, p. 87. *Poetae Latini Aevi Carolini*, i. 83; *Analecta Hymnica*, l, No. 96, pp. 120 sq. The ascription of this famous hymn (in sapphics) to Paul the Deacon is late and uncertain, but the hymn belongs to the Carolingian age. Paul, the famous historian of his own Lombard race and a monk at Montecassino, was primarily a grammarian. He was at the court of Charles the Great for a time. The hymn is in quantitative sapphics. It is said that the first syllable of each half line of the first stanza has given the names to the notes of modern music.

67, p. 89. *Poetae Latini Aevi Carolini,* i. 368 sq. This is from the long poem *Karolus magnus et Leo papa,* ascribed to, but not certainly by, Angilbert, of noble birth, a pupil of Alcuin and in the close confidence of Charles the Great. The poem, in epic style, gives a lively picture of court life, and deals with the Emperor's relations with Pope Leo III. Charles always regarded Aachen as the centre of his collection of kingdoms; see P. E. Schramm, *Die Anerkennung Karls des Großen als Kaiser,* Munich, 1952, p. 59. On his plan to make Aachen a second Rome, W. Ullmann, *The Growth of Papal Government in the Middle Ages,* London, 1955, pp. 95 sqq.

68, p. 90. *Analecta Hymnica,* vii, No. 230, p. 253. This remarkable sequence, the lyrical character of which has been emphasized by Prof. W. von den Steinen, in 'Die Anfänge der Sequenzendichtung', *Z. f. schweiz. Kirchengesch.,* ii (1947), p. 139, is contained in a St. Martial manuscript of 930. In its use of the first person singular and in its free lyrical impulse it reminds us of Byzantine hymns and perhaps also of Syriac. It is a mystical poem, about the swan that left the flowery dry land (*arida*) and took a perilous flight across the sea. He is buffeted by wind and wave and fears that he may no longer support himself on his wings. He has nothing to eat, though he sees abundant food for fishes. But the coming of the dawn revives him and he reaches dry land again with joy. The manuscript of St. Martial explains the poem as an allegory on the fall of man.

15–17 *soluta . . . lucida,* 'the light having gone'.   18 *stilla,* perhaps 'rain'.   25 *alatizo,* 'fly'.

69, p. 92. *Analecta Hymnica,* liii, No. 110, pp. 191 sq. This is an early sequence, in which the end rhyme in *a* is conspicuous. It is of French origin.

9 *clausa porta,* Ezek. xliv. 2. This was regarded as foretelling the Virgin Birth.

70, p. 94. *Analecta Hymnica,* ii, No. 32, p. 41. This fine hymn, in quantitative trochaic tetrameters, in verses 7–9 refers to the intermission of the *Alleluia* in Lent.

71, p. 94. *Analecta Hymnica*, li, No. 123, p. 140. An early anonymous rhythmical poem.

5–8 *Eva* is changed to *Ave* in the Annunciation.

72, p. 95. *Poetae Latini Aevi Carolini*, iv. 591. This amusing poem is found in a ninth-century manuscript of Verona, and may be the work of an Italian monk, unless we are to assume that its rough humour points to a Frankish origin. The rhythm seems to be trochaic, with verses of eleven syllables, if we read *eia* as trisyllabic.

3 'They say that he has a desire for wine.'   14 *alove*, wine spiced with aloes.   15 *mire*, myrrh, used in preparing hides. 19–20 'He does not care about drinking gently good wine from the cask in a cup'.   25 'If the city of Angers should lose him.'

73, p. 97. Ed. A. B. Kuypers, *The Book of Cerne*, Cambridge 1902, pp. 131 sq.; *Analecta Hymnica*, li, No. 29, p. 299. This is part of a long poem, a *Lorica*, a breastplate or charm against evil or mischance of every kind. It is taken from the Book of Cerne, a manuscript in the Cambridge University Library, a mixed codex containing many prayers in prose and verse, compiled in England (Mercia) in the first half of the ninth century. Celtic or Irish influences are strong. No. 73 is of Irish origin. There is internal rhyme; the rhythm is based on the trochaic dimeter acatalectic.

5 *creta = creata*.   6 *aplustra: aplustre =* the stern of a ship; here 'ships'. *flustra*, calm seas.   7 *celox*, a light, swift boat.   8 *crevit = creavit*.   9 'as well as the earth and the sky above'.   10 *prout nosco*, 'as well as I know how'.   11 *caeliarche*, 'ruler of heaven'. The Irish were fond of Graecisms. 12–14 'and thrust away with Thy shield those dread darts, the foul sins which I follow after and commit'.   15 *sexu*, 'while I am in the body'; *sarcis*, σαρκός, 'of the flesh'.   16 *umbo*, 'shield'.   17 *latro*, 'the fiend'.   18 *sugmento*, presumably from "sugere", 'his deceitful swallowing-up'; but the Épinal Glossary (early eighth century) has *sugmentum = augmentum*; see *Das Épinaler und Erfurter Glossar*, ed. O. B. Schlutter, Hamburg, 1912, p. 24. But this does not appear to make sense. 19–21 *parma*, 'my shield': 'ward off the arms of the enemy that

I may keep my body, and my heart as well, without stain'. 23 *catapulta*, 'missiles'. This keeps up the metaphor of the preceding lines. 24 *tutrix* and *nutrix* are in apposition to *manus* in line 25, the hand of God. 27 *theo*, θεῷ, to God. 18 cheo, χέω, I pour out. 29 'and so I am blessed by Him'.

74, p. 98. Ed. M. Esposito, 'The poems of Colmanus "Nepos Cracavist"', *Journal of Theological Studies*, xxxiii (1932), pp. 116 sqq. The poet who, in one manuscript, bears the curious appellation of 'Colmanus nepos Cracavist', is addressing, perhaps from Reims, another Irishman who is returning home. There are Virgilian echoes in the verse.

75, p. 99. *Poetae Latini Aevi Carolini*, i. 270 sqq. This Eclogue, which was once ascribed to Alcuin, may be of Irish authorship. Its subject is a poetical debate between Spring and Winter whether the cuckoo shall come or not. The shepherds Palaemon and Daphnis preside at the contest. They decide that the cuckoo, the shepherds' friend, shall come.

76, p. 102. *Poetae Latini Aevi Carolini*, iv. 526 sqq.; *Analecta Hymnica*, xii, No. 27, p. 24. A. Wilmart, 'L'Hymne de la charité pour le jeudi-saint', *La Vie et les arts liturgiques*, No. 112, 1924, pp. 250 sqq., thought that this hymn was composed for use by the Benedictines for the weekly maundy or washing of feet, but D. Norberg, in 'La Poésie rythmique du haut moyen âge', *Studia Latina Holmensia*, ii (Stockholm, 1954), pp. 87 sqq., has given good reasons for the conclusion that it was written by Paulinus of Aquileia to be sung at the Synod of Friuli in 796 (or 797). Paulinus, a grammarian at the court of Charles the Great, was made Patriarch of Aquileia in 787. His rhythmical verses show great poetical ability.

31 *coccum*: the Vulgate in Ex. xxv. 4 has *coccum bis tinctum*, 'scarlet twice dyed' as one of the offerings to be made at the Lord's command, through Moses, by the children of Israel. The application of this passage in the hymn is taken from Gregory the Great's *Regula pastoralis*, pt. ii, cap. 3. 57 *dominorum*: i.e. the Frankish rulers, Charles the Great and Pippin.

77, p. 104. *Analecta Hymnica*, l, No. 103, pp. 141 sq. There is no direct manuscript evidence for the ascription of this poem to Paulinus, but there are other reasons for assigning it to him; see ibid., p. 143.

1 *cardines*, the quarters of the earth.   10 *Olympi*, for heaven, common in Carolingian poetry.   11–15 the power of the keys is vested in both Apostles.   15 *larvas*, the spirits of evil. 28 *compar*: according to a tradition, which soon won acceptance, the two Apostles suffered martyrdom on the same day (29 June), one at Nero's circus on the Vatican and the other on the Via Ostiensis.

78, p. 106. *Poetae Latini Aevi Carolini*, i. 274 sq. Alcuin, educated at York, brought Anglo-Saxon learning to the court of Charles the Great. He was a great teacher, if a mediocre poet. Charles made him Abbot of Tours.

79, p. 107. *Poetae Latini Aevi Carolini*, i. 269. This poem is addressed to one Daphnis, a Virgilian name given by Alcuin to one of his pupils. He is writing about Dodo, another of his pupils, to whom he gives the name of 'the Cuckoo', because 'he fled the haunts of religion and learning in the springtime of his youth. Will he sometime return', Alcuin asks (in a prose letter), 'as the cuckoo does every year afresh?' (E. S. Duckett, *Alcuin, Friend of Charlemagne*, New York, 1951, pp. 153–4.) The Menalcas of the poem is Alcuin himself.

2 *noverca*: means the world with its fleshly temptations (Dodo was fond of wine); cf. Alcuin's letter to Dodo: inmitiorque noverca tam tenerum de paterno gremio per libidinum vortices caro rapuit (*Monumenta Alcuiniana, Bibl. rerum German.* vi (1873), p. 867).

80, p. 107. *Poetae Latini Aevi Carolini*, i. 243 sq. I do not see that there is any real reason for depriving Alcuin of the authorship of this poem and assigning it to Fridugis, his successor at Tours.

21 *Flaccus* = Alcuin; *Homerus* = Angilbert, a pupil of Alcuin, who became Abbot of St. Riquier and wrote verse.

81, p. 109. *Analecta Hymnica*, l, No. 117, pp. 160 sq. Theodulph, of Spanish–Gothic origin, belonged to the court circle of Charles the Great, and served him in Church and State. He became Bishop of Orleans. These verses, from a longer poem, are sung in the Palm Sunday procession in the Latin

Church. The legend that Theodulph composed them in prison at Angers and that his singing of them on Palm Sunday moved the Emperor Louis the Pious to release him, when he passed by in the procession, is, of course, without foundation.

82, p. 110. *Poetae Latini Aevi Carolini,* iii. 332. There was a school of poets at St. Riquier in the ninth century, of whom Fredegard is perhaps the most interesting.

2 *pomerio,* orchard.   *chiram,* hand (Greek χείρ)   9 *bitrisci,* a bird, perhaps a wren.

83, p. 111. *Poetae Latini Aevi Carolini,* ii. 138 sq. This alphabetical poem (A–P), in rhythmical trochaic tetrameters, was written by one Angilbert, about whom we know nothing beyond what he tells us in this vivid and remarkable poem. In verses 22–24 he says that he fought in the battle and at the end of the fight stood alone in the front line. The battle of Fontenoy-en-Puisaye (near Auxerre) took place on 25 June 841. On that day of slaughter Louis and Charles, younger sons of Louis the Pious, inflicted a crushing defeat on Lothair, their elder brother. They afterwards (14 February 842) bound themselves by the famous oath of Strasbourg. Angilbert was in Lothair's army.

2 *Saturni dolium,* 'a witches' sabbath'.   25 *iugeri,* from *iugerum,* 'hill'.   27 *forum,* from *forus,* 'bank of a river'.

84, p. 112. *Poetae Latini Aevi Carolini,* ii. 335 sqq. Walafrid Strabo, a pupil of Raban Maur at Fulda, and a friend of Gottschalk as well as tutor to the future Emperor Charles the Bald, became abbot of Reichenau, and it is of the monastery garden that he writes in his poem, *Hortulus* or, more properly, *De cultura hortorum,* where he describes the herbs and flowers, their virtues and their beauties, ending with the roses and the lilies, the roses which represent the blood of the martyrs on earth and the lilies their reward in heaven.

3–4 *metallo Pactoli,* i.e. gold, which was obtained from this river   (*viburna,* = ?bushes; from Virg. *E.* i. 26—? small shrub.)

85, p. 114. *Analecta Hymnica,* liii, No. 93, pp. 158 sq. This fine sequence for the tenth Sunday after Whitsun, where the

467

Gospel for the day has the subject *de publicano*, is of early date. It is perhaps of French origin, but its use was widespread. W. von den Steinen, *Z. für schweiz. Kirchengesch.* ii (1946), p. 138, gives reasons for placing it at least as early as 850. If, as Wellesz has suggested, the composition known as the Sequence is derived ultimately from the Syrian metrical homily, we have here in brief a homily on the Gospel for the day. The *a*-rhymes and assonances make a French origin likely.

86, p. 115. *Poetae Latini Aevi Carolini*, iii. 126 sq. Paulus Albarus, a Spanish Christian, of Jewish origin, was educated at Cordova. He wrote three poems on the nightingale, following Eugenius of Toledo in the theme of the superiority of the song of the nightingale to that of other birds; see No. 62, p. 82.

1 *tua*: this metrical licence at the caesura is common in medieval verse.   4 *suabe* for *suave* shows the influence of the Spanish vernacular; similarly in verse 6, *sivila* for *sibila*; in verse 8 *fobens* for *fovens*; in verses 9 and 11 *tivi* for *tibi*. 12 *feras superum*, 'overcome'.

87, p. 116. *Poetae Latini Aevi Carolini*, iii. 691. Donatus, one of the numerous Irishmen who found their way to the continent in the ninth century, became Bishop of Fiesole.

2 *Scottia*, the proper name for Ireland in the earlier Middle Ages.

88, p. 116. *Analecta Hymnica*, l, No. 144, p. 193. This celebrated hymn, whose authorship has, without any justification, been assigned to Ambrose, Gregory the Great, and even to Charles the Great, is the work of an unknown poet of the ninth century. A Fulda MS. of the tenth century does indeed ascribe it to Rabanus Maurus, but it also ascribes to him others that are certainly not his; so its testimony cannot be relied on.

11 'duly according to the promise of the Father'; cf. Luke, xxiv. 49. 13 *sensibus*, 'our understanding', as in Ambrose, No. 9, verse 29, p. 8, 'tu lux refulge sensibus', and No. 10, verse 8, p. 10. The whole stanza is based on Ambrose.   18 *protinus*, 'continually'. My notes are taken from A. Wilmart, 'L'Hymne et la séquence du Saint-Esprit', *La vie et les arts liturgiques*, No. 112, 1924, p. 398.

89, p. 117. *Analecta Hymnica*, l, No. 132, pp. 181 sq. Rabanus Maurus, a favourite pupil of Alcuin at Tours and a scholar of encyclopaedic knowledge, became Abbot of Fulda and finally Archbishop of Mainz.

14 *decipulam*, a trap or a snare, a late Latin word.   18 *turiferos*, 'bearing incense', i.e. heathen; cf. Prudentius, *Apotheosis*, 291–2: 'catholica non es de plebe, sed unus
de grege turifero.'

90, p. 119. *Analecta Hymnica*, l, No. 166, pp. 220 sq. Gottschalk, educated at Fulda under Rabanus Maurus, who pursued him afterwards for supposed heresy, was a poet of genuine gifts, whose poems show a real lyrical feeling, even if the rhythm and rhyme are not uniformly perfect.

7–8 *almum . . . flatum*, 'Holy Spirit'.

91, p. 122. *Analecta Hymnica*, l, No. 170, p. 225.

92, p. 126. *Poetae Latini Aevi Carolini*, iii. 732; *Analecta Hymnica*, l, No. 171, p. 227. B. Bischoff, 'Gottschalks Lied für den Reichenauer Freund', in *Medium Aevum Vivum*, *Festschrift W. Bulst*, Heidelberg, 1960, pp. 61 sqq., gives a text from a MS. of Angers (second half of the ninth century), which has three additional stanzas and a better text of the last, which I have used to correct Traube's text (p. 128, lines 55–60).

5 *intra mare*; *intra* is used of the Mediterranean and *extra* of the Atlantic in Pomponius Mela the geographer. Perhaps 'within the region of the (Mediterranean) sea', but in view of verse 50, it may be the sea of life.   7 *miserule*: perhaps an adverb, in which case the commas after *mihi* and *miserule* should be removed.   19 *tiruncule*, 'oblate': Gottschalk is writing a poem on the Trinity at the request of a young oblate or novice at Orbais. He himself was at the time an exile in Italy.   40 'together with Him who proceeds from both', i.e. the Holy Spirit.   42 *ultronee*, 'willingly'.   49 *diuscule*, 'for a time'.   56 I read *pusione* instead of *pusiole*, following Traube, *Poet. Lat. Aevi Car*. iii. 732, and Bischoff, p. 65.

93, p. 129. *Theoduli Ecloga*, ed. J. Osternacher, Urfahr, 1902, pp. 30 sqq. This 'eclogue', famous in the Middle Ages as a textbook, is in the form of a contest between Alithia (Truth) and Pseustis (Falsehood), ended by Fronesis (Prudence). The ascription to Gottschalk, which is uncertain, is based on the fact that Godescalc or Gottschalk = Theodulus ($\theta\epsilon o\hat{v}$ $\delta o\hat{v}\lambda os$, servant of God).

9 *David*: here indeclinable, genitive.   35 *tetras*: the verses that follow are in quatrains.

94, p. 130. *Poetae Latini Aevi Carolini*, iii. 225. Sedulius Scottus was a needy Irishman who settled at Liège, and wrote verses there to his episcopal patrons. In this short poem he gives an amusing picture of his manner of life.

1 *sophian*, 'wisdom', i.e. the Holy Scriptures.

95, p. 130. *Waltharius*, ed. K. Strecker, Berlin, 1947, p. 110. The question of the authorship and date of this famous epic of war and adventure, the hero of which is Walter of Aquitaine, who is placed in the time of Attila, has been hotly debated. The claim of Ekkehart I (*c.* 900–73), Dean of St. Gall, can be rejected at once. I am inclined to agree with O. Schumann, 'Waltharius-probleme', *Studi Medievali*, xviii (1951) pp. 177 sqq. and K. Hauck, 'Das Walthariusepos des Bruders Gerald von Eichstätt', *Germanisch-roman. Monatsschrift*, iv (1954), pp. 1 sqq., that one Gerald, the author of a metrical prologue to the poem, definitely claims its authorship. He is presenting the poem to the favourable notice of a Bishop Erkambald, who can, in Schumann's view, be identified with a bishop who held the see of Eichstädt from about 882 to 912. It seems reasonable to accept this unknown Gerald as the author and to place the poem at a date towards the end of the ninth century. I have given an outline of the story of the *Waltharius* in *Secular Latin Poetry*, i. 262 sqq. The extract given here is the description of the last and greatest combat, in which Walter has to face two enemies, Gunther (the Frankish king) and Hagen.

8 *Alpharides*, Walter, son of Alpha.   17 *murcatae*, 'broken'.   21 *monimenta*, 'remains'.   31 *semispatam*, 'dagger'.   35 *timpus = tempus*, 'the temples'.   42 *insignia*, 'the honourable marks' of battle.   45 'This, this was the way in which they divided up the Avar (Hunnish) booty.' Walter was fleeing

home, with plunder from the Hunnish court, where he had been a hostage, and Gunther had attacked him with the aim of robbing him of the treasure. In the end Gunther loses a foot, Walter his right hand, and Hagen an eye. These were the spoils that they shared together! *Armilla* 'a bracelet', a typical form of barbarian wealth.

96, p. 132. *Analecta Hymnica*, liii, No. 94, pp. 160 sq. This, like No. 85, p. 114, is an early sequence and may, indeed, be of the same date. It is probably of French origin.

17–20 'what shall the *virgula* (the critical mark used in writing), what the tablet (for writing) do, if the very pillar of heaven shall tremble ?'; for *poli columella* cf. Job xxvi. 11.

27 *moderna*, 'the things that we possess at present'.

97, p. 133. *Analecta Hymnica*, liii, No. 1, p. 3.

20–21 'that Thou mayest possess us as bright dwellings (for Thyself)'.

98, p. 135. *Analecta Hymnica*, liii, No. 37, p. 69. This is a 'lyrical' sequence, a dialogue between the singers and the Alleluia. The Alleluia is sung again on Easter morning after intermission during Lent.

99, p. 136. *Analecta Hymnica*, xlix, No. 229, pp. 9 sq. This is the famous Easter Trope (from the Introit of the Mass of Easter) out of which the Easter liturgical drama developed; see K. Young, *The Drama of the Medieval Church* (Oxford, 1933), i. 201 sqq. A trope is a text (with music) which is used as introduction, intercalation, or addition to a portion of the liturgy, such as the Introit, the Kyrie, or the Gloria. In No. 99 the Trope is an introduction to the Introit which begins 'Resurrexi et adhuc tecum sum. Alleluia'.

100, p. 137. *Poetae Latini Aevi Carolini*, iv. 430. This poem is from a manuscript containing poems by Eugenius Vulgarius, a Neapolitan priest who was involved in Papal politics (*fl.* 907); it appears with another piece under the heading *species comice* and is probably not by Eugenius. It is in four-line stanzas with rhymes (except for the first stanza) on the letter *a*. The iambic dimeters are quantitative, but verge on the accentual. The theme of the poem is the traditional one of the superiority of the nightingale over all other singers. It will be noticed that the poem begins with the 'nature introduction' which was to be so common in later vernacular poetry.

1 *Anacreunti*: the term 'Anacreontic' is applied to various measures, but more usually, as in Bede, *De arte metrica*, 22, to the iambic tetrameter acatalectic, as in Prosper Tiro, *To his wife*,

> Age iam, precor, mearum
> comes in remota rerum,

but the poet of No. 100 is using it of the iambic dimeter acatalectic. 2 *telam contexere*, 'weave my web', i.e. 'build up my theme'. 3–4 'go slowly foot by foot and proceed on my poetic course'. 5 *saecla*, 'the times'. 8 *moenia*, 'dwellings'. 9 *somata*, Greek σώματα, bodies. 11 *finitima*, 'its like'. 12 'let all things keep festival'. 13 *tempora*, 'seasons'. 17 *oscina*, 'its notes'; from *oscen*, a singing-bird. 19 *sistema*, 'its accord'. 20 *olos*, for *olor*. *croëmata*, 'cries'. 21 *lusciola = lusciniola*. 24 *lustrat*, presumably 'makes bright (the stars)'. 25–28 'singing, in imitation of my songs, you tuneful little offspring . . ., by slow degrees modulate your song'. 33 *formula*, 'in imitation of your mother'. 41 *spectacula*, 'the theatre (i.e. the place of meeting) grows more crowded'. 47 *Codrus*, Virgil, *Eclogues*, v. 11. 48 *praegnas . . . invidia*, 'full of envy'. 54 *phalans = phalanx*. 55 *marte*, 'the contest'. 60 that is, 'they bewail their discomfiture'. 74 *aumatia*, *aumatium*, 'a private place in a theatre' (Petronius, in *Fulg.*), and so a 'secret retreat'.

101, p. 140. Ed. L. Traube, 'O Roma nobilis', *Abh. d. kgl. bayer. Akad. der Wissensch.*, 1891, p. 300. This poem, and Nos. 102 and 103, may be considered as of north Italian origin, and they show how rhythmical and rhymed poetry was being developed about the end of the ninth century. The precise nature of the rhythm of No. 101 has been much debated. J. A. Westrup, in the *New Oxford History of Music*, ii. 221, says: 'the rhythm of the words is dactylic, but a trochaic interpretation seems to suit the tune better'. The latest discussion is that of W. Beare, 'The Origin of Rhythmic Latin Verse', *Herma-*

thena, lxxxvii (1956), p. 19, who says: 'the only explanation which will fit the facts is in terms of syllabism with accentual cadence: six syllables to the half-lines with an accent on the fourth'. I should prefer to regard the rhythm as roughly dactylic. There is no evidence at all that this poem was a pilgrimsong.

102, p. 141. *Poetae Latini Aevi Carolini*, iii. 703. This poem was written in Modena, when there was danger of attack from the Hungarians. Classical allusions are followed by Christian prayers. The rhythm is presumably iambic.

14 *teothocos*, Θεοτόκος, Mother of God.

103, p. 142. Text in Traube, op. cit., p. 301, who gives a literal prose rendering on p. 307. The poem appears in the *Cambridge Songs* with neums.

3 *archos*, the Almighty. 5 *furis*, i.e. the rival (18). 7 *hypothesim*, feigning. 8–9 'I beseech Lachesis, sister of Atropos, that she be not minded to forsake thee'. 11 *Athesim*, the Adige. 12 *amabo*, 'I ask thee'. 14, 15 the reference is to the story of Deucalion and Pyrrha.

104 p. 143. *Poetae Latini Aevi Carolini*, iv. 355 sqq. This is from the opening of the *Gesta Berengarii Imperatoris*, an epic on the deeds of the Emperor Berengar, who was crowned at Rome in 915. The author was an Italian rhetorician, perhaps a schoolmaster. The extract given here is a dialogue between the author and his book.

3 *labyrinthea fabula*: a gloss explains this as referring to the obscurity of Homer's poems. The poet, of course, knew only the *Ilias Latina*. 6 *proseucha*, προσευχή, 'place of prayer'. 17 *endromidos*: the gloss says 'grecus genitivus. endromis vestis est villosa hiemalis', but it stands for any kind of clothing (ἐνδρομίς = a thick cloak). 22 'While I am offering my small gifts to the supreme head.' 24 *agitat*, the gloss says *frequenter egit*, i.e. he has a succession of victories or triumphs.

105, p. 144. *Analecta Hymnica*, liii, No. 65, pp. 109 sq. This sequence is from an eleventh-century manuscript from Moissac. There is an older version in a St.-Martial Troper of the tenth century. The later version aims at ending each strophe on the letter *a*, a confirmation of the view that the *a*-ending, although early, is not primitive, and is to be found rather in France than in Germany.

1 *arvi*, the dry land, the earth.   5 *cetus*, ?constellations, or even: whales, sea-monsters.   29 *Titan*, the sun.   57 sqq. The reference is to the Harrowing of Hell.   66 *castra*, presumably Hades.

106, p. 147. Ed. N. Fickermann, 'Zwei lat. Gedichte', *Neues Archiv*, l (1935), pp. 582 sq. This charming poem is perhaps a forerunner of No. 124, cf. verse 6 of No. 106 with verse 10 of No. 124. But No. 106 has no nature-introduction and there are other differences to which Fickermann draws attention. He suggests a northern Italian origin for both poems. No. 106 is a less assured and accomplished production. The verse structure is that of rhythmical sapphics without the concluding adonic. There is mixed rhyme and assonance. The bird which is the subject of the poem is the golden oriole.

1 *gemmato* for *gemmatum*: this substitution of *o* for *-um* is evidence of the influence of the Italian vernacular.   3 *mona-chorum*. The MS reading is *monacharum*, but we have *fratres* in 9.   5 *virdis* for *viridis*: cf. *verde*.   7 *plateo* for *blatteo*.   8 *crogato* for *crocato*.   *galluca*, yellow; cf. *giallo*.   10 *turnat* = *tornat*.   11 *respectu*, 'from behind'.   12 *risos* for *risus*, a well-known confusion between declensions.   13 *pullones* = *pullos*.   16 *turinos* = like yellow frankincense; so, simply, yellow or golden. See A. Souter, *Glossary of Later Latin*, s.v. 'turinus', Oxford, 1949.   These notes are mostly based on Fickermann.

107, p. 148. *Analecta Hymnica*, liii, No. 34, pp. 60 sq. This famous sequence is of German origin.

26 *cauma*, καῦμα, heat.

108, p. 151. *Analecta Hymnica*, liii, No. 247, p. 398. This sequence for the dedication of a Church is an early composition by Notker Balbulus (*c.* 840–912), a monk of St. Gall and a celebrated teacher and scholar, who composed many sequences.

109, p. 152. *Analecta Hymnica*, liii, No. 239, pp. 379 sq. This pathetic sequence can be paralleled among the Greek Kontakia, whose influence must be taken into account. It is in the form of a dialogue. Leah is the Synagogue, Rachel the Church, while Jacob, the Bridegroom, is Christ. Rachel is weeping for one of her children, a martyr. She is not to weep (last stanza), for her child has entered the heavenly kingdom.

4–5 'As if the bleared eyes of Leah please Jacob!'

110, p. 154. *Ecbasis cuiusdam captivi per tropologiam*, ed. W. Trillitzsch and S. Hoyer, Leipzig, n.d., p. 86. This 'beast-epic' is in the form of a moral tale, but its allegory is obscure. In our extract the nightingale and the blackbird sing at the lion's feast to charm him to sleep. It is now generally agreed that the poem is not to be placed in the tenth century, but can, with some confidence, be assigned to a date between 1043 and 1046. The leonine rhymes, mostly of one syllable, are consistent with this date. The poem was probably composed to be recited at Easter for the amusement and edification of a monastic community.

2 *passer* = 'bird'. 3 *spiramina flatus*, i.e. 'yielding up His spirit'. 4 *commutat*, i.e. 'each one alters . . .'. 5 *organa*, i.e. of their voices. 12 *pardus*, the panther, a pious beast, a favourite of the lion king. *perdere munus*, i.e. when the birds' song has ceased.

111, p. 154. Ed. A. Swoboda, Leipzig, 1900, p. 3. The *Occupatio* is a philosophical and moral poem in seven books, by Odo, the great Abbot of Cluny. It is obscure in style and overladen with allegory and the use of Greek words.

112, p. 155. Ed. A. Wilmart, 'Le Poème héroïque de Létald sur Within le pêcheur', *Studi Medievali* (1938), pp. 198 sq. Letaldus was a monk of Micy and is known as a hagiographer. This extract is from an amusing poem which tells how Within, a fisherman, was swallowed, along with his boat, by a whale. After many adventures he was cast ashore and made a sensational reappearance at Rochester.

113, p. 156. *Analecta Hymnica*, liv, No. 2, p. 5. A fine anonymous sequence of transitional type, as the presence of rhyme and definite rhythm show.

19 *Cedrus alta Libani*, 1 Kings iv. 33. The great cedar (Christ in His incarnation) has been conformed to the lowly hyssop in our valley (i.e. in our flesh). 25 The sequence now

turns to reproach the Jews for their unbelief, in spite of their own prophets and of the heathen Sibyls, who were supposed to have foretold the coming of Christ.

114, p. 157. *Analecta Hymnica*, l, No. 244, p. 317. This beautiful antiphon, formerly ascribed to Hermann the Lame (d. 1054), must remain anonymous.

115, p. 158. *Analecta Hymnica*, xlviii, No. 66, pp. 66 sq. This mystical poem, based on the Song of Songs, has been usually ascribed to Peter Damiani (d. 1072), but it does not appear in the earliest manuscript of his poems. The theme seems to be the visit of Jesus to the devout soul.

116, p. 159. *Analecta Hymnica*, liv, No. 66, pp. 95 sq. This is a 'regular' sequence, which is probably earlier than Adam of St. Victor. It is concerned with St. Nicholas, Bishop of Myra, and his miracles. The *Golden Legend* can be consulted for details, and the Roman Breviary Dec. 6 also.

24 The legend relates how by leaving money he provided three poor girls with a dowry by which they could be honourably married, and also saved their father from penury.

117, p. 161. *Analecta Hymnica*, liv, No. 218, p. 343. This is another fine 'regular' sequence of the late eleventh century.

9–10 Christ is the true Solomon. The fleece of Gideon is a type of the Virgin Birth.   18 *dumi*, the Burning Bush, again a type of the Virgin Birth.   *virga*, the 'virgula fumi ex aromatibus myrrhae' of *Cant.* iii.   6 (Vulg.), also a type of the Virgin Birth.   On the symbolism of the Virgin Mary, Raby, *Christian-Latin Poetry*, pp. 363 sqq.

118, p. 162. *Analecta Hymnica*, liv, No. 219, p. 346. For the symbolism, Raby, ibid.

119–24, pp. 163–74. These pieces are from·the *Cambridge Songs*, so called because they are contained in a manuscript (11th cent.) in the University Library, Cambridge. They were collected for some cultivated German ecclasiastic and are a mixture of the religious and the profane. Nos. 119 and 120 are in sequence form, while 122–4 foreshadow the later Latin secular lyric. Ed. K. Strecker, *Die Cambridger Lieder* (*Carmina Cantabrigiensia*), Berlin, 1926.

119, p. 163. Strecker, op. cit., pp. 13 sqq. On this poem, Raby, *Secular Latin Poetry* (Oxford, 1957), i. 295. The exposition of the nature of musical sounds with which the poem opens is taken from Isidore, *Etymologiae*, iii. 18. The story of Lantfrid and Cobbo, a legendary pair of friends, is a piece of popular folk-lore.

120, p. 167. Strecker, op. cit., pp. 41 sqq. This story is also taken from folk-lore. The song has the form of a well-constructed sequence.

24 *nothus* = *notus*, the south wind.

121, p. 170. Strecker, op. cit., pp. 65 sqq. This absurd story is attached to Heriger, who was Archbishop of Mainz 913–37. It tells of the man who had been to hell and heaven. Stanza 7 is missing. It must have related that St. Peter was head cook in heaven.

32 *scopis* from *scopa*, rod or birch.

122, p. 172. Strecker, op. cit., pp. 69 sqq. My text is taken from E. P. Vuolo's reconstruction of the corrupt text in his article 'Iam, dulcis amica, venito', *Cultura Neolatina*, x (1950), pp. 5 sqq., which is reproduced in my *Secular Latin Poetry*, i. 303 sq. If the poet was influenced by the Song of Songs, the dialogue form and the theme are doubtless popular in origin. In stanza 6 it is the girl who speaks, and the young man in stanza 7. She replies in 8. The rhythmical scheme is that of a rough equality of syllables.

123, p. 173. Strecker, op. cit., p. 95. This piece, in rhythmical iambic dimeters, with developed rhyme, is probably of French or Italian origin.

124, p. 174. Strecker, op. cit., pp. 63 sq. This song, in rhythmical sapphics (an unusual experiment), has as its subject a catalogue of birds, with their various characteristics. The bee is included as a bird, as in Ambrose, *Hexaëm.* v. 21.

125, p. 175. Migne, *Patrologia Latina*, cxli. 347. Fulbert, born *c.* 975 of poor parents, was one of the foremost scholars of his time. He made the school of Chartres famous, and became bishop in 1007. This autobiographical poem expresses his feelings on his being raised to this eminence.

126, p. 176. K. Strecker, op. cit., pp. 29 sq. This is an early nightingale-poem. On the superiority of its song, a traditional theme: Raby, 'Philomena praevia temporis amoeni', *Mélanges de Ghellinck* (Gembloux, 1951), ii. 438. The mono-rhyme in *a* should be noted.

2 *voce quindenaria*, 'with the fifteen notes'. 3 'according to the hypo-Dorian rule let the middle note sound first'. 4 *organica*, 'harmonious'. 45 *crusmata*, '(musical) sounds'.

127, p. 178. *Analecta Hymnica*, l, No. 220, p. 288. This hymn, in the metre of Horace's *Solvitur acris hiems*, is a witness to the classical studies at Chartres.

128, p. 179. *Analecta Hymnica*, l, No. 215, p. 285.

5 *invictus leo*. The lion's cubs were said to be born dead, and had to be wakened into life by the roaring of their father; so Christ is the Lion who, in the harrowing of hell, wakes the dead to life and brings them out to liberty.

129, p. 180. Strecker, op. cit., pp. 97 sqq. This story is taken from the *Vitas patrum*, which is a popular source of tales about the primitive monasticism of the desert.

130, p. 182. Ed. M. Manitius *Sexti Amarcii Galli Piosistrati Sermones*, Leipzig, 1888, p. 11. The monk who wrote under this pseudonym lived in Germany under the Emperor Henry IV. He borrowed the title of his satires from Horace, whom he had studied closely. He is the first important medieval satirist.

14 *timallus* (*thy-*), a fish, ?grayling.

131, p. 183. *Ruodlieb, der älteste Roman der Mittelalters*, ed. F. Seiler, Halle, 1882, p. 223. Thè *Ruodlieb* is a romantic epic, composed by a monk of Tegernsee about the year 1050. For its plot, Raby, *Secular Latin Poetry*, i. 395 sqq. In the extract given here, Ruodlieb tells how he had to play chess with a defeated king to whom he had been sent as ambassador by his own royal master. The poem is written in hexameters, with leonine rhyme sometimes imperfect and usually of one syllable.

132, p. 184. Ed. K. Strecker, *Die Tegernseer Briefsammlung*, Berlin, 1925, pp. 41 sq. Froumond was a learned monk of Tegernsee, who composed lively occasional poems which he collected along with his letters. In his epitaph for his mother (Ilisa) he derives her ancestry from Dulichium and Troy.

9–10 These obscure verses seem to mean: 'her lineage made her beauty a secondary thing; so she has deposited it in the earth that she surpasses with the remaining part' (her soul).

133, p. 184. *Analecta Hymnica*, liv, No. 7, pp. 12 sq. This sequence, of transitional type, is ascribed to Wipo, chaplain to Conrad II and Henry III. It became a central part of the Easter Play: see K. Young, *The Drama of the Medieval Church* (Oxford, 1933), i. 273 sqq.

134, p. 185. *Analecta Hymnica*, xlviii, No. 63, p. 62, and M. Lokrantz, *L'opera poetica di S. Pier Damiani*, Stockholm, 1964, pp. 88 sqq. Peter Damiani, first a hermit and then Cardinal Bishop of Ostia, was the confidant of Hildebrand (Gregory VII).

135, p. 187. *Analecta Hymnica*, xlviii, No. 66, pp. 66 sq., and M. Lokrantz, pp. 80 sqq.

136 (*a*), p. 190. Migne, *Patrologia Latina*, cxlv. 967, 961. These epigrams, at once shrewd and biting, show with what misgivings Peter watched the career of Hildebrand when, as Archdeacon, the latter began to display his imperious temper.

136 (*b*), p. 190. 'I am more obedient to the Pope's master than to the Lord Pope.'

137, p. 190. Ed. B. Hauréau, *Notices et extraits de quelques manuscrits latins de la Bibliothèque Nationale*, xxix. ii. 438. The story of Troy was a favourite with poets of the Cathedral schools. No. 137, with its ingenious rhymes, is merely an essay in 'abbreviation', but it was greatly admired and even imitated. The first sixteen lines are given here.

138, p. 191. Ed. E. Dümmler, *Anselm der Peripatetiker*, Halle, 1872, pp. 94 sqq. Like No. 122, this is an early 'invitatio', and it is also Italian. The metre is the elegiac, with leonine rhymes of two syllables. The story is that of a meeting between a poet and a maiden; for details, Raby, *Secular Latin Poetry*, i. 383 sqq. The great length of the poem makes it necessary to give only an extract here. Wido appears to have been connected with the Cathedral of Ivrea.

139, p. 192. Text in Raby, *Secular Latin Poetry*, i. 381. Alphanus, Archbishop of Salerno, bears witness to the continuity of the classical tradition in Italy. The metre (glyconics) is taken from Boethius, *De Consolat. Philosoph*, II. viii.

140, p. 195. Text in Raby, op. cit. i. 382 sq. This ode, in a Boethian metre, is in the form of a gentle rebuke to the young Transmundus, who had gone to the monks of Casauria in search of secular learning. As a Benedictine he ought not to have left his own monastery.

    10 *Tetina*, 'of Chieti'.   25 *Aternus*, 'Casauria'.

141, p. 196. *Analecta Hymnica*, l, No. 245, p. 318. There is reason to believe that this beautiful and celebrated antiphon was composed by Aimar, Bishop of Le Puy.

142, p. 196. Ed. M. B. Ogle and D. M. Schullian, *Rodolfi Tortarii Carmina*, American Academy in Rome, 1933, pp. 252 sq. Raoul was a monk of Fleury who composed a number of poetical epistles addressed mainly to unknown or fictitious persons. He was in charge of the teaching of versification in the monastery school.

    5 *Marsus*; the Marsi were a tribe famed for snake-charming. Augustine was perhaps the poet's source.

143, p. 198. Ed. M. Manitius, 'Zur poetischen Literatur aus Bruxell. 10615–10729', *Neues Archiv*, xxxix (1914), pp. 161 sq. Theodorich of St. Trond, Liège, wrote occasional poetry.

144, p. 199. Migne, *Patrologia Latina*, clxxi. 1451 sq.; see note on No. 137.

145, p. 201. *Analecta Hymnica*, l, No. 293, pp. 379 sq.; *Vita Sancti Malchi*, ed. R. Lind, Urbana, 1942, p. 145. Reginald was born in Poitou, studied in France, and spent the rest of his life as a monk at St. Augustine's, Canterbury. This extract is from his long life of Malchus, which is based on Jerome's work on the famous hermit.

146, p. 202. *Analecta Hymnica*, l, No. 296, pp. 385 sq.

147, p. 204. *Analecta Hymnica*, liv, No. 120, pp. 188 sq. There is some evidence to suggest that the author of this sequence was a master Hugh, Scholasticus at Orleans, *c*. 1111–13, and

N. Weisbein, 'Le *Laudes crucis attollamus* de Maître Hugues d'Orléans dit le Primat', *Revue du moyen âge latin*, iii (1947), pp. 4 sqq., identifies him with the famous Hugh the Primate (see note on No. 175, p. 485). If this identification is correct, and it is by no means certain, we must assume that Hugh was born *c.* 1086. This sequence has been wrongly assigned to Adam of St. Victor.

31 *dulces aquas*: Exod. xviii. 6.   32 *silex*: Moses' rod striking the rock is a type of the Cross.   36 *superliminaria*: Exod. xii; the Hebrews in Egypt saved themselves from the destroying angel by placing above their doors a sign like the sign of the Cross.   40 *ligna*: the sticks gathered by the widow of Sarepta (1 Kings xvii. 10) are likewise a type of the Cross.

148, p. 208. Ed. E. Dümmler, 'Sigeberts von Gembloux Passio Sanctae Luciae Virginis und Passio Sanctorum Thebeorum', *Abh. d. berlin. Akad.*, 1893, p. 24. Sigebert, who was a monk at Metz and Gembloux, is better known as biographer, hagiographer, and chronicler than as a poet.

149, p. 208. Ed. W. Wattenbach, 'Beschreibung einer Handschrift der Stadtbibliothek zu Reims', *Neues Archiv*, xviii (1893), pp. 509 sq. Petrus Pictor (the Painter) was a canon of St. Omer. He celebrates here in rhymed hexameters his beloved Flanders and the noble Flemish ladies who had married into a royal or an imperial house.

150, p. 209. *Analecta Hymnica*, l, No. 302, p. 393. Marbod was born at Angers, where he became Chancellor and then master of the Cathedral school. In 1096 he was made Bishop of Rennes. He was much interested in the art of versification, and was fond of leonine rhymes.

151, p. 210. *Analecta Hymnica*, l, No. 313, p. 402.

152, p. 211. *Analecta Hymnica*, l, No. 309, pp. 399 sq.

153, p. 213. Migne, *Patrologia Latina*, clxxi. 1717. A feeling for nature and a love of nature-descriptions are a characteristic of the poets of the Cathedral schools; cf. No. 154.

154, p. 213. Ed. P. Abrahams, *Les Œuvres poétiques de Baudri de Bourgueil*, Paris, 1927, pp. 271 sq. Born at Meung-sur-Loîre, he studied at Angers and in 1089 became Abbot of Bourgueil. No. 154 is from a poetical epistle to Emma, a learned nun.

4 *Magduni*, Meung-sur-Loîre. *Burgulium*, Bourgueil.
13 *Cambio*, the river Changeon or Aution.

155, p. 215. Abrahams, op. cit., pp. 199 sq. This is from a long poem to Adela, Countess of Blois, in which he describes her palace and, here, her room with its tapestries.

11 *ipsa*, i.e. Adela.   12 *radio*, her staff.

156, p. 216. Ed. T. Wright, *Latin Poems attributed to Walter Mapes*, London, 1841, pp. 21 sq. The anonymous author of this satire, in 'Goliardic' measure, was an adherent of Abelard, and is attacking the monks, who, like St. Bernard, wished to impose restrictions on philosophical speculation. The 'spring-introduction' is given here, which provides the setting for the poet's dream, followed by the description of an enchanting palace, set in the midst of an earthly Paradise, the abode of the gods and the muses, of poets and philosophers.

157, p. 218. Ed. B. Hauréau, *Les Mélanges poétiques d'Hildebert de Lavardin*, Paris, 1882, pp. 82 sq. One of the most famous men of letters of his time, Hildebert was master of the school and then Bishop of Le Mans, afterwards becoming Archbishop of Tours. He was driven into exile, and this exile and his misfortunes are the subject of a long elegiac poem, from which No. 157 is taken.

38 *notho* for *noto*, the wind.

158, p. 220. Hauréau, op. cit., pp. 60 sq., 64 sq. These two elegies on Rome show the new feeling for Rome as the see of Peter more glorious than under Caesar, as well as a 'sense of the past' in the presence of the remains of antiquity, which impressed the poet on his visits to the Papal court. They bear witness also to Hildebert's skill in versification. In the second elegy it is Rome, Christian Rome, who replies to the poet's praise, in the first elegy, of Rome in her ruined splendour.

158 (*a*): 5 *Araxes*, the barbarians in general.

159, p. 222. *Analecta Hymnica*, l, No. 318, p. 411. This extract is from a long poem on the Holy Trinity, and shows Hildebert's mastery of the new rhythmical verse, with two-syllabled rhyme and regular caesura.

160, p. 224. Ed. H. C. Hoskier, *Bernard of Cluny: De contemptu mundi*, London, 1929, pp. 1 sqq. These well-known verses on the heavenly country are part of a long and gloomy satire, dedicated to his abbot, Peter the Venerable, by Bernard, a monk of the same monastery. He wrote in dactylic hexameters with internal and tail rhymes.

9 *quique = quicumque*.

161, p. 226. *Analecta Hymnica*, l, No. 323, p. 426. The long rhythm in praise of the Virgin Mary, from which these verses are taken, show Bernard of Cluny's mastery of rhyme and rhythm.

162, p. 229. *Analecta Hymnica*, lv, No. 310, pp. 341 sq. Adam, of the Augustinian house of St. Victor in Paris, is the most accomplished master of the 'regular' sequence. He was probably a Breton by birth and had as his contemporaries in the cloister Hugh and Richard, as well as Andrew, all famous scholars and theologians.

28 *coronati*: Stephanus in Greek (Στέφανος) means a crown. 65 *Augustinus*: in *De Civitate Dei*, xxii. 8. 68 *revelato corpore*: in a vision in which Gamaliel appeared to a priest in Jerusalem and revealed the place where Stephen's body lay.

163, p. 232. *Analecta Hymnica*, liv, No. 245, pp. 383 sq. On the symbolism of this sequence, Raby, *Christian Latin Poetry*, pp. 363 sqq.

164, p. 234. *Analecta Hymnica*, liv, No. 149, pp. 227 sq.; for the symbolism, Raby, op. cit., pp. 359 sq.

165, p. 238. Ed. D. S. Wrangham, *The Liturgical Poetry of Adam of St. Victor* (London, 1881) i. 194 sqq. This sequence, often ascribed to Adam of St. Victor, is almost certainly not his. In spite of occasional obscurities, it is an accomplished piece of work.

1 'The theology of John teaches us that the word of the truly substantive (self-existent) Word, although that Word

be made flesh in the straitness of declining time, remains for ever.' 13 *mentis . . . excessus*, contemplation, ecstasy. 18 the eagle sharpens its vision by looking at the sun. 42, 55 *idiota*, 'unlearned', i.e. John; cf. Acts iv. 15 (Vulg.). 43 The meaning seems to be: 'his (i.e. John's) [vision of the creatures] full of eyes, their double countenance, their swift wings, the wheels on the chariot, all these were seen by Ezekiel (in vision) in heaven, before its fitting form (i.e. the chariot's) or the charioteer (Christ) was here'. The reference is to the Apocalypse of St. John.

166, p. 240. Ed. A. Boutemy, 'La Version parisienne du poème de Simon Chèvre d'Or sur la guerre de Troie (ms. Lat. 8430)', *Scriptorium*, i (1946–7), p. 269. Simon Aurea Capra (Chèvre d'Or), canon of St. Victor, was highly esteemed as a poet in his day. He composed three poems on the war of Troy. No. 166 deals with the adventures of Paris and the siege of Troy.

167, p. 241. This is from the same poem by Simon on the war of Troy: Boutemy, op. cit., pp. 272 sq.

168, p. 241. Ed. J. J. Champollion-Figeac, *Hilarii versus et ludi*, Paris, 1838, pp. 14 sqq. Hilary, an Englishman, was a disciple of Abelard, and he composed this poem to soften the heart of the Master, who, on the occasion of some disorder reported to him by a servant, had, it seems, threatened to turn his pupils out of the Paraclete, the hermitage where he lived, and make them live in the village of Quincey, as a condition of his continuing his lectures. The refrain is: 'le maître nous fait tort'.

13 *puplicus*, a common person, the servant who had reported to the Master the misdeeds of the pupils. In verse 22 he is called *bubulcus*, a clown. 28 *Quinciacus*, Quincey.

169, p. 243. *Analecta Hymnica*, xlviii, No. 139, p. 163. Abelard, the famous philosopher, composed a hymnary for Heloise and her nuns of the Paraclete. Here his genius showed itself in the creation of original verse-forms. This hymn for the Sabbath (Saturday) celebrates the Joys of the endless Sabbath.

6 *pax*: see above, p. 462, note on No. 63.

170, p. 244. *Analecta Hymnica*, xlviii, No. 148, p. 169.

171, p. 245. *Analecta Hymnica*, xlviii, No. 154, p. 172.
1 *victimam*, 'sacrifice'.

172, p. 246. *Analecta Hymnica*, xlviii, No. 249, pp. 231 sq. The *Planctus* or Laments composed by Abelard are songs for extra-liturgical use. Their musical notation has been preserved.
37, 66 *Saul*, a disyllable.   105 *fidibus*, the strings of David's harp.

173, p. 250. *Analecta Hymnica*, xlviii, No. 246, p. 225.
7 *cyclades*, 'garments embroidered with gold'.

174, p. 251. Ed. E. Voigt, *Ysengrimus*, Halle, 1884, p. 48. The *Ysengrimus* is a long 'beast-epic' in seven books by Nivard, a German, who settled in Ghent and taught as a monk in the famous monastery of Blandigny. The aim of the poem is satirical; it is lively and amusing. In the extract here given Reynard steals the parson's fowl just as he is beginning the *Salve, festa dies* on Sunday.

175, p. 251. Ed. K. Langosch, *Hymnen und Vagantenlieder*, Basel, 1954, pp. 170 sqq. Hugh, surnamed Primas, was one of the most accomplished versifiers of his time. He taught at Orleans and Paris, and lived as well as he could on the bounty of great men. No. 175 is from his complaint to the Canons of Orleans. In his old age, after he had spent his money, the Canons ceased to entertain him at their table, and placed him in the *hospitium* among the sick and poor, partly perhaps with his own consent.

176, p. 254. Ed. Langosch, op. cit., p. 184. Three short satirical pieces on the Bishop who gave the poet a cloak in winter, without a down or sheepskin lining.

177, p. 255. Ed. Langosch, op. cit., p. 190.

178, p. 256. Ed. J. Raine, *Dialogi Laurentii Dunelmensis monachi ac prioris*, Surtees Society, 1880, pp. 8 sq. Born and educated at Waltham, Laurence became a Benedictine at Durham, where Bishop Geoffrey Rufus made him one of his chaplains. The four books of his *Dialogues* are in elegiacs.
26 *Petro*: the poems take the form of discussions with two friends, Peter and Philip.

179, p. 257. *Analecta Hymnica*, lxviii, No. 250, pp. 234 sq. Peter the Venerable was Abbot of Cluny. He restored monastic discipline, and was a wise ruler. He was not a distinguished poet.

40 *martyrium*: the Virgin Mary is the Queen of Martyrs.

180, p. 259. *Analecta Hymnica*, l, No. 346, pp. 510 sq. Guido (or Guy) of Bazoches, of noble birth, studied in Paris and Montpellier, and became cantor and canon at Bazoches. This piece was written for the Saturnalia of the scholars at the Feast of the Circumcision, when they danced and sang before the bearer of the Staff (*coram gestatore baculi*). Guy sent this song to Châlons, as he says in the last stanza, because his absence for the purpose of study made it impossible for him to come to the feast. The staff, which the precentor used for conducting, was borrowed for the occasion by the lord of the feast, who was vested in a cope; see E. K. Chambers, *The Medieval Stage* (Oxford, 1925), i. 274 sqq.

181, p. 261. Ed. F. Munari, *Marci Valerii Bucolica*, Florence, 1955, pp. 61 sq. We know nothing definite about this talented poet, perhaps a Frenchman, who composed eclogues in Vergilian style and appears to belong to the latter half of the twelfth century. It is possible here to give only the opening of a long eclogue, in which the shepherds Ladon and Cidnus speak in turn.

182, p. 262. Ed. Raby, 'Surgens Manerius summo diluculo', *Speculum*, vii (1932), p. 204; see also ibid. x (1935), pp. 68 sqq. This somewhat mysterious poem has as its subject a love-adventure, based on the legend of the swan-children.

12 *tonos*, 'sounds'.   13 *herilis filia*, 'the daughter of the lord'.   *patria*, 'home'.

183, p. 263. Ed. M. Manitius, *Die Gedichte des Archipoeta*, Munich, 1913, pp. 23 sqq. The Archpoet, whose real name is unknown, was of knightly birth, a clerk who struggled with poverty and attached himself to Rainald of Dassel, Archbishop-Elect of Cologne and Arch-Chancellor of Frederick Barbarossa. The *Confession* shows the Archpoet's powers at their highest. It is a frank unveiling of his weaknesses, with constant quotations from Holy Scripture, and a final appeal to his patron, whose favour he had lost. On this poem and for the latest text of the Archpoet's verse, H. Watenphul and H. Krefeld, *Die Gedichte des Archipoeta*, Heidelberg, 1958.

36 *Alethiae:* see above, p. 469, note on the *Eclogue of Theocdulus*. The Archpoet takes the Alethia of the Eclogue as a typ of virginity, for in the Eclogue she is a 'virgin of the House of David', and so a counterpart to the heathen goddess Venus.

184, p. 266. Manitius, op. cit., pp. 14 sq. This is addressed to Rainald, Archbishop-Elect in 1159 but not consecrated until 1165.

185, p. 267. Manitius, op. cit., pp. 30 sqq. Rainald had urged him to write of the deeds of Barbarossa, but he excuses himself, because this is beyond his powers to attempt in the short time allowed for such an epic.

14 *nane,* 'dwarfishly'; but *plane* and *sane* have been suggested instead.   60 *praeter te,* 'without thy help'.

186, p. 269. Manitius, op. cit., pp. 48 sqq. The scene is in Vienne, as the opening lines (not given here) show. Here Rainald was holding a Diet and a great concourse had flocked to the city. Under the figure of Jonah the Archpoet is asking to be restored to favour. Like Hugh the Primate he loves what the Germans call the 'Tiradenreim'.

27 *infronitas = infrunitas,* 'stupid'.

187, p. 271. Manitius, op. cit., pp. 20 sqq. Again the Archpoet shamelessly begs of his patron.

42 *lechitum,* lecythus ($\lambda\acute{\eta}\kappa\upsilon\theta\sigma\varsigma$), flask of oil; cf. 3 Reg. xvii. 12 (Vulg.).

188, p. 273. Ed. E. Faral, *Les Arts poétiques du XIIe et du XIIIe siècle*, Paris, 1924, pp. 129 sq. Matthew of Vendôme was educated at Tours and Orleans, in which latter Cathedral school he taught, among other things, the art of versification, according to the methods then in fashion. His *Ars versificatoria* deals with rhetorical ornaments, etc., and, in the first book, with descriptions, of which No. 188 is a specimen.

2 *Tyndaridis,* 'daughter of Tyndarus' (Helen).

NOTES

189, p. 274. Migne, *Patrologia Latina*, clxxi. 446. This anonymous poem is an exercise in ingenuity. The countryman spears a boar, the boar falls on a snake, which spits forth poison, and the poison kills the man.

190, p. 274. Ed. J. A. Giles, *Arnulfi Lexoviensis Epistolae*, Oxford, 1844, pp. 38 sq. Arnulf, educated at Séez, became Bishop of Lisieux in 1141. This piece is probably a youthful school-exercise.

191, p. 275. Migne, op. cit. ccix. 518. Walter of Châtillon, perhaps the most accomplished Latin poet of his time, had a varied scholastic career and came to England in the reign of Henry II, where he was a member of the Canterbury circle. In the end he became a canon of Reims. He had an extensive knowledge of Latin literature, which is shown not only in his long epic the *Alexandreis*, but in his lyrical poems—religious, satirical, and erotic. No. 191 extols the glory of Alexander and is inserted in Walter's epic just after he has described Alexander's triumphal entry into Babylon.

14 *Hispana poesis*: the reference here is to Lucan's *Pharsalia*.
15 *Claudius*, that is, Claudian (Claudius Claudianus), a poet much esteemed in the Middle Ages. The reference here is to his panegyrics on the Emperor Honorius.

192, p. 276. Ed. K. Strecker, *Die Lieder Walters von Châtillon in der Handschrift 351 von St. Omer*, Berlin, 1925, p. 33.
19–20: Horace, *Od.* ii. 13. 1.

193, p. 277. K. Strecker, *Die Lieder*, p. 31.

194, p. 278. K. Strecker, *Die Lieder*, p. 29.
22 *clamis*, perhaps 'kerchief'. 25 *cotulata*, 'striped'. *vario*, 'variously'. 28 *plumario*, 'embroidered': Exodus xxvi. 1 (Vulg.) 29 *adzima*, 'pure' (*lit.* unleavened).

195, p. 280. K. Strecker, *Die Lieder*, pp. 59 sq.
53 *pennula*, the branches of the trees.

196, p. 282. Ed. K. Strecker, *Moralisch-Satirische Gedichte Walters von Châtillon*, Heidelberg, 1929, p. 18. This is from a satire on the Curia; for full commentary, A. Hilka and O. Schumann, *Carmina Burana* (Heidelberg, 1930), ii. 1, pp. 70 sqq.

16 *bitalassus*: Rome is like the straits between Sicily and Italy, which give access to two seas. 115 *galea*, helm, rudder. 166 Pope Alexander III. 173–4 if Gehazi did not corrupt those near to Elisha (= the Pope).

197, p. 288. K. Strecker, *Die Lieder*, pp. 46 sq. This is a satire on the morals of the upper clergy.

16 *Giezita*, a follower of Gehazi. The reference is to the prevalent simony. 38 *sanguisuge filia*, Prov. xxx. 15.

198, p. 290. K. Strecker, *Moralisch-Satirische Gedichte*, pp. 82 sqq. This poem on his poverty and on the unequal rewards of learning is in 'Goliardic' measure, with a line from a classical author, hexameter or pentameter, attached to each stanza. Strecker's notes are valuable; I have made use of them in *Secular Latin Poetry*, ii. 196 sqq., where a list of the classical references is given. 8 is an adaptation of Persius *Prol.* 1.

199, p. 293. Ed. A. Wilmart, 'Poèmes de Gautier de Châtillon', *Revue Bénédictine*, xlix (1937), pp. 152 sq. This is Walter's song of repentance in his old age. He promises that he will live henceforth for God and amend his life.

9–12: he is forty years old. The year of Jubilee is the fiftieth.

200, p. 295. K. Strecker, *Moralisch-Satirische Gedichte*, pp. 148 sqq. Walter appears to have died of leprosy.

39 *colles*, i.e. the prelates.

201, p. 297. Ed. A. Wilmart, 'Le Florilège mixte de Thomas Bekynton', ii, *Mediaeval and Renaissance Studies*, iv, pp. 81 sq. Roger of Hoveden says in his Chronicle, under the year 1187, that Master Berter of Orleans in that year composed this 'suasionem ad crucem capiendam', the year Saladin took Jerusalem.

1–2 Lamentations, i. 4. 12 *de Syon*: Is. ii. 3. 18 *onus Tyri*: Is. xxiii. 1. The Saracens had failed to take Tyre. 29 Hor. *Ep.* i. 2.29. 69 *torculari*, the wine-press of the Passion, Is. lxiii. 3, was supposed to refer to this: 'I have trodden the wine-press alone'.

202, p. 300. A. Wilmart, op. cit., pp. 62 sq. This is part of an anonymous love poem of the twelfth century.

203, p. 303. Ed. K. Strecker, *Die Apocalypse des Golias*, Rome–Leipzig, 1928. This long satirical poem passes under the name of Golias, and has been ascribed by various traditions to Alan of Lille, Walter of Châtillon, and to Hugh Primas. It may be of English origin, as the 'literary phantom' known as Golias may be an English creation. On the meaning of Golias, Raby, *Secular Latin Poetry*, ii. 339 sq. The name Golias or 'goliardus' is attached in English manuscripts and traditionally to satirical and profane pieces, and has nothing to do with imaginary wandering poets or so-called 'goliards'. The poem is a satire on the clergy from the Pope downwards in the form of a vision, modelled on that of St. John the Divine, for it describes things that 'must shortly come to pass'. The opening stanzas, which contain the poet's vision of Pythagoras are given here, and the interpretation of the 'four living creatures'. Pythagoras is the type of the master who possesses the whole of human knowledge. He professes to be the 'leader' in the Apocalypse, but he disappears from the scene, and an angel is brought in to perform that office.

1–2 *a Tauro*: 'under the sign of the Bull (i.e. in May), when the scorching torch of Cynthius (Apollo, the sun) was pouring forth the darts of its burning rays'. 10 *artium*, the seven Arts. 43 *fabrilia*. This refers to the story that musical notes were discovered by observing the sounds made by a hammer.

204, p. 304. Ed. W. Wattenbach, 'Parodie des *Doctrinale*', *Anzeiger für Kunde der deutschen Vorzeit*, xxii (1875), p. 150. 40 *tiletis*, groves of lime-trees.

205, p. 306. Ed. M. Vatasso, 'Contributo alla storia della poesia ritmica latina medievale', *Studi Medievali*, i (1904), p. 124, the only decipherable verses are given here according to Sir Stephen Gaselee's text. This *planctus monialis* uses a stock theme in German and French vernacular poems.

206, p. 307. Ed. E. K. Chambers, The *Medieval Stage*, ii. 280 sq. On the Feast of the Ass see Chambers, op. cit. i. 282. It was held at the Circumcision and was identical with the

Feast of the Staff (see above, p. 486). At Sens it was called the *asinaria festa* and at Beauvais *officium stultorum*. The ass was brought into the cathedral while the Prose was sung.

207, p. 309. *Analecta Hymnica*, xx, No. 133, pp. 100 sq. The lower clergy elected a bishop, *asinorum dominus*, to whom the precentor's staff was handed at Vespers when *deposuit potentes de sede* was sung. He is here called Tityrus.

9 *satrapae*, perhaps the canons.

208, p. 310. Raby, *Secular Latin Poetry*, ii. 335 sq. This text is taken from S. Gaselee, *The Transition from the Late Latin Lyric to the Medieval Love Poem*, Cambridge, 1931, pp. 30 sq. This is a sacred pastourelle, based on the Song of Songs; it is in dramatic form, with a chorus of maidens. The maiden of the Song of Songs is Mary and the Beloved is her Son.

209, p. 312. Ed. A. Hilka and O. Schumann, *Carmina Burana* (Heidelberg, 1941), i. 2, pp. 94 sqq. This is a fine specimen of the 'poetical debate', the subject of which is the respective merits as lovers of the clerk and the knight. After a long verbal contest, the maidens, Phyllis and Flora, agree to submit to the judgement of the god of Love. The poet takes every opportunity of inserting elaborate descriptions according to the methods taught in the schools. The extracts given here afford a good idea of the content and merits of the poem, which is in 'Goliardic' verse. The poet, it will be observed, begins with the usual 'nature-introduction'.

210, p. 316. Ed. A. Tobler, 'Streit zwischen Veilchen und Rose', *Archiv für das Studium der neueren Sprachen und Litteraturen*, xc (1893), pp. 152 sqq. This contest between the Violet and the Rose is ended by the poet, whose judgement they have agreed to accept. He reconciles them as equals in beauty and in sisterly love.

211–23 are taken from the famous Benediktbeuern MS. (*Carmina Burana*) of the early thirteenth century. It was probably written in Bavaria and it contains the largest collection of Medieval Latin songs and poems. Many of them belong to the twelfth century, but the selection given here is presented in one group for reasons of convenience. For a general account of the collection, Raby, *Secular Latin Poetry*, ii. 256 sqq. The critical edition, begun by Hilka and Schumann, is being continued by Bernard Bischoff.

211, p. 317. Ed. A. Hilka and O. Schumann, *Carmina Burana*, i. 2, p. 123. This is an imitation of No. 168, p. 241 above.

26 *Briciavvia*: the reading is corrupt. It is tempting to read *nostra terra fuit Britannia*.

212, p. 318. *Carmina Burana*, i. 2, p. 252.

213, p. 319. *Carmina Burana*, i. 2, pp. 53 sqq. This poem in 'Goliardic' measure, is an elaborate love fantasy, set in a dream-world. An extract only is given here.

214, p. 320. *Carmina Burana*, i. 2, p. 182.

215, p. 322. *Carmina Burana*, i. 2, p. 190. The first stanza only is given.

216, p. 322. *Carmina Burana*, i. 2, pp. 19 sq.

217, p. 324. *Carmina Burana*, i. 2, p. 267.

218, p. 326. *Carmina Burana*, i. 2, p. 268.

219, p. 327. *Carmina Burana*, i. 2, p. 295.

220, p. 327. *Carmina Burana*, i. 2, p. 86.

221, p. 328. *Carmina Burana*, i. 2, p. 196.

222, p. 328. *Carmina Burana*, i. 2, p. 200.

223, p. 330. *Carmina Burana*, i. 2, p. 209.

224–8, pp. 332–9. These poems are taken from a manuscript which belonged to the monastery of Santa Maria de Ripoll in Spain. The pieces here given are part of a collection of love poems which are inserted incongruously in a manuscript of quite other content. They seem to be of Spanish origin, but they were written under the influence of French models. They have been edited by L. N. D'Olwer, 'L'Escola poètica de Ripoll en els sigles x–xiii', *Institut d'Estudis Catalans*, vi (1923), pp. 3 sqq.; as this article is not easily accessible, I give references to the texts as reproduced in Raby, *Secular Latin Poetry*, ii. 236 sqq.

224, p. 332. Raby, op. cit., pp. 238 sq.

31 this verse is a reminiscence of verses 13 and 14 of the 'Manerius' poem, No. 182, p. 262.

225, p. 333. Raby, op. cit., p. 239. This is a scholar's pastourelle. It contains an acrostich on the name Judith.

226, p. 335. Raby, op. cit., pp. 240 sq.

227, p. 338. Raby, op. cit., pp. 242 sq.

24 *renones*, a garment made of reindeer skin; the poet probably took this unusual word from Isidore, *Etymol.* xix. 23. 4.

228, p. 339. Raby, op. cit., pp. 245 sq. This is a song of the spring dances, of heathen origin, but persisting in spite of the Church.

229–31. These are taken from a collection of twenty-eight songs in British Museum MS. Arundel 384: ed. W. Meyer, 'Die Arundel Sammlung mittellateinischer Lieder', *Abh. d. kgl. Gesellsch. d. Wissen. zu Göttingen*, xi. 1909. They are reproduced in Raby, op. cit., pp. 247 sqq.

229, p. 340. Raby, op. cit., p. 249.

13 *rex*, i.e. Jupiter.   15 *Argionem*; from Martianus Capella, *De nuptiis Mercurii et Philologiae*, i. 4: 'Ianusque Argionam utraque miratur effigie'. The correct name of this Roman goddess is *Angerona*, whom Martianus associates with Ianus.

230, p. 342. Raby, op. cit., p. 250.

231, p. 344. Raby, op. cit., p. 251.

232, p. 345. Raby, op. cit., p. 252, and *Carmina Burana*, i. 2, p. 178. This song, skilfully devised in Sequence-form with parallel strophes, has as its subject the conflict in a scholar's heart between his love and his books.

233, p. 347. Ed. A. Wilmart, *Le 'Jubilus' dit de Saint Bernard*, Rome, 1944. This famous poem, which goes under the title of *Iubilus rhythmicus de nomine Iesu*, is a pious meditation, formerly ascribed to St. Bernard, because it is imbued with his spirit and has reminiscences of his writings. Wilmart has shown that it is the work of an English Cistercian about the end of the twelfth century. It marks a stage in the movement of personal devotion which was to continue through the Franciscans and others into Renaissance times and beyond.

234, p. 353. Ed. E. du Méril, *Poésies populaires latines du moyen âge*, Paris, 1847, pp. 235 sqq.

31 The 'Greek fire' used by the Byzantine navy could, so the poet says, be put out by vinegar, but the fire of love cannot be extinguished; it rather increases. For 'Greek fire' see C. Zenghelis, 'Le feu grégois et les armes à feu des Byzantins', *Byzantion*, vii (1932), pp. 265, referred to by G. Ostrogorsky, *History of the Byzantine State*, Oxford, 1956, p. 112.

235, p. 355. *Carmina Burana*, i. 2, pp. 135 sq. It is not surprising that the tragic story of Dido should have been taken as the theme of Latin songs. The poem is in sequence form, and is provided with neums in one manuscript (Munich Clm. 4598). All the well-known characters of the Virgilian and Ovidian story are here introduced—Aeneas, the 'Phrygian guest'; Iarbas, the Gaetulian king who was a suitor for Dido's hand; Lavinia, wife of Aeneas and mother of Ascanius; Anna, Dido's sister; Palinurus, the famous steersman.

13 *Celaeno*, the harpy of *Aeneid*, iii. 211.   31–32 *dolant*: the meaning of this is doubtful, but it is the reading of all three manuscripts of the poem. Can it mean 'they (the sailors) are making ready'?

236, p. 359. Ed. A. Wilmart, 'Le Florilège mixte de Thomas Bekynton', *Mediaeval and Renaissance Studies*, iv, pp. 389 sqq. This is the lament of Dido before her death.

237, p. 362. Ed. F. Novati, *Carmina medii aevi*, Florence 1883, pp. 66 sq. The first verse is taken from a well-known, hymn. There are various versions of this poem.

238, p. 363. Ed. Raby, *Secular Latin Poetry*, ii. 22 sq., from British Museum MS. Burney 305, f. 36. This remarkable 'dream-poem' is of interest for the conception of Nature which was being worked out in the philosophical poetry of the time; see C. S. Lewis, *The Allegory of Love*, Oxford, 1936, p. 111 and *passim*; E. R. Curtius, *Europäische Literatur und lateinisches Mittelalter*, Bern, 1948, pp. 114 sqq. (English trans., London, 1953, pp. 106 sqq.).

239, p. 364. *Carmina Burana,* i. 1, p. 50. Peter of Blois, a man of great learning, tutor to William II of Sicily, and later Chancellor to Richard, Archbishop of Canterbury, was famous as a writer of letters as well as a poet. He was also Archdeacon of Bath, and later Archdeacon of London.

240, p. 365. Ed. R. Bossuat, *Anticlaudianus,* Paris, 1955, pp. 58 sqq. Alan of Lille, the 'doctor universalis', belongs to the first period of scholasticism, when Aristotelian elements were being incorporated into the still dominant Augustinian Neoplatonism. But he was a Platonist at heart, as his poems show. The *Anticlaudianus* is a mixture of allegory, myth, and apocalypse, which it would be tedious to outline here; see Raby, *Christian-Latin Poetry,* pp. 297 sqq. No. 240 is an elaborate picture of Nature's garden, a paradise of loveliness removed from this world.

241, p. 367. Ed. T. Wright, *Anglo-Latin Satirical Poets* (Rolls Series, 1872), ii. 458. Here again we have the deification of Nature, in his *De planctu naturae* from which No. 241 is taken.

13 *noys* = νοῦς; this is meant as a genitive. Nature, the creative power, creates the world of things according to the 'ideas of Nous', the divine reason and second person in the Neoplatonic trinity, of God (the One), Nous (the Divine Mind), and World-soul (Nature).

242, p. 369. Migne, *Patrologia Latina,* ccx. 579. Here we have the natural world with its 'change and decay' as the mirror of human life.

243, p. 370. Ed. J. H. Mozley and R. R. Raymo, Berkeley and Los Angeles, 1960, pp. 32 sq. Nigel Longchamp, Precentor of Christchurch, Canterbury, dedicated to William Longchamp, afterwards Bishop of Ely, his satire, the *Speculum Stultorum,* directed against scholars, ecclesiastics, and monks. It describes the adventures of an ass, who is discontented with his short tail and wants to find a longer one. The ass represents 'a monk or any religious person, who is not satisfied with his lot and wants something better—a priory or an abbey—and would proudly trail his position behind him like a tail'. Galienus in the extract given here is Galen, the famous physician, who is taken here for physicians in general.

244, p. 371. Ed. B. Hauréau, *Notices et extraits de quelques mss. latins de la Bibliothèque Nationale*, XXVIII. ii, p. 386. Peter Riga, or la Rigge, was a French poet and rhetorician. His *Floridus Aspectus* is a collection of verses of his own composition, from which this piece is taken. He was above all an exponent of the school-exercise.

245, p. 372. Ed. E. Faral, *Les Arts poétiques du xiie et du xiiie siècle*, Paris, 1924, pp. 214 sq. Geoffrey of Vinsauf, an Englishman, won fame as the author of the *Poetria Nova*, an *Ars Poetica* to meet the needs of the versifiers of his time. It was known to Chaucer, who was influenced by its precepts. No. 245 is from Geoffrey's specimen of a description of feminine. beauty.

246, p. 373. Ed. *Dictys Cretensis . . . nec non Josephus Iscanus*, Amsterdam, 1702, p. 113. Joseph was born at Exeter and educated there. He went on the third crusade, on which he wrote an epic (lost) called the *Antiocheis*. His epic *De Bello Troiano* is in six books, a masterpiece of rhetoric.

7 *Hysiphides*, Protesilaus, the first Greek to land at Troy. He was killed by Hector, knowing that his death would secure ultimate victory to the Greeks.   17 *Laodamia*, wife of Protesilaus. Wordsworth's poem *Laodamia* gives the whole story in incomparable fashion.

247, p. 374. Ed. J. S. Brewer, *Opera* (Rolls Series), 1861, i. 348 sq. Of Norman-Welsh birth, Gerald was educated in Paris, and became one of the foremost men of letters of his time. He has left us a lively picture of himself in his autobiographical writings. No. 247 is taken from a long poem 'on the creation of the world and all that therein is'..

248, p. 374. Brewer, op. cit., p. 352.

249, p. 375. *Analecta Hymnica*, liv, No. 153, pp. 234 sq. There is little reason to doubt that Stephen Langton, Archbishop of Canterbury, was the author of this famous sequence; see A. Wilmart, 'L'Hymne et la séquence du Saint-Esprit', *La Vie et les arts liturgiques*, No. 112, 1924, p. 397.

250, p. 376. Ed. N. Fickermann, 'Ein neues Bischofslied Philipps de Grève', *Studien zur lateinischen Dichtung des Mittelalters, Ehrengabe für Karl Strecker*, Dresden, 1931, pp. 37 sqq. Philip, the celebrated Chancellor of Paris (not to be confused with Philip de Grève), besides being a man of affairs, was an accomplished versifier. No. 250 is a formal ode meant to be sung at the enthronization of a Bishop of Paris, who may be Peter of Nemours elected in 1208.

26: this may refer (Fickermann suggests, p. 39) to a gift by the Bishop to the church of St. Julien le Pauvre, where the Masters of the University used to meet. 28 *Sortes*, a medieval spelling of Socrates. These three names represent types of scholars or philosophers at the University. 33 *Nemesio*, Nemours.

251, p. 378. *Analecta Hymnica*, l, No. 363, p. 532.

252, p. 379. *Analecta Hymnica*, l, No. 364, p. 533.

253, p. 380. *Analecta Hymnica*, l, No. 365, p. 534.

254, p. 382. *Carmina Burana*, i. a, p. 218.

48 *Crassus*, The story, as told in Florus *Epitome*, iii. 11, is that Crassus, notoriously fond of gold, after his death at Carrhae, had molten gold poured down his throat by order of the Parthian king.

255, p. 383. *Analecta Hymnica*, xxi, No. 201, p. 141. It is possible that this piece may be by Walter of Châtillon. Christ is the speaker in this complaint against the evil lives of prelates.

32 *in angaria*, 'by constraint'. 40 *Aegyptia*, Potiphar's wife. The prelate had fled, like Joseph, from the world, but is now returning to its allurements.

256, p. 385. *Analecta Hymnica*, xxi, No. 14, pp. 20 sq. This poem or song is in the form of a dialogue between the Virgin Mary and the Cross.

257, p. 389. *Analecta Hymnica*, xxi, No. 168, pp. 114 sq. This is a poetical debate (meant to be sung) between heart and eye, which is settled by *Ratio*. It is a good example of moralistic verse.

17 *fenestra*, cf. Jer. ix. 21: 'ascendit mors per fenestras nostras'.

258, p. 391. *Analecta Hymnica*, xxi, No. 157, p. 106. Another moralizing song.

259, p. 392. *Analecta Hymnica*, liv, No. 178, pp. 269 sq. There are good reasons for maintaining the traditional view that Thomas of Celano, the biographer of St. Francis, was the author of this famous poem, which, originally conceived as a pious meditation, has become the sequence for the Mass of the Dead; see F. Ermini, 'Il poeta del *Dies irae*', *Medio Evo Latino, Studi e ricerche*, Modena, 1938, pp. 275 sqq.

3 The Erythraean Sibyl was supposed to have foretold the end of all things; cf. Augustine, *De Civitate Dei*, xviii. 23.

260, p. 394. *Analecta Hymnica*, l, No. 382, p. 568. Bonaventura, the Seraphic Doctor, was the first great Franciscan theologian and mystic. No. 260 is the hymn for Matins from his Office of the Holy Cross.

261, p. 395. *Analecta Hymnica*, l, No. 383, pp. 571 sq.
59 *zabulorum*, the fiends.

262, p. 398. *Analecta Hymnica*, l, No. 385, pp. 584 sq. St. Thomas Aquinas was asked to compose the Office and the Mass for the new feast of Corpus Christi, and he displayed his genius here as in his other writings. No. 262 is the sequence for the Mass.

21 *phase* indeclinable, 'Passover'. Deut. xvi. 2 (Vulg.). 37 *species*, the Bread and Wine. 39 *res*, the substance, i.e. the Body and the Blood. 69 *deputatur*, 'is appointed' or 'is sacrificed'.

263, p. 401. *Analecta Hymnica*, l, No. 386, p. 586.

264, p. 402. *Analecta Hymnca*, l, No. 388, p. 588.

265, p. 403. Ed. A. Wilmart, 'La Tradition littéraire et textuelle de l'*Adoro te devote*', *Auteurs Spirituels et textes dévots du moyen âge latin*, Paris, 1932, pp. 361 sqq. For the reasons for assigning this poem to St. Thomas, Raby, 'The date and authorship of the poem *Adoro te devote*', *Speculum*, xx (1945), pp. 236 sqq.

266, p. 404. *Philomena*, ed. C. Blume, Leipzig, 1930, p. 3. John of Howden, clerk to Queen Eleanor, wife of Henry III, and also to Edward I, and prebendary of Howden, was probably educated at Oxford. He was a learned astrologer and

astronomer and a poet of no mean order. His poems belong
to the movement of personal devotion to which the Franciscans
gave such an impulse. The *Philomena* is a long meditation on
the power of love as shown in the incarnation, the life, and the
passion of Christ. The opening stanzas are given here.

267, p. 406. Ed. Raby, *Poems of John of Hoveden*, Surtees
Society, 1939, pp. 1 sqq. The first and last stanzas are given.

268, p. 407. Raby, op. cit., pp. 115 sqq. This is from a long
meditation of varied content. The fiftieth (and last) section is
given here. It is entitled: *Vox fidelium orantium et inducentium
Christum sub figura Ioseph, et terminatur liber*.

269, p. 408. Raby, op. cit., p. 128. The *Cythara*, another
lengthy meditation, has as its subject the love and passion of
Christ.

  1 *Liber vitae*, i.e. Christ.

270, p. 410. Raby, op. cit., p. 176. This poem is addressed to
the Virgin Mary and is concerned with her Sorrows as well as
with the Passion. The first two stanzas are given.

  6 For the ray of light in representations of the Annunciation see H. Hirn, *The Sacred Shrine*, London, 1912, pp. 313 sq.,
343 sqq.

271, p. 410. Raby, op. cit., p. 195. This poem, consisting of
two hundred and fifty verses divided into mono-rhymed sec-
tions of fifty verses each, is a *tour de force* of an unusual character. The subject is the praise of the Virgin Mary.

  6 *piscina*: John v. 2.   13 *nux*: Num. xvii. 8.

272, p. 412. Raby, op. cit., p. 210. This extract is from the
Canticum Amoris, a lengthy fragment, which is clearly a first
sketch for the *Philomena*. Like the latter it is a song of the omni-
potence of love.

273, p. 413. *Analecta Hymnica*, l, No. 398, pp. 602 sq. John
Pecham, a Franciscan and Archbishop of Canterbury under
Edward I, a conservative theologian and of meditative tempera-
ment, has left a number of poems, of which the *Philomena* is the
most remarkable. Written in Goliardic verse, it is a horology
of the Passion, in which the soul, meditating on the sufferings

NOTES

of Christ, lives through a mystic day and dies of love as the nightingale dies through the passion of her song.

35 *oci*: this is the imperative of the Old French 'occir', to kill. It may have been originally used in an onomatopoeic sense, and afterwards as 'kill! kill!'; see Raby, 'Philomena, praevia temporis amoeni' in *Mélanges J. de Ghellinck* (Gembloux, 1951), ii. 443 sq.

274, p. 415. *Analecta Hymnica*, l, No. 391, p. 594. This poem reflects the Augustinian theology, to which Pecham was devoted. The Holy Spirit is the mutual love of Father and Son.

21 *originis*, the Father, who is the *principium* in the life of the Trinity.   35 *nativi germinis*, the son (the filial seed).   24 *votivi*, promised; the Holy Spirit was 'the promise of the Father'. *spiraminis*, the Spirit.

275, p. 416. Ed. *Bodleian Quarterly Record*, v (1926), p. 22. This charming piece is taken from a manuscript fragment, which may have come from Bury St. Edmunds.

276, p. 417. *Analecta Hymnica*, xxi, No. 40, p. 36. This song and Nos. 277–82 are from the famous musical manuscript in the Laurentian Library Pl. 29. 1, a manuscript which, along with others, is of fundamental importance for the study of the period of medieval music associated with the development of polyphony. The School of Notre Dame, Paris, was an important centre.

277, p. 417. *Carmina Burana*, i. 1, pp. 45 sq.

278, p. 419. *Analecta Hymnica*, xxi, No. 161, p. 109.

279, p. 420. *Carmina Burana*, i. 2, pp. 23 sq.

9 *Ioles*, Iole who ensnared Hercules.

280, p. 423. *Analecta Hymnica*, xxi, No. 46, p. 39. The crossing of the Red Sea and Joseph in the pit are types of Baptism.

281, p. 425. *Analecta Hymnica*, xxi, No. 218, pp. 152 sq.

13 *Simone*, Simon Magus.   22 *Beatus*: a parody of Ps. xli. 1.

282, p. 426. *Carmina Burana*, i. 1, pp. 46 sq.

283, p. 428. *Analecta Hymnica*, xxi, No. 239, pp. 179 sqq., from a Stuttgart manuscript of the thirteenth century.

284, p. 433. Ed. Raby, *Christian-Latin Poetry*, pp. 435 sq. This poem has been ascribed to Jacopone da Todi, but it is included in a *Summa Iustitiae*, ascribed to Grosseteste, and earlier than Jacopone's time.

285, p. 435. *Analecta Hymnica*, liv, No. 201, pp. 312 sqq. This famous meditation, afterwards used as a sequence, was formerly ascribed to Jacopone da Todi, but the manuscript evidence for his authorship is unreliable, and there are other reasons which make it unlikely that it is his work. It is, however, certainly of Franciscan origin and is to be placed in the thirteenth century.

286, p. 437. *Analecta Hymnica*, xxxiii, No. 213, pp. 190 sqq. 11 *plebanus,* parish priest.

287, p. 440. *Analecta Hymnica*, liv, No. 167, p. 257.

288, p. 440. *Analecta Hymnica*, xlv *b*, No. 35, p. 36. This piece, and No. 289, are from a Tours manuscript, and are specimens of *cantiones*, which were very popular in this time of new musical developments; see F. Brittain, *The Medieval Latin and Romance Lyric to A.D. 1300*, Cambridge, 1951, p. 242.

289, p. 441. *Analecta Hymnica*, xlv *b*, No. 53, p. 46.

290, p. 442. Ed. A. Wilmart, 'Le Cantique d'amour de Richard Rolle', *Revue d'ascétique et de mystique*, xxi (1940), pp. 143 sqq. This poem, uneven in its execution and characteristic in its alliteration, is by Richard Rolle, the famous Yorkshire hermit and writer of devotional treatises in English and in Latin. He begins with a *descriptio*, as if he were writing a secular poem according to the precepts of Geoffrey of Vinsauf, though we must allow as well for the influence of the Song of Songs.

INDEX OF AUTHORS AND
COLLECTIONS

[The figures refer to the number of the piece, not of the page.]

INDEX OF AUTHORS AND COLLECTIONS

INDEX OF FIRST LINES

[*The figures refer to the number of the* page, *not of the* piece.]

INDEX OF FIRST LINES

INDEX OF FIRST LINES

507

INDEX OF FIRST LINES

INDEX OF FIRST LINES

INDEX OF FIRST LINES

INDEX OF FIRST LINES

INDEX OF FIRST LINES

PRINTED IN GREAT BRITAIN AT THE UNIVERSITY PRESS, OXFORD
BY VIVIAN RIDLER, PRINTER TO THE UNIVERSITY